La Alhambra y el Generalife

GUÍA OFICIAL

Patronato de la Alhambra y Generalife
CONSEJERÍA DE CULTURA

Presentación

La antigua ciudad palatina nazarí preside actualmente, como también lo hizo en el pasado, el horizonte del paisaje urbano de Granada caracterizándola entre todos los centros históricos del sur peninsular. Se da la circunstancia de ser el único bien declarado Patrimonio Mundial desde 1984 que gestiona directamente la Consejería de Cultura de la Junta de Andalucía a través del Patronato de la Alhambra y Generalife, organismo especializado en la conservación y restauración patrimonial del recinto.

Durante los últimos años ha sido, y continúa siendo, el destino preferido de millones de viajeros procedentes de todos los rincones del mundo, que han convertido la visita a la Alhambra y al Generalife en una de sus aspiraciones como ciudadanos, garantizándoles, mediante una gestión sostenible, el derecho a disfrutar del patrimonio como una experiencia cultural placentera. Para aprovechar mejor esta experiencia se ha redactado esta nueva Guía Oficial de visita que incorpora importantes novedades y adelanta algunos de los últimos avances en el conocimiento científico del lugar, fruto del trabajo continuado del equipo técnico del Patronato de la Alhambra y Generalife y de un nutrido grupo de profesionales de distintas disciplinas que colaboran habitualmente con el Monumento.

Junto a los consejos prácticos que deben ser tenidos en cuenta para la preparación de la visita, y que siempre son de agradecer por su utilidad, quisiera destacar la presentación de una detallada planimetría que ve la luz con esta guía y que orientará al visitante no sólo en su desplazamiento por las distintas zonas del recorrido principal, sino que también lo hará sobre los diversos modos de acceso al recinto palatino desde la ciudad.

La valoración histórica y la significación artística del Conjunto Monumental quedan plenamente argumentadas en los comentarios referidos a los distintos ámbitos en los que se encuentra organizado el itinerario principal de la visita y se han visto enriquecidas con las espléndidas imágenes fotográficas que acompañan al texto, la mayoría de ellas inéditas o realizadas para la ocasión. También por primera vez se ofrece una interpretación equilibrada de la dimensión patrimonial del complejo palatino nazarí como un auténtico sistema urbano imbricado en el territorio en el que el agua canalizada y captada del río Darro, a través de un inteligente sistema hidráulico, terminó por conformar un paisaje cultural que hoy podemos admirar por su carácter singular y por su excepcional conservación.

Para la Consejería de Cultura constituye un motivo de satisfacción presentar esta nueva guía que, como instrumento principal de difusión del Monumento entre la ciudadanía, está llamada a convertirse en libro de consulta obligada para todo el que quiera disfrutar plenamente del conocimiento del lugar.

Paulino Plata
Consejero de Cultura de la Junta de Andalucía

La Alhambra, con la Alcazaba a la izquierda, el palacio de Carlos V a la derecha y, al fondo, el Generalife

El Conjunto Monumental de la Alhambra y el Generalife: de ciudad-palacio nazarí a Patrimonio Mundial

El Conjunto Monumental de la Alhambra y el Generalife constituye actualmente uno de los lugares patrimoniales más visitados del mundo. Es, sin ninguna duda, la gran referencia internacional de la ciudad de Granada y su principal seña de identidad. A sus valores históricos como ciudad palatina de la dinastía nazarí (siglos XIII-XV) en el último reducto de poder de al-Andalus se suman no sólo los de su excelencia artística y refinada estética sino, sobre todo, un emplazamiento único y singular que tiene por horizonte las cumbres de Sierra Nevada y como límite de perspectiva visual los llanos de la Vega. Un territorio convertido en auténtico paraíso terrenal gracias al agua domesticada, procedente del río Darro, que transcurría sorteando perfiles y desniveles a través de un sofisticado sistema hidráulico conformado por acequias, canales, pozos, norias, estanques o albercas, aljibes y fuentes. Sistema que, en gran parte, se ha conservado y mantenido a lo largo de siglos y cuya huella todavía es posible advertir en el entorno circundante.

Quizá sea esta vertiente paisajística la que, por su carácter integrador, permite afianzar, de un modo más evidente, la valoración de la Alhambra y su entorno como una construcción cultural intencionada. No cabe explicarse la existencia de esta ciudad palatina sin tener en cuenta el comienzo de una nueva dinastía en el postrero reino nazarí de Granada, que aspiraba a legitimar un nuevo linaje y un nuevo símbolo que la identificara, la ciudadela palatina de la Alhambra, a la que se sumarían progresivamente otros palacios y almunias reales, como el Generalife y su dehesa, los Alixares o Dar al-'Arusa, constituyendo un auténtico sistema urbano diferenciado de la ciudad de Granada a la que aporta un perfil estético de excepcional belleza.

En este lugar la experiencia de disfrutar el patrimonio, que toda visita cultural lleva implícita, se enriquece con un componente sensorial y emocional que no atiende a fronteras ni a convencionalismos históricos ni religiosos. Si el contexto que le dio origen fue de conflicto, ahora se ofrece como espacio neutral de mediación, donde la memoria es capaz de elevarse a categoría posible de convivencia entre los pueblos. Si una cultura refinada y exquisita, como era la nazarí, la pudo concebir y desarrollar durante más de doscientos cincuenta años, otra muy distinta, la castellana, la supo mantener y conservar posibilitando con ello que sea el único testimonio que permanece de palacios y jardines medievales islámicos de su tiempo. Si su arquitectura y decoraciones han producido admiración e imitaciones diversas, también ha propiciado la creación de otras realidades artísticas surgidas

Alcoba lateral del salón del Trono en el palacio de Comares

a partir de ella, desde la literatura a la música, desde la pintura y la escultura al diseño y la artesanía, desde la arquitectura a la jardinería, desde la fotografía al audiovisual. A su realidad histórica y material se le ha sumado otra de naturaleza intelectual que la ha trascendido reencontrándose hoy en un presente pleno de contenidos muy diversos que la proyecta y enriquece en su dimensión social y cultural.

Desde 1984 forma parte de los bienes inscritos en el Patrimonio Mundial en cuyo expediente de declaración quedó precisado que "La Alhambra y el Generalife representan una categoría arquitectónica y urbana excepcional que suma funcionalidades defensivas, áulicas, residenciales y recreativas". A este valor universal excepcional se suman los criterios de autenticidad e integridad que posee y que están estrechamente vinculados a la historia de su conservación, a través de la cual puede analizarse la evolución del pensamiento y de la crítica sobre la restauración arquitectónica en nuestro país. La Alhambra es un conjunto que mantiene su esencia patrimonial a pesar de las transformaciones a las que se ha visto sometida y que siempre emociona al viajero. No importa el país, la lengua o la tradición cultural del visitante. La universalidad de la Alhambra llega a todos los que se acercan a ella fundiéndose en el deseo de permanecer eternamente en este lugar tan próximo a la idea de paraíso.

Probablemente sea también el único conjunto de edificios en el que sus paredes incorporan mensajes precisos que nos ayudan a entender mejor la estética del arte nazarí. Las epigrafías de la Alhambra son códigos de utopía cifrados por los visires poetas de la Cancillería Real de la corte y fueron creados para perpetuar la gloria de los monarcas que promovieron su construcción. Sus grafías se modulan al ritmo de las letanías de la espiritualidad que les dio origen, al tiempo que construyen un tapiz de color, ritmo y textura excepcionales que se propaga en todas las estancias palatinas. A ellas se suman los atauriques y lacerías en un apretado catálogo de formas diversas y composiciones delicadas que deben contemplarse con detalle para disfrutar de todas sus posibilidades estéticas. Valorar los contrastes de luz y la armonía de sus patios, la materialidad de su arquitectura, la alternancia de torres y baluartes defensivos de distintos momentos de su historia, la riqueza formal de fuentes y pilares, el artificio de su arquitectura prorrogada a través de majestuosas albercas, el perfume de las plantas y flores y la sinfonía de sonidos, se suman a la condición de mirador sobre la ciudad baja, la Vega, el Albaicín y el valle del Darro.

El palacio del Generalife es también la única almunia real conservada de su época, donde jardines y huertas han permanecido cultivados a lo largo del tiempo de manera continuada. Su extraordinario valor patrimonial se complementa con nuevos espacios que han ido incorporándose en distintos momentos de su historia, ofreciéndose actualmente al viajero como un libro abierto de jardinería y flora ornamental, además de constituir un modelo para entender el carácter doméstico de estas fincas agrarias de los reyes nazaríes concebidas para el descanso y el placer, pero también para su explotación agraria.

A este inigualable conjunto de recintos palatinos se suma otro excepcional ejemplo del diseño arquitectónico universal, el palacio de Carlos V. El patio circular circunscrito en el cuadrado que describe su planta es todo un símbolo de la cultura humanista puesta al servicio del emperador que un día soñó convertir Granada en la capital del imperio español. Actualmente acoge el Museo de la Alhambra, en su planta baja, y el Museo de Bellas Artes, en la planta principal, destinándose la capilla y la cripta del mismo edificio a acoger distintas actividades culturales, particularmente exposiciones temporales. También acoge las salas de reunión del Patronato de la Alhambra y un pequeño salón de actos.

Para los granadinos la Alhambra constituye el más preciado de los tesoros que ofrece la ciudad, y no dudan en convertirse en intérpretes de su historia, arte y leyenda al mostrarla orgullosos a sus familiares y amigos cuando vienen de visita. Disfrutan del bosque de Gomérez, de las fuentes y pilares y, sobre todo, suben durante el Festival Internacional de Música y Danza de Granada que inaugura todos los veranos el tiempo de la música en la Alhambra. A ella acuden también durante la tradicional Fiesta de la Toma de la ciudad, cada 2 de enero, a tocar la campana de la torre de la Vela en un rito laico y propiciatorio para que las mujeres solteras, y ahora también los hombres, puedan encontrar pareja ese año o, si ya la tienen, casarse pronto. Durante la Semana Santa, la procesión de Santa María de la Alhambra, el Sábado Santo, se convierte en el acto principal del día para ciudadanos y visitantes sorprendidos por el paso procesional en el recinto y bosques alhambreños.

Para disfrutar plenamente y en su conjunto de este lugar patrimonial se ha pensado esta nueva guía oficial que pretende orientar, profundizar y ampliar el conocimiento científico sobre el Monumento y su entorno actualizando sus contenidos e incorporando un valioso material gráfico, incluida nueva planimetría, que contribuirá, sin duda, a orientar al visitante en su recorrido, a la vez que le permitirá profundizar en los valores de los distintos espacios que contempla. También se ha pensado en aquellos visitantes que quieran saber más sobre la Alhambra, y a ellos está dedicada la última parte de la guía, que permite reforzar aspectos significativos de su historia y arte, en especial la memoria de numerosos personajes vinculados a su devenir histórico. No hemos querido renunciar a recomendar otros itinerarios y visitas sosegadas que incluyen el entorno urbano y paisajístico del Conjunto Monumental y que animan a contemplarla desde el vecino barrio del Albaicín, desde donde se puede apreciar la plenitud de su arquitectura y paisaje. Federico García Lorca dijo de la Alhambra que era el eje estético de la ciudad y describió el amanecer de verano en este lugar con estas palabras: «...y todas las suavidades y palideces de azules indecisos se cambian en luminosidades espléndidas y las torres antiguas de la Alhambra son luceros de luz roja..., las casas hieren con su blancura y las umbrías tornáronse verdes brillantísimos» (del libro *Impresiones y Paisajes*). La Alhambra hecha poesía en las palabras de su más excelso poeta. Sin duda, el Conjunto Monumental de la Alhambra y el Generalife tiene en esta guía oficial su mejor carta de presentación. Espero y deseo que la disfruten.

María del Mar Villafranca Jiménez
Directora General del Patronato de la Alhambra y Generalife

Nueva guía oficial de la Alhambra

Esta guía tiene como finalidad ofrecer al visitante una visión general y, al mismo tiempo, detallada del Conjunto Monumental de la Alhambra.

La Alhambra no es solo un monumento, sino también un amplio territorio de unos 3.455.000 m^2, de los cuales son visitables 655.000 m^2, conformados por edificios de diferentes épocas y funciones, jardines, murallas, bosques, huertas, terrenos vírgenes, acequias y restos arqueológicos.

La publicación que presentamos está dividida en varios capítulos que tratan de explicar tanto el entorno geográfico como la historia que lo fue modelando, así como el propio monumento.

En cada capítulo se explican algunos elementos singulares de la zona que se trata, por medio de unos recuadros destacados en los que se incluye una imagen y un pequeño texto independiente del relato general. Al inicio de cada capítulo se incluye, a doble página, un resumen y un plano de situación.

La guía está profusamente ilustrada con numerosas imágenes. Todos los planos, grabados y fotografías antiguas que no indiquen lo contrario en su pie de foto, pertenecen al Patronato de la Alhambra y Generalife. Comienza con la explicación del entorno geográfico y la relación de la Alhambra con la ciudad de Granada, y se ofrecen las distintas posibilidades para acudir a la Alhambra, hasta que nos introducimos dentro de las murallas. Se recomienda un itinerario que es el que sigue esta guía, pero se puede organizar la visita en el orden que se quiera. Continúa la explicación de cada uno de los espacios singulares dentro del recinto amurallado, se puedan visitar o no (algunos, por su especial estado de conservación o condición, están excluidos de la visita general a la Alhambra). Un capítulo aparte merece el Generalife, la finca rural que poseían los sultanes nazaríes extramuros de la Alhambra, pero contigua a su muralla, rodeada de jardines y huertas. Otro capítulo se dedica a los restos arqueológicos existentes en la parte noreste del conjunto, más montañosa y alejada de la ciudad.

Para finalizar, se han elaborado dos capítulos teóricos: en el primero se explican algunas claves arquitectónicas y decorativas que harán entender mejor la Alhambra nazarí; el segundo ofrece los acontecimientos históricos ocurridos en la Alhambra a lo largo de los siglos, y una serie de gráficos con los reinados nazaríes y otros de la época.

Un anexo aporta información útil, una selección de personajes históricos que han tenido relación con la Alhambra, un índice onomástico en el que se recogen todos los nombres de personas que se nombran en la guía, un glosario de palabras de carácter técnico o, al menos, inusual, y una pequeña selección bibliográfica para quien quiera ampliar conocimientos. Se cierra la guía con unas páginas a modo de cuaderno de notas.

La torre de Comares, en cuyo interior se ubica la sala principal de la Alhambra nazarí del siglo XIV, el salón del Trono

على سيدنا محمد وعلى آله وصحبه وسلم تسليما قل هو الله احد الله الصمد لم يلد ولم يولد

Índice

Detalle de la yesería y el alicatado de la torre de la Cautiva

13 Etapas históricas de la Alhambra

14 Anexos

15 Cuaderno de notas

1 Granada y la Alhambra

La Alhambra, situada en una de las tres colinas existentes al norte de Granada, domina la ciudad desde una altura de 100 m sobre ella. La relación entre ambas ha sido históricamente muy estrecha, pues la Alhambra es un referente que se divisa desde casi todos los puntos de la ciudad. El conjunto metropolitano conformado por Granada, la Alhambra y los espacios naturales en los que se implanta —ríos Darro y Genil, la Vega y Sierra Nevada— constituye uno de los más reconocidos del mundo.

La Alhambra domina la ciudad de Granada desde la altura que le brinda el monte de la Sabika, unos 100 m elevada con respecto a la ciudad.

La relación orográfica entre una y otra es semejante a la que tienen otras ciudades históricas universales con su entorno, como Atenas, Jerusalén, Roma, Fez, Estambul, Salzburgo, Toledo, etc., con las que viajeros de todo el mundo tradicionalmente han comparado a Granada. Al igual que ocurre en estas ciudades, la Alhambra mantiene con su «ciudad baja» una relación de mutua dependencia, a veces idílica, a veces quimérica, muchas veces convulsa, en todo caso de inevitable simbiosis urbana.

Por ello la Alhambra se articula como uno más de los barrios históricos de Granada: el centro de la ciudad con el conjunto catedralicio, el Albaicín, el Sacromonte o el Realejo. Igualmente es considerada, junto con los espacios naturales que la rodean –los ríos Darro y Genil, la Vega y Sierra Nevada–, como uno de los conjuntos metropolitanos más afamados y reconocidos del orbe.

Entorno geográfico

Granada capital está situada a 37° 10′ 18″ de latitud Norte y 03° 35′ 56″ de longitud Oeste (meridiano de Greenwich), y a una altitud de 683 m sobre el nivel del mar.

El clima de Granada es de tipo mediterráneo continental, caluroso en verano pero con inviernos frescos y fuerte oscilación térmica diaria, a veces hasta de 20°C. Las escasas precipitaciones se concentran en otoño y primavera, aunque

Anton van den Wyngaerde, *Vista de Granada,* 1571, dibujo a la aguada, Biblioteca Nacional de Viena
La perspectiva de Granada desde el sur, con la Alhambra y la sierra al fondo, ha sido representada durante más de cuatrocientos años innumerables veces. Anton van den Wyngaerde, un renacentista que viajó por Europa para dibujar sus ciudades, estuvo en Granada en 1567, y sus vistas son un documento imprescindible para saber cómo era aquella ciudad, y otras muchas que dibujó, a mediados del siglo XVI.

Vista panorámica del Albaicín, en primer término, la Alhambra, Granada y la Vega
Página siguiente: **Vista aérea de la Alhambra con el barrio del Realejo en primer término**

ocasionalmente nieva en invierno; sin embargo, suele haber fuerte sequía estival.

Granada es una ciudad bastante peculiar dentro del conjunto de Andalucía, pues presenta fuertes contrastes tanto físicos como humanos. Se sitúa en el centro geográfico de la zona oriental de la comunidad, en la llamada Andalucía Alta, la región que ocupan, sobre todo, las denominadas cordilleras Béticas, en el llamado surco intrabético, un auténtico rosario de depresiones longitudinales que, desde Ronda hasta la hoyas de Baza y Vera, une el Levante y el Mediterráneo, en contraposición con la extensa llanura del Guadalquivir o el borde montañoso de Sierra Morena al norte, las otras dos grandes unidades geográficas de Andalucía.

Esta situación es la causa tanto de su peculiar pasado histórico, como de las fases favorables o adversas de su desarrollo económico.

El reino nazarí se ajustó bastante a la Andalucía que delimitaba la gran cordillera. Las cordilleras Béticas, resultado de los plegamientos alpinos al sur del antiguo macizo alemán de Hercinia, origen de la meseta actual junto a los Pirineos y la cordillera Cantábrica, son las más jóvenes y altas montañas de la Península Ibérica. A pesar de ofrecer una forma menos abrupta, sin embargo poseen las mayores alturas, con casi 3.500 m en los picos de Mulhacén y Veleta. Otra peculiaridad de este sistema montañoso es su complejidad geológica y geográfica, que comprende dos grandes alineaciones, la Bética al norte, que linda con la baja depresión del Guadalquivir, y la Penibética hacia el Mediterráneo. En su interior, de un modo discontinuo, está jalonada por una serie de depresiones que, desde el suroeste hasta el noreste, van aumentando en altura.

La depresión de Granada, la mayor y más centrada de las depresiones interiores de las Béticas, es la comarca natural donde se asienta la ciudad de la Alhambra. Granada se beneficia de ello al estar en el centro de esa esencial vía de comunicaciones que es el rosario de depresiones. La mayor dificultad, salvo en tiempos de defensa, es la comunicación norte-sur, en clara desventaja con otras ciudades vecinas como Málaga o Almería, al estar alejada de los dos grandes

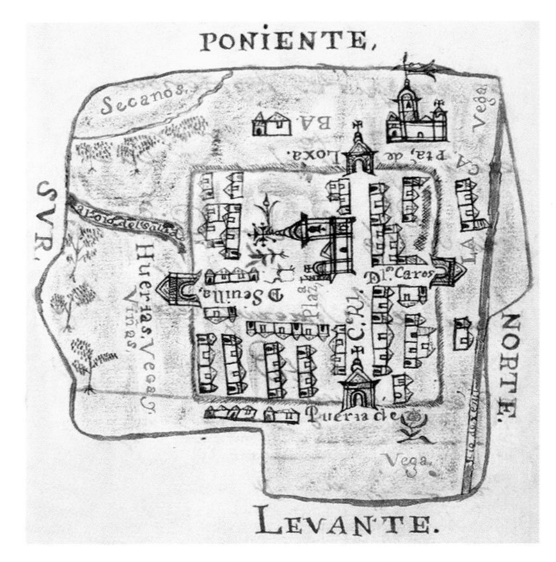

Plano de Santa Fe, ciudad fundada por los Reyes Católicos a finales del siglo XV. Archivo Histórico Provincial de Granada. Catastro del Marqués de la Ensenada

pasillos transversales, el del Guadalhorce al oeste y el del Guadiana Menor al este.

Por el contrario, es la depresión más extensa, más de 50 km desde Loja, y a pesar de su altura (entre 500 y 600 m) la más fértil y por ende más habitada. Desde los primeros pobladores, es esta fertilidad su gran ventaja. Rodeada de todo un cinturón montañoso, con el gran farallón de Sierra Nevada que la cierra por el este, solo tiene la difícil salida del río Genil hacia el Guadalquivir por Loja. Es una depresión hundida y compuesta de tierras sedimentarias, producto de la continua erosión de los macizos circundantes.

Los primeros pobladores de la llanura, la llamada «Vega de Granada», rodeada de montañas, ya pudieron aprovechar su fértil tierra dotada de conglomerados, arenas, limos y arcillas, que ofrece un sustrato excelente para los cultivos de huerta, y además tiene el agua garantizada por los deshielos de Sierra Nevada que alimentan su acuífero.

Fue indiscutiblemente esta riqueza natural lo que, además de asegurarle poblamiento, definió el tipo y forma de los asentamientos. Todos los núcleos urbanos se situaban al borde de la depresión, en los piedemontes o estribaciones montañosas, y la propia ciudad se asienta en los interfluvios de los cauces del Beiro, Darro y Genil, sobre tres colinas, estribaciones de Sierra Nevada, constituidas por grandes masas de conglomerados cuaternarios de color rojizo (el llamado «conglomerado Alhambra»). Los ríos, que proceden de las grandes montañas, los han tajado y erosionado profundamente, lo que ha dado lugar en la primitiva barrera de conglomerados a su actual formación topográfica.

Las tres colinas tienen una altura similar, en torno a 750 m. La de San Cristóbal, sumamente escarpada, se eleva hasta 760 m en su punto más alto. La central o del Albaicín, menos elevada y algo más llana, ha tenido, especialmente hacia el Darro, un gran desarrollo urbano.

Al sur del valle del Darro y con un fuerte escarpe está la colina donde se asienta la ciudadela de la Alhambra, la más alta (790 m) y extensa, llamada Sabika. La colina, que por el este está separada del Cerro del Sol (980 m) por el profundo barranco del Rey Chico o de los Chinos, se encuentra prácticamente aislada de la Vega y de las montañas que la respaldan por escarpadas paredes y gargantas. A su vez se divide en dos partes por la vaguada que ocupa el actual bosque de la Alhambra: la Sabika, con su disposición longitudinal, y el Mauror, menos alto (760 m), donde se alzan las Torres Bermejas.

Alrededor de estas colinas, especialmente la de la Alhambra, se ha ido edificando y conformando la mayor parte de la ciudad. En un primer momento, fue sobre el inmediato piedemonte entre los tres cursos fluviales donde se formó la primera medina árabe, contrapuesta y complementaria a las alcazabas altas, con un viario laberíntico y abigarrado. Posteriormente, en época cristiana, la ciudad avanzó tímidamente

Grenade à vol d'oiseau, **1853, con la vista del Generalife, la Alhambra y la ciudad al fondo.** Litografía de M. Aumont

La Alhambra desde Granada a principios del siglo XIX. Al fondo, a la izquierda, la torre de la Vela, y a la derecha, Torres Bermejas. Grabado coloreado de Alexandre Laborde, 1812

hacia la llanura, pero manteniendo la primacía paisajística de las colinas, especialmente la de la Alhambra, con sus principales hitos visuales, como la torre de la Vela, Torres Bermejas, la torre de Comares, etc.

Es con el desarrollo demográfico y urbano reciente cuando Granada se extiende por toda la llanura, especialmente hacia el norte y el sur, y da la espalda a este horizonte visual, reemplazado por otros como la sierra. También se produce en las últimas décadas un importante desarrollo metropolitano sobre las grandes vías de acceso y los antiguos pueblos de la Vega. De modo que Granada, en la actualidad, es una ciudad media de unos 300.000 habitantes, pero que conforma un área metropolitana de más de 600.000 personas.

A raíz de esta expansión, la Alhambra, la ciudad palatina, ha ido perdiendo su importante papel organizador y de equilibrio en el tejido urbano de Granada. Visualmente también deja de ser referencia, pues ya existen barrios desde los que no se vislumbra el conjunto monumental. No obstante, la Alhambra sigue siendo el principal hito del paisaje urbano de la ciudad.

Territorio circundante

El Conjunto Monumental de la Alhambra está formado por el recinto amurallado y un determinado territorio circundante en el que se encuentran algunos elementos arquitectónicos inseparables de la Alhambra.

Al ascender y seguir la dirección de las agujas del reloj, por el norte, el valle del río Darro vertebra ambas ciudades que están a distinto nivel. La falda de la Alhambra se vuelca hacia el río frente al Albaicín, en el hoy llamado bosque de San Pedro; es un terreno de más de 60.000 m^2 que en época medieval, seguramente, fue aprovechado para cetrería y otras actividades

La Alhambra vista desde el sur. En primer término, Torres Bermejas. Al fondo, a la derecha, el Generalife

relacionadas, en el que hay pequeñas acequias, hornos y norias, vinculadas al paso del río, de gran valor patrimonial y paisajístico.

Elevado sobre la margen izquierda del Darro, la más próxima a la Alhambra, se expande un gran territorio con más de 330.000 m^2, con el Cerro del Sol y la dehesa del Generalife. Bordea y protege desde arriba la retaguardia de la fortificación, la parte más alejada de Granada.

Varias estructuras hidráulicas se diseminaron en época medieval como si fueran oasis dotados de espacios residenciales, entre extensos pastos para rebaños y cría caballar, y amplias huertas distribuidas por los desniveles del terreno, separadas por grandes muros de contención y de seguridad, para el abastecimiento de la ciudad palatina. A lo largo del tiempo estas estructuras hidráulicas y varios asentamientos colonizaron las laderas meridionales, en suave descenso, donde estuvo el *Qasr al-Disar*, el mítico palacio de los Alijares, hoy desaparecido, hacia el altozano del Mauror. En ese declive, que fue el escenario de las últimas paradas militares nazaríes, se reparte el agua y se controlan los collados hacia el gran río meridional, el Genil, a cuyo borde se distribuyen alquerías, y se produce la comunicación de la sierra y los desfiladeros con el valle y con el mar.

Finaliza la rotación hacia el suroeste sobre la Antequeruela, antiguo barrio que protegía la *Garnata al-Yahud*, el barrio judío granadino, desde las Torres Bermejas, auténtico observatorio de Granada que enlaza con la Alhambra, mediante una escalonada muralla, a través del barranco de la Almanzora, la Sabika y la Churra.

2 Cómo acceder a la Alhambra

A la Alhambra se puede acceder de tres formas: en transporte público —microbús o taxi—, en vehículo privado o a pie. La entrada más apropiada es la puerta de la Justicia, a la que se puede llegar fácilmente en cualquiera de los casos. Los tres accesos peatonales —la cuesta de Gomérez, la del Realejo y la del Rey Chico—, que parten de tres barrios diferentes —Centro, Realejo y Albaicín—, son caminos históricos que discurren por el entorno boscoso, en cuyo recorrido se pueden contemplar elementos singulares que se encuentran extramuros de la Alhambra.

Con esta configuración territorial los accesos desde Granada a la Alhambra han sido muy variados, adaptándose en cada momento a sus respectivos desarrollos urbanos. En la actualidad el enlace habitual se puede realizar de tres formas: en transporte público, en vehículo privado o a pie, por las rutas peatonales de los caminos históricos.

La entrada más apropiada a la Alhambra, desde un punto de vista práctico y representativo, es la puerta de la Justicia, a la que se llega desde el pabellón de acceso, donde se adquieren los tiques de entrada, bien por el camino que bordea el exterior de la muralla o bien por el interior del recinto.

Transporte público

Un servicio municipal de microbuses conecta el monumento con el centro de la ciudad y el Albaicín; en sus distintas paradas existe información detallada al respecto.

Además, la ciudad ofrece un servicio de taxis con paradas próximas a los accesos a la Alhambra.

Carretera de acceso para vehículos y aparcamiento

Se puede acceder con vehículo a las proximidades del Conjunto Monumental desde la autovía de circunvalación de la ciudad, en su conexión desde Granada a la estación de esquí de Sierra Nevada y a la costa. El aparcamiento ocupa una superficie cercana a los 10.000 m^2 y está distribuido en varias terrazas, con capacidad para seiscientos automóviles y setenta autocares. Está abierto y vigilado las veinticuatro horas del día, con tarifas independientes de la visita al Conjunto Monumental.

La cuesta del Rey Chico a su paso por la torre del Qadí

Caminos históricos a la Alhambra

Tres caminos históricos peatonales unen la Alhambra con Granada y sus barrios tradicionales: la cuesta de Gomérez (acceso habitual desde el centro de la ciudad), la cuesta del Realejo (desde el popular barrio del mismo nombre) y la cuesta del Rey Chico (comunicación directa con el Albaicín y el Sacromonte).

Los tres caminos, de ida y vuelta, proceden de diferentes zonas de la ciudad, pero confluyen en el mismo lugar, donde se inicia la visita al Conjunto Monumental. Sus recorridos discurren en parte por un amplio sector intermedio entre ambas ciudades, genéricamente denominado «el bosque de la Alhambra», en el que, además, se encuentran varios elementos singulares, como Torres Bermejas, Peñapartida, el pilar de Carlos V, la puerta de Bibrambla o los monumentos a Ángel Ganivet y Washington Irving que pueden visitarse independientemente, por lo que su descripción se ofrece a renglón seguido de los accesos.

Cuesta de Gomérez

Va desde la Plaza Nueva de Granada hasta la puerta de las Granadas, abierta en la muralla que une Torres Bermejas con la Alcazaba.

Debe su nombre a una dinastía que, según el historiador del siglo XVI Luis del Mármol Carvajal, era de procedencia norteafricana y se estableció en esa zona dando origen al barrio. En época medieval era una torrentera que separaba la colina de la Sabika, donde se asienta la Alhambra, de la del Mauror, presidida por Torres Bermejas. Ambas construcciones quedaban unidas por

Accesos a la Alhambra

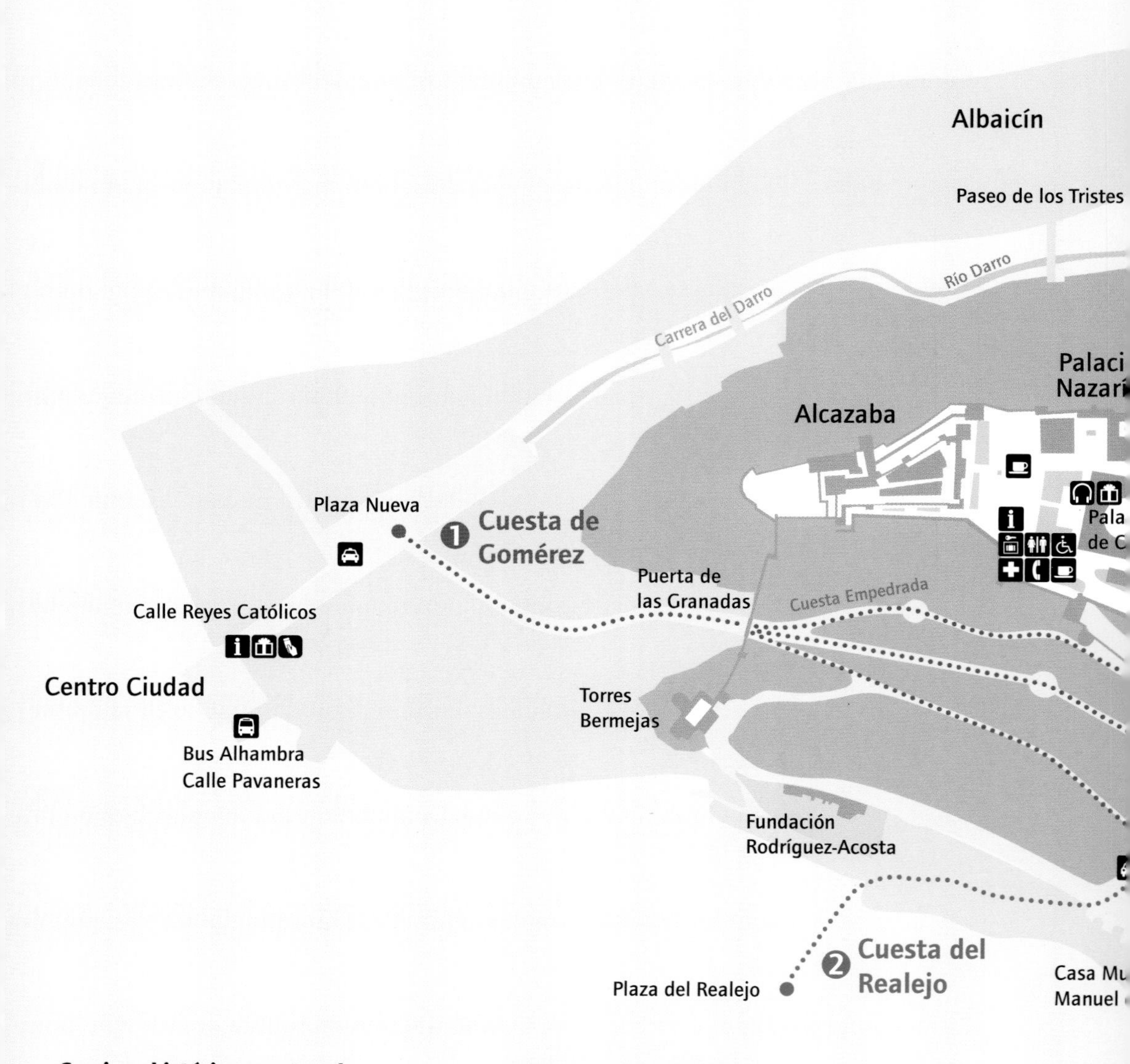

Caminos históricos peatonales

❶ **Cuesta de Gomérez**
1.150 m desde la Plaza Nueva en el centro de Granada

❷ **Cuesta del Realejo**
890 m desde la plaza del Realejo en el barrio del mismo nombre

❸ **Cuesta del Rey Chico**
860 m desde el paseo de los Tristes en el Albaicín

Acceso en automóvil o bus

Automóvil y bus:
Acceso por la Ronda Sur. Aparcamiento

En taxi: Tel. 958 280 654
Paradas en la Alhambra, frente a la iglesia de Santa María de la Alhambra, el hotel Alhambra Palace y la puerta del Generalife

En bus Alhambra:
Conexión entre Centro ciudad, la Alhambra y los barrios del Albaicín, Sacromonte y Realejo

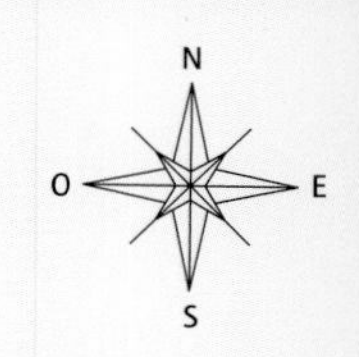
N
O
E
S

Sacromonte
3 Cuesta del Rey Chico
Silla del Moro
Generalife
Teatro al aire libre
Medina
Atrio o Pabellón de Acceso
Biblioteca y Archivo de la Alhambra
Plaza de la Alhambra
Aparcamiento
Auditorio Manuel de Falla
Ronda Sur
Acceso de vehículos
Información
Expendedor automático de entradas
Consigna
Teléfono
Correo
Audioguía
Tienda-librería
Atención al visitante
Aseos
Aseos para personas con discapacidad
Cafetería
Primeros auxilios
Aparcamiento
Bus
Taxi
0
50
100
150
200
250 m

Puerta de las Granadas

Es una de las puertas situadas en la antigua muralla de Granada, que sustituyó a la que había en época medieval.
Atribuida al mismo arquitecto que proyectó el palacio de Carlos V, Pedro Machuca, esta puerta se edificó hacia 1536 a modo de entrada triunfal, cuando el emperador decidió construirse una residencia en la Alhambra. De aparejo almohadillado, su frontón recoge el escudo imperial, y sobre él, las figuras alegóricas de la Paz y la Abundancia y tres grandes granadas, símbolo de la ciudad. Ha sido recientemente restaurada. Abre paso al bosque de la Alhambra, gran pulmón vegetal de la ciudad, antesala de la fortaleza alhambreña.

una muralla transversal que servía, y sirve en la actualidad, para marcar el límite entre el área urbana de Granada y el recinto de la Alhambra. Hacia 1536 se construyó, a modo de solemne entrada a la Alhambra, la puerta de las Granadas, obra, como el proyecto del palacio de Carlos V, del arquitecto Pedro Machuca. Labrada en piedra con aparejo almohadillado, como el palacio. En el tímpano presenta el escudo imperial, con las figuras alegóricas de la Paz y la Abundancia, coronado por las tres grandes granadas que le brindan el nombre. Esta puerta renacentista sustituyó a otra islámica, parte de cuyos restos reconstruidos pueden verse a su costado.

Detalle de la *Plataforma* de Ambrosio Vico, hacia 1614, donde se ve la cuesta de Gomérez y la muralla que separaba Granada de la Alhambra. Biblioteca de la Alhambra

Tras la puerta se extiende el bosque de la Alhambra, plantado en el siglo XIX, formado por ejemplares centenarios de olmos, álamos, castaños de Indias, etc., que se puede recorrer, desde aquí, por tres paseos, de los cuales los laterales son exclusivamente peatonales. El de la derecha conduce hacia Torres Bermejas, el auditorio Manuel de Falla y el Carmen de los Mártires, entre otros, mientras que el del lado izquierdo, antiguamente llamado «cuesta Empedrada», conduce al flanco sur de la muralla de la Alhambra, a la puerta de la Explanada o de la Justicia. Históricamente se llamó también el «paseo de las Cruces», pues en él, a lo largo del tiempo, se fueron instalando cruces devocionales. El paseo central ha quedado recientemente limitado como acceso peatonal al suprimirse el tráfico rodado.

La cuesta de Gomérez es el camino habitual desde el centro de Granada hasta la Alhambra. Desde finales del siglo XIX se fueron instalando en él diversos establecimientos de artesanías tradicionales granadinas, como las dedicadas a la construcción de guitarras, cerámica, marquetería y orfebrería, que ofrecen hoy día una amplia variedad de recuerdos típicos de la ciudad.

Desde la Plaza Nueva, de donde parte la cuesta de Gomérez, hay una distancia de 1.150 m hasta el atrio o pabellón de entrada a la Alhambra, 660 m hasta el interior del monumento y 1.000 m hasta el Centro Cultural Manuel de Falla y el Carmen de los Mártires.

Cuesta del Realejo

Es la vía más corta pero con mayor pendiente, entre Granada y la Alhambra, y el acceso más directo desde el barrio del mismo nombre, uno de los más típicos de la ciudad. Según el profesor granadino Manuel Gómez-Moreno, el nombre de Realejo se debe a las huertas reales existentes en el lugar, donde los sultanes nazaríes solían pasar épocas de descanso. A finales del siglo XV ya se denominaba Campo del Rey. Tradicionalmente se ha supuesto que estaba aquí el barrio judío de la ciudad, tal vez por la referencia del historiador y geógrafo de finales del siglo X al-Razi, quien se refería a él como *Garnata al-Yahud* o la Granada judía.

En todo caso, el barrio gira hoy en torno a dos plazas muy diferentes entre sí: la plaza de Fortuny, antiguamente llamada del Realejo Bajo, y el Campo del Príncipe. La primera fue denominada así en honor del pintor catalán Mariano Fortuny, que vivió en ella entre 1870 y 1871 y a quien el Ayuntamiento de Granada dedicó una placa en 1874; en esta plaza estuvo la *Bab al-Fajjarín* o puerta de los Alfareros, derribada en 1551, que daba acceso y nombre al barrio. Junto a ella está la plaza del Realejo, antiguamente del Realejo Alto, de la que parte la cuesta en dirección a la Alhambra, que se inicia junto a un pilar labrado en piedra en 1616, reparado a mediados del siglo XIX, en cuya decoración aparece esculpida una granada, permanente referencia a la ciudad.

El primer tramo de la cuesta asciende junto al convento de Santa Catalina de Siena, instalado aquí hacia 1530.

El segundo tramo de cuesta discurre entre las tapias de numerosos cármenes que recuerdan los del Albaicín. Al final del ascenso sorprende el edificio «neo-árabe» del hotel Alhambra Palace, construido como hotel de lujo en 1910 por Modesto Cendoya, que fue arquitecto conservador de la Alhambra, bajo patrocinio del duque de San Pedro de Galatino. Este establecimiento, muestra del impulso turístico que experimentó Granada a principios del siglo XX, propició la instalación en 1908 de un tranvía de cremallera por la cuesta del Caidero, hoy reservada al tráfico rodado.

La cuesta del Realejo finaliza en la finca llamada Peñapartida, junto al callejón Niño del Rollo, zona de la ciudad donde coinciden varios establecimientos culturales. Por aquí se accede a la casa-museo que habitó Manuel de Falla, el músico universal de origen gaditano y granadino de adopción; junto a ella, en 1978 el arquitecto García de Paredes edificó el auditorio Manuel de Falla, uno de los mejores del país, que alberga también la sede del archivo y de la fundación del compositor. Cerca se encuentra el Carmen de los Mártires, lugar de encuentros culturales de diversa índole, rodeado de bellos jardines y con excelentes vistas sobre la ciudad.

En el callejón Niño del Rollo está la sede de la Fundación Rodríguez-Acosta, edificada en

Vista del Realejo Alto y del hotel Alhambra Palace en construcción desde la huerta de Belén, hacia 1908. Archivo de la Alhambra

Tranvía de cremallera

El 22 de diciembre de 1907, debido al auge turístico que significó la edificación del hotel de lujo Alhambra Palace, se inauguró un tranvía de cremallera que subía hasta la Alhambra por la cuesta del Caidero, actualmente abierta al tráfico rodado. Esta línea funcionó hasta 1944, cuando, durante las fiestas del Corpus, fue clausurada por escasez de usuarios. Prestó servicio otros dos días, 15 y 16 de junio de 1944, debido a unos conciertos de la Filarmónica de Madrid en el palacio de Carlos V. Pero el día 17 «el cremallera» se averió y no volvió a rodar por este trayecto. Se llamaba así por tener un raíl dentado central para aumentar la adherencia en las empinadas cuestas hacia la Alhambra. Tarjeta postal impresa. Biblioteca de Andalucía. Granada.

1920 bajo el patrocinio del pintor y mecenas José María Rodríguez-Acosta, uno de los espacios culturales más dinámicos de Granada. En ella se integra además la Fundación Gómez-Moreno, que atesora el archivo de la saga familiar de estos insignes investigadores granadinos de los siglos XIX y XX. Frente a ellas está la histórica finca del Carmen de Peñapartida y, al final del callejón, las Torres Bermejas.

Desde aquí se extiende el bosque de la Alhambra, cuyos paseos conducen a los diversos sectores del Conjunto Monumental.

Desde el inicio de la cuesta del Realejo hay una distancia de 890 m hasta el atrio o pabellón de entrada a la Alhambra, 800 m hasta el interior del monumento y 620 m hasta el Centro Cultural Manuel de Falla y el Carmen de los Mártires.

Cuesta del Rey Chico

Es, de los tres accesos a la Alhambra, el más próximo a los barrios considerados con mayor esencia granadina, el Albaicín y el Sacromonte. Se inicia junto al río Darro, al final del paseo de los Tristes, en la zona próxima a la cuesta del Chapiz, una especie de «cordón umbilical» entre los dos barrios, presidida por el impresionante lienzo norte de la muralla de la Alhambra, que es el que se ve desde el Albaicín.

Debe su denominación a la famosa leyenda histórica por la que Aixa, la madre del «Rey Chico», Boabdil, facilitaría la huida de su hijo para encabezar a los rebeldes, que estaban acantonados en el Albaicín contra su padre. Entre las muchas denominaciones que ha recibido, la más tradicional era la de cuesta de los Molinos, nombre con el que se designaba al barranco que

Auditorio Manuel de Falla, obra del arquitecto José Mª García de Paredes, sede de la orquesta Ciudad de Granada, inaugurado en 1978, junto al Carmen del músico

Fundación Rodríguez-Acosta, creada por legado testamentario del pintor y mecenas granadino José María Rodríguez-Acosta

separa las lomas del Generalife y la Alhambra. En su inicio existían, y todavía quedan algunos restos, varios molinos de agua que aprovechaban el caudal del río Darro y las diversas acequias que desde aquí partían hacia el interior de la ciudad. A finales del siglo XIX también se la llamó cuesta de los Muertos, pues era el lugar de tránsito de las comitivas fúnebres desde la ciudad hacia el entonces recién inaugurado Campo Santo, situado en la zona más elevada de la Sabika. Finalmente, se conoce comúnmente como cuesta de los Chinos desde que se empedró su tramo inicial a principios del siglo XX con cantos rodados. El recorrido se inicia en el puente del Aljibillo, por el que también se accede a uno de los escenarios emblemáticos de finales del siglo XIX, la Fuente del Avellano, que da nombre al grupo de intelectuales románticos granadinos que se unieron en torno al escritor Ángel Ganivet.

Tras un primer tramo escarpado, jalonado por algunas viviendas, se deja atrás la ciudad y se entra en el barranco que separa la Alhambra del Generalife. A la derecha quedan la muralla y las torres del recinto, presididas por la torre de las Damas en el Partal, y a la izquierda, la zona baja de las huertas del Generalife. A medio camino encontramos un baluarte de época cristiana en el que destaca la puerta de Hierro, estructura defensiva de una de las puertas exteriores de la Alhambra, la del Arrabal, al pie de la torre de los Picos.

Frente a él, unos metros más arriba se encuentra el acceso medieval a la finca del Generalife.

Continuando la cuesta, en ascenso más suave, se avanza por el exterior de la muralla de la Alhambra junto a las torres del Qadí, Cautiva, Infantas y Cabo de la Carrera, hasta alcanzar, tras pasar bajo el puente y el acueducto que unen la Alhambra y el Generalife, la zona conocida como La Mimbre. Se trata de una antigua taberna, hoy uno de los restaurantes más típicos de la ciudad, al pie de la reconstruida torre del Agua y junto a la antigua entrada a la finca del Generalife, de la que aún puede verse el portón con el escudo de sus propietarios, la familia Granada-Venegas.

Junto a La Mimbre se encuentra el pabellón de acceso principal al Conjunto Monumental de la Alhambra y el Generalife.

Cuesta del Rey Chico con el torreón que controlaba su paso y que cierra el baluarte situado ante la torre de los Picos

La cuesta del Rey Chico también fue llamada cuesta de los Muertos por ser el camino tradicional de las comitivas fúnebres hacia el cementerio, situado en la zona más elevada de la Sabika. Litografía de J. F. Lewis, 1835

Desde el inicio de la cuesta del Rey Chico, en la ciudad, hay una distancia de 860 m hasta el atrio o pabellón de entrada, 1.220 m hasta el interior del monumento y 970 m hasta el Centro Cultural Manuel de Falla y el Carmen de los Mártires.

Bosque de la Alhambra

Los caminos históricos que conectan Granada con la Alhambra transitan por el amplio y heterogéneo espacio que denominamos genéricamente el bosque de la Alhambra. Hoy, este pulmón vegetal, patrimonio natural de la ciudad, contrasta y enriquece el patrimonio histórico artístico del Conjunto Monumental, del que ejerce como recibidor.

Junto a sus valores naturales, el bosque se ofrece como un rico espacio de creatividad, en el que se encuentran algunos elementos singulares de interés para la historia de la ciudad: la puerta de Bibrambla, el pilar de Carlos V y los monumentos a Ángel Ganivet y Washington Irving.

Densas arboledas rodean el Conjunto Monumental y cubren las laderas que descienden hasta el Darro y hacia el centro de la ciudad de Granada. Si bien su origen hay que circunscribirlo a época reciente, son numerosas las citas de plantaciones de olmos traídos desde el entorno de Jesús del Valle, en la cabecera del río Darro, ya desde principios del siglo XVI, para ornamentar y consolidar las nuevas vías para peatones y carruajes desde la cuesta de Gomérez.

Por el carácter militar de la ciudad de la Alhambra y el contexto bélico en que se hallaba el reino de Granada por la amenaza cristiana, se supone que en época medieval no existía tanta densidad forestal en los alrededores de la fortaleza, sobre todo en las laderas orientadas al sur y a poniente, que descienden con relativa suavidad hasta la ciudad y la Vega granadina. Por el contrario, la escarpada ladera que se enfrenta al Albaicín sobre el Darro, orientada al norte y con abundante agua, debió de albergar cierta densidad de plantas leñosas arbustivas e incluso arbóreas, de moderada talla, como encinas, quejigos, majuelos, aladiernos, ruscos o madreselvas.

La paulatina reforestación emprendida por los sucesivos alcaides cristianos de la Alhambra debió de asegurar la cobertura plena de las laderas ya en el siglo XVII, si bien no es hasta comienzos del XIX, con la introducción de especies de uso jardinero desde el resto de Europa, como el plátano de sombra o el castaño de Indias, cuando se consolidan los llamados «bosques de la Alhambra».

Por su localización, se le llama bosque de Gomérez al situado en el valle de la Sabika, atravesado por paseos peatonales y viales, y el bosque de San Pedro al que se encuentra en la ladera que desciende hasta el río Darro, frente a la iglesia de igual nombre. La estructura de la vegetación en cada uno de ellos presenta ciertas particularidades, debido a su propia orografía y a su relación con la ciudad. En el de Gomérez encontramos un mayor número de especies de gran porte y menor densidad debido a su vocación de uso público para el disfrute ciudadano. Por el contrario, en el de San Pedro, de acceso restringido, existe mayor profusión de vegetación, aunque de menor talla, pues aquí la cubierta vegetal debe garantizar la protección del terreno frente a la erosión y deslizamientos.

Se trata de arboledas de carácter caducifolio fundamentalmente, en cuya estructura, dinámica y significación paisajística tuvo especial importancia el olmo *(Ulmus minor)* hasta que una enfermedad causada por un hongo arrasó en los años noventa del siglo XX las poblaciones de esta especie en Europa y también en la

Vista del bosque de la Alhambra en la falda de la Sabika, con los Alijares y Sierra Nevada al fondo

Alhambra, por lo que disminuyó el número de ejemplares hasta solo unas decenas.

En la actualidad pueden hallarse en estos bosques aproximadamente un centenar de especies arbóreas y arbustivas, con predominio del almez, el castaño de Indias, el plátano de sombra, el laurel, el aligustrón, el avellano, los tilos, los arces o los fresnos.

La trascendencia que la vegetación ha tenido históricamente en la Alhambra y en el paisaje de la ciudad de Granada llevó a su consideración patrimonial y cultural como parte inseparable de los elementos edificados en época nazarí y desde la declaración de Monumento Nacional en 1870 gozó de la máxima protección jurídica.

Bosque de la Alhambra

Las faldas de la Sabika que miran hacia Granada conforman un espacio natural que complementa y enriquece el patrimonio artístico y cultural del monumento y funciona como un pulmón verde entre la ciudad y la Alhambra. Su configuración ha variado a través de los siglos, de modo que el que conocemos en la actualidad es de creación reciente, lo que no impide que encontremos en él una gran variedad de especies vegetales de alto valor ecológico, algunas de ellas traídas desde otros lugares de Europa.

Torres Bermejas

La primitiva construcción de Torres Bermejas pudo formar parte de un conjunto de torres vigía situadas en los puntos estratégicos más elevados que circundaban la Vega de Granada, y al que, tal vez, también perteneciera la primitiva construcción de la Sabika, que daría origen a la Alhambra. La historia de Torres Bermejas ha sido paralela a la de la Alcazaba de la Alhambra. Su ocupación inicial fue atribuida a Muhammad I, fundador de la dinastía nazarí, aunque la fábrica de sus paramentos más antiguos, muy semejante a la de la Alcazaba, se puede remontar a etapas muy anteriores.

En la actualidad el conjunto se compone de tres torres, la central de mayor tamaño, y un acusado baluarte para la artillería. Todo el conjunto muestra testimonios de haber recibido bastantes intervenciones a partir de la conquista cristiana y, especialmente, en el siglo XVI. En los paramentos interiores se encuentran numerosas losas de piedra de sepulturas musulmanas, lo que evidencia que las torres, principalmente la central, fueron reforzadas interiormente en época cristiana. Incluso las divisiones interiores de esta torre serían obra posterior a 1492, pues la superior de las tres plantas en que se divide, tiene una gran bóveda circular fechada hacia 1540.

Torres Bermejas es una fortificación estratégica que formaba parte del entramado de la muralla que enlazaba, al sur, la Alhambra con Granada

Perspectiva desde la Alcazaba de la Alhambra hacia mediodía con Torres Bermejas, el bosque y la finca de Peñapartida

En el interior se conserva un aljibe, posible adaptación de una estructura hidráulica anterior, de la etapa islámica.

El conjunto de Torres Bermejas tiene comunicación directa con la Alcazaba de la Alhambra mediante una muralla, que aún se conserva casi en su totalidad, perpendicular entre ambas construcciones, lo que demuestra el importante papel que jugarían las torres en el sistema de vigilancia y defensa de la ciudad palatina.

La fortificación de Torres Bermejas fue utilizada durante mucho tiempo como cárcel y cuartel militar, hasta casi mediado el siglo xx, por lo que ha sufrido importantes modificaciones con respecto a su disposición original. Sabemos de la existencia en sus proximidades de un cementerio musulmán, dato reforzado por las numerosas lápidas que se encuentran en sus muros y que, al igual que ocurre en otros puntos de la Alhambra, es difícil pensar que fueran transportadas desde lejos. Por otra parte, la colina del Mauror, donde se asientan las torres, era tradicionalmente conocida porque su población era fundamentalmente judía, y se llegó a conocer como la *Garnata al-Yahud*. Desde las torres se ofrece una magnífica panorámica de la ciudad y un perfil arquitectónico menos conocido de la Alcazaba de la Alhambra.

Peñapartida

Recibe también el nombre de Carmen de los Catalanes por el origen de los que fueron sus propietarios, la familia Miralles, quienes a comienzos del siglo xx adquirieron la propiedad a los herederos de Isabel de los Cobos y Antonio Porcel (1775-1832), destacado jurista, académico y político liberal granadino, consejero de Estado y parlamentario en las Cortes de Cádiz. En un ambiente decimonónico, embellecieron la finca, especialmente el jardín, con elementos y artificios de agua, senderos, pérgolas, miradores, imprimiéndole una idiosincrasia que aún se mantiene.

La finca tiene una extensión cercana a los 20.000 m^2, que se integran paisajísticamente con el entorno y bosque de la Alhambra. También se conoció como Carmen del Paraíso o del Capricho de Colón. Se ubica a mediodía, en la colina paralela a la Alhambra hacia el sur, junto a Torres Bermejas, ambos por tanto dentro del sistema defensivo de la fortaleza, en la zona conocida en árabe como *Ahabul*, en el entorno de lo que debió ser la *maqbarat al-Sabika*, uno de los cementerios de la ciudad. En época nazarí se abrieron en el subsuelo de la finca numerosos silos para almacenar provisiones, mientras se asentaba la dinastía en la ciudad. En su amplia explanada se debió de instalar el campamento del ejército, por lo que la suave pendiente de la

Carmen de Peñapartida

En 2002, el Patronato de la Alhambra, tras más de veinte años de litigio judicial, adquirió el llamado Carmen de los Catalanes o Peñapartida, la mayor finca privada del entorno del monumento, de unos 20.000 m², que conserva importantes restos arqueológicos. En el lugar existen dos torreones medievales, una red hidráulica de la misma época que descendía hasta el antiguo barrio de la Antequeruela (actual Realejo), una parte sustancial de una *maqbarat* o cementerio y «un corral de cautivos» que consiste en silos excavados en la tierra que se usaban como cárcel de prisioneros. Todos estos elementos hacen de la finca un recinto patrimonial de gran potencial para la investigación arqueológica.

loma sería en ocasiones escenario de paradas y desfiles. Avanzado el siglo XV, muchos de los silos se utilizaron también para encerrar a prisioneros cristianos y poderlos intercambiar por presos musulmanes.

Las tropas de los Reyes Católicos, según recoge la tradición, penetrarían por estos collados la madrugada del 2 de enero de 1492, procedentes del campamento de Santa Fe, en dirección a la puerta de los Siete Suelos, para tomar posesión de la Alhambra y, posteriormente, liberar a los cautivos de las mazmorras. Desde entonces se ha denominado al lugar que asciende por la colina, Campo de los Mártires y, como recuerdo de ese cautiverio, se llamó también al recinto de Peñapartida el Corral de Cautivos, fundándose en la parte alta de la ladera una ermita, más tarde monasterio carmelita, del que fue prior san Juan de la Cruz, trasformado en lo que hoy es el Carmen de los Mártires. El interior de Peñapartida ha llegado hasta nuestros días sin grandes transformaciones, con el aspecto de cercado, lo que, junto con

El Carmen de los Mártires o de Peñapartida, que en su día fue convento carmelita, conserva hoy un palacete decimonónico y un entorno de jardines, paseos y miradores sobre la ciudad

los silos y la *maqbarat*, asegura un potencial arqueológico importante.

Es destacable la configuración de los distintos espacios ajardinados, con miradores en lugares estratégicos, que buscan la integración de perspectivas e intimidad, tan característico del tradicional carmen decimonónico granadino.

Pilar de Carlos V

Es una fuente renacentista situada en paralelo a la muralla de la Alhambra, bajo la puerta de la Justicia. Ejercía tres funciones principales: servía de abrevadero para las caballerías del emperador; constituyó un ingenioso muro de contención que enlaza la explanada superior de la puerta nazarí con la plazoleta del pilar; y desempeñaba una función simbólica para ensalzar la grandeza imperial de Carlos V. Encargado por el conde de Tendilla, fue construido en 1545 por Nicolás de Corte, siguiendo un diseño de Pedro Machuca. En 1624 el escultor granadino Alonso de Mena, con motivo de la visita del rey Felipe IV a la ciudad, hizo algunas modificaciones, tras las que pasó a llamarse pilar de las Cornetas.

Sobre una pileta rectangular muy alargada, de más de once metros de ancho, se desarrollan dos paneles verticales superpuestos. El primero de ellos está dividido en tres secciones mediante cuatro pilastras decoradas, las extremas con escudos de la Casa de Tendilla y las centrales con granados; cada uno de los tres espacios enmarcados por las pilastras presenta en el centro un mascarón con surtidor que arroja agua por la boca, símbolos de los tres ríos de Granada y, por los adornos de las cabezas, alegorías del verano —el Genil, con haces de espigas de trigo—, la primavera —el Beiro, con flores y manojos de frutas— y el otoño —el Darro, con sarmientos de vides y racimos de uvas—.

En medio del cuerpo central hay una cartela con la inscripción latina «IMPERATORI CÆSARI KAROLO QUINTO HISPANIARUM REGI», entre pilastras decoradas, la de la derecha con el toisón y la de la izquierda con las columnas de Hércules, y a ambos lados unas cartelas de roleos, inclinadas para buscar una composición triangular. A cada extremo y sobre las pilastras exteriores, un niño sujeta en su hombro una caracola que derrama agua. Remata

Pilar de Carlos V, proyectado por Pedro Machuca y realizado en 1545 por el escultor italiano Nicolás de Corte, una de las obras maestras del Renacimiento español, que se encuentra en el bosque junto a la muralla de la Alhambra

Puerta de Bibrambla, que formó parte de la muralla de Granada hasta 1873 y en la actualidad está reconstruida en el bosque de la Alhambra

el conjunto un gran semicírculo que encierra el escudo imperial con el águila bicéfala, entre cintas inscritas con el lema «PLUS ULTRA», y a cada lado, un angelote sostiene un delfín de pie con un surtidor en su boca, que arroja agua al pilar, y todo coronado por un querubín central.

El pilar se encuentra adosado a un muro de casi siete metros de altura, enmarcado por seis pilastras de orden dórico que rematan en una cornisa a manera de entablamento, decorada con pequeñas cabezas de leones, semejantes a las del palacio imperial. Entre las pilastras se sitúan cuatro medallones decorados con relieves de la mitología clásica, alegóricos del emperador y de la orden del Toisón de Oro.

Puerta de Bibrambla

La *Bab al-Ramla* o puerta del Arenal, popularmente llamada Bibrambla o Bibarrambla, también conocida como Arco de las Orejas, fue demolida en su emplazamiento original de la muralla de Granada entre 1873 y 1884. Dentro de la más pura tradición constructiva nazarí, su fábrica era básicamente el tapial, con ciertos elementos formales y estructurales de piedra. Cuando fue destruida, se guardaron algunos restos en el Museo Arqueológico de Granada hasta 1933 en que el arquitecto conservador de la Alhambra, Leopoldo Torres Balbás, los reconstruyó en el paseo del bosque.

La puerta constituye hoy un singular elemento del Conjunto Monumental de la Alhambra, aunque de su estructura original solo subsisten algunas piezas que componen los arcos, salmeres y dovelas, no todas completas, así como algunos sillares del basamento y fachada exterior, integrados en una estructura arquitectónica ideada expresamente por Torres Balbás para el lugar. Esta singular instalación arquitectónico-museográfica forma ya parte del bosque de la Alhambra, formalizado así como un jardín arqueológico. La instalación de la puerta como «ruina» le confiere un singular valor como ejemplo tardío del gusto arquitectónico de la «poética de las ruinas», elaborado en la cultura europea a partir del siglo XVIII.

Monumento a Ángel Ganivet

Ángel Ganivet (Granada, 1865-Riga, 1898) fue uno de los intelectuales granadinos con más influencia nacional en la Generación del 98. Licenciado en Filosofía y en Derecho, diplomático, en 1895 fue nombrado cónsul con destino en Helsinki, donde inició la etapa en la que redactó sus obras más destacadas, como *Granada la bella*, *Idearium español* o *Cartas finlandesas*, que alternó con escritos literarios en la prensa de Granada. Ganivet se mantuvo siempre ligado a Granada, donde fundó la Cofradía del Avellano, una fecunda tertulia cultural definida como «especie de Academia helénica de amigos granadinos», con los que ideó *El libro de Granada*, referencia de la época, de gran influencia entre los intelectuales. En 1898 fue nombrado cónsul en Riga, ciudad en la que acabó de colmar su espíritu romántico cuando el 29 de noviembre puso fin a su vida arrojándose al río Dvina.

Este grupo escultórico, sufragado por suscripción popular, fue realizado por Juan Cristóbal González Quesada (Ohanes, Almería, 1898) y se inauguró en el bosque de la Alhambra el 3 de octubre de 1921. El escultor, autodidacta, formado en el estudio de Mariano Benlliure, obtuvo varios premios en las Exposiciones Nacionales de Bellas Artes. En el monumento a Ángel Ganivet realizó una composición mitológica que simboliza las tensiones entre la razón y el instinto, la norma y la espontaneidad, la tradición y lo novedoso; este grupo escultórico traduce metafóricamente gran parte del pensamiento y de la actitud vital de Ángel Ganivet.

Monumento a Washington Irving

El Patronato de la Alhambra quiso dedicar un homenaje al escritor neoyorquino Washington Irving (1783-1859) con la instalación de su imagen plástica en el bosque del Conjunto Monumental, en el 150 aniversario de su muerte. El escritor, referente del viajero romántico, ha sido tal vez el primer y mejor difusor de la Alhambra decimonónica. Consiguió hospedarse en el propio recinto, pasear por sus estancias y experimentar sensaciones e inquietudes que plasmó en sus *Cuentos de la Alhambra*, una recreación literaria de leyendas populares sobre el conjunto monumental, basada en testimonios locales de la época. En sus páginas une la tradición oral con las cualidades y creatividad propias del escritor, imbuido por toda la corriente orientalista y romántica del momento.

La escultura, inaugurada el 29 de diciembre de 2009, representa al escritor, que porta en su mano izquierda el cuaderno de notas en el que registraba sus impresiones. Realizada en bronce fundido, la escultura realista completa sobre el basamento una composición simbólica con capitel nazarí, invertido, valija de viaje y carpeta para dibujos.

El escultor Julio López Hernández (Madrid, 1930), optó tempranamente en su obra por un estilo propio: el realismo. Con una dilatada trayectoria profesional de exposiciones individuales y obra pública, profesor de Modelado en la Escuela de Artes y Oficios de Madrid desde 1970, ingresó como académico en 1986 en la Real Academia de Bellas Artes de San Fernando.

Inauguración del monumento a Ángel Ganivet en la plaza del Tomate de la Alhambra. Biblioteca de la Alhambra

Monumento a Washington Irving, obra de Julio López Hernández, en el bosque de la Alhambra

3 La Alhambra

Alhambra significa en árabe la roja. La ciudad palatina de la Alhambra fue edificada por la dinastía nazarí, que se declaró independiente de la autoridad almohade en 1232 y estableció su capital en Granada. Fueron los últimos musulmanes que gobernaron en la Península Ibérica y lo hicieron hasta 1492 en que entregaron su última posesión, la Alhambra de Granada, a los Reyes Católicos. Para construir su residencia y el sitio donde desarrollar su mandato eligieron el enclave que reunía las condiciones necesarias, y ese lugar fue la colina de la Sabika.

Una antigua crónica árabe relata que un día del año 1238 el sultán Muhammad I Ibn Nasr, al-Ahmar, subió «[...] al lugar conocido como al-Hamra', lo examinó, marcó los cimientos del castillo y dejó a un encargado de dirigir el trabajo, y no había pasado el año cuando la construcción de los adarves estaba acabada; el agua fue traída del río y una acequia fue construida con su propio caudal [...]» (*Anónimo de Madrid y Copenhague*, traducción de A. Huici Miranda, Madrid, 1917).

Detalle decorativo de la sala de la Barca, en el palacio de Comares, donde se lee la inscripción «Gloria a nuestro señor el sultán», muy repetida en la Alhambra

La ciudad palatina de la Alhambra

La mejor definición de la Alhambra podría ser la que expresan estas dos palabras: ciudad palatina. La Alhambra es una ciudad, pues fue pensada, planificada, construida, se desarrolló y evolucionó bajo unas leyes determinadas, las leyes del urbanismo, de un urbanismo concreto, el islámico e hispanomusulmán. Además, la ciudad de la Alhambra es palatina, pues fue concebida para ser la sede de la jefatura de un estado, la corte de un poder que se extendía por un territorio determinado, con unas fronteras que delimitaban la existencia de una sociedad adscrita a un ámbito cultural que denominamos andalusí.

La dinastía nasrí o nazarí, bajo la cual se edificó la Alhambra, los Banu-l-Ahmar, eran originarios de la ciudad de Arjona, en la actual provincia de Jaén. Se declararon independientes de la autoridad almohade en 1232 y establecieron la capital del nuevo estado en Granada a partir de 1238. Los nazaríes añadieron el último eslabón de la cadena del Islam en la Península Ibérica, que se inició con los *walíes* o gobernadores dependientes del califato omeya de Damasco (711-756); les siguió el emirato independiente (756-929), el califato de Córdoba (929-1031), cuya caída provocó una primera *fitna* o guerra civil que desembocó en los reinos de Taifas (1031-1090); el desconcierto creado en la Península propició la sucesiva invasión de las dinastías norteafricanas de los almorávides (1056-1147) y los almohades (h. 1121-1269); ambas fueron combatidas no solo por las tropas cristianas, sino por los propios andalusíes que, a pesar de ser correligionarios, las consideraban extranjeras, llegando los nazaríes a batallar contra ellas en importantes ciudades; sirva como ejemplo la ayuda prestada al rey Fernando III

Figura pintada en el techo de la sala de los Reyes del palacio de los Leones

Mapa de España con los límites genéricos del reino nazarí de Granada

el Santo en la conquista de Sevilla. Cuando murió quedó para la historia aquella anécdota del envío por parte del sultán granadino de un selecto batallón para velar el cadáver de su amigo el rey Fernando.

Durante aproximadamente doscientos cincuenta años los nazaríes de Granada se extendieron, con altibajos, desde Algeciras hasta Murcia, con el límite septentrional en la capital del Santo Reino, Jaén, y al sur, el Mediterráneo; desde sus importantes puertos de Málaga y Almería mantuvieron un floreciente intercambio comercial con los países ribereños, destacando las relaciones con Egipto, Túnez, Venecia o Génova, que propiciaron el asentamiento en Granada de importantes comunidades de artesanos y comerciantes que ejercieron gran influencia en los hábitos y las modas locales.

En el paso del siglo XIII al XIV sucedieron acontecimientos decisivos en el mundo occidental; en el ámbito artístico, el gótico europeo fue dejando paso al Renacimiento y desde el corazón del continente se extendieron y asentaron las ideas del Humanismo. Sin embargo, durante dos siglos y medio, en ese triángulo geográfico que ocupan aproximadamente las actuales provincias de la Andalucía oriental, en un rincón del Mediterráneo occidental situado en el paso entre África y Europa, el mismo que ancestralmente sirvió de puente a tantas culturas y civilizaciones, un territorio se daba una tregua, detenía el tiempo y se encerraba en unas débiles e inestables fronteras, manteniendo una sociedad todavía feudal, que trataba por todos los medios de prolongar durante ese tiempo la Edad Media, replegándose hacia su interior y empeñándose en cimentar un idílico oasis, al margen de lo que ocurría a su alrededor. Con ese fin los nazaríes cimentaron su supervivencia en unos habituales pactos, unas veces con sus correligionarios del sur, otras con los reyes cristianos del norte, casi siempre a cambio de pesados tributos o de concesiones territoriales que frecuentemente incluían el intercambio de prisioneros. Por lo tanto, una de las bazas de supervivencia para los nazaríes era la negociación, de modo que la diplomacia, la palabra, el dominio de la lengua como medio de comunicación era primordial; tanto que llegaron a elegir a sus visires o primeros ministros a través de justas poéticas cuyo vencedor, además de cumplir el requisito de expresar la alabanza exagerada debida a su señor, era el súbdito que mejor manejaba el idioma. La Alhambra está repleta de poemas y alabanzas «a nuestro señor el sultán» compuestos en cada momento por poetas que tenían el cargo de primer ministro, entre los que cabe destacar a Ibn al-Yayyab, Ibn al-Jatib, Ibn Zamrak, Ibn Furkún, que formaron la Cancillería Real o *Diwān al-Insā'*.

La ciudad palaciega de la Alhambra, como tantas otras hispanomusulmanas, se pensó seguramente con la añoranza de Madinat al-Zahra', la arrasada y mitificada ciudad califal en las afueras de Córdoba, la capital de Occidente en el siglo X. A pesar de la distancia temporal, de una manera más o menos consciente, su recuerdo era el modelo que aglutinaba tres de las premisas necesarias para el asentamiento de una nueva dinastía: el ámbito territorial, es decir, la relación del lugar elegido con su entorno, las condiciones estratégicas para el control de las comunicaciones militares y comerciales para el abastecimiento de materias primas y la disponibilidad de recursos naturales, especialmente agua; en segundo lugar, una

Panorámica parcial de la colina de la Sabika, donde se construyó la Alhambra, desde el Albaicín

distribución estructural del nuevo asentamiento que asegurara una imprescindible defensa castrense y los servicios básicos para la corte y para las necesidades burocráticas; y finalmente, había que proyectar la residencia áulica del nuevo señor feudal, teniendo en cuenta tanto su dimensión privada como pública.

Todas esas necesidades las garantizaba el monte de la Sabika, promontorio en suave declive, bordeado por dos ríos de caudal casi permanente gracias a barranqueras, rehoyos y neveros de las sierras, que se adentra en una fecunda llanura de cultivos con un prehistórico lago subterráneo de gran potencial hídrico. Su suelo tiene un componente físico de gran resistencia «que basta por sí solo para servir de cimiento», al que los geólogos denominan precisamente «conglomerado Alhambra», por el que se deslizan irregulares vetas de una arcilla rojiza, óxido ferruginoso de fácil extracción para su uso en albañilería, a la que la tradición local llama alpañata.

En este idílico paisaje frente a Sierra Nevada, al borde de la Vega en la que confluyen los ríos Darro y Genil, hubo asentamientos humanos desde muy antiguo. El barrio del Albaicín frente a la Alhambra, también declarado por la UNESCO Patrimonio Mundial en 1994, fue capital del reino Zirí de Granada en el siglo XI. Su antigua fortaleza, la alcazaba Qadima, se asentaba sobre el viejo foro romano, bajo el que se ocultaban pétreas murallas de época ibérica, en una milenaria superposición de colonizaciones.

La vista que hoy se aprecia desde la plaza de San Nicolás en el Albaicín debió de ser similar a la que pudo observar al-Ahmar, Muhammad I, fundador de la dinastía nazarí. Tal vez por ello eligió este lugar para la fundación de la nueva fortaleza, la alcazaba Yadida, la Alhambra, como espacio diferenciado para consolidar un nuevo linaje que ejerciera su poder frente al espacio histórico construido.

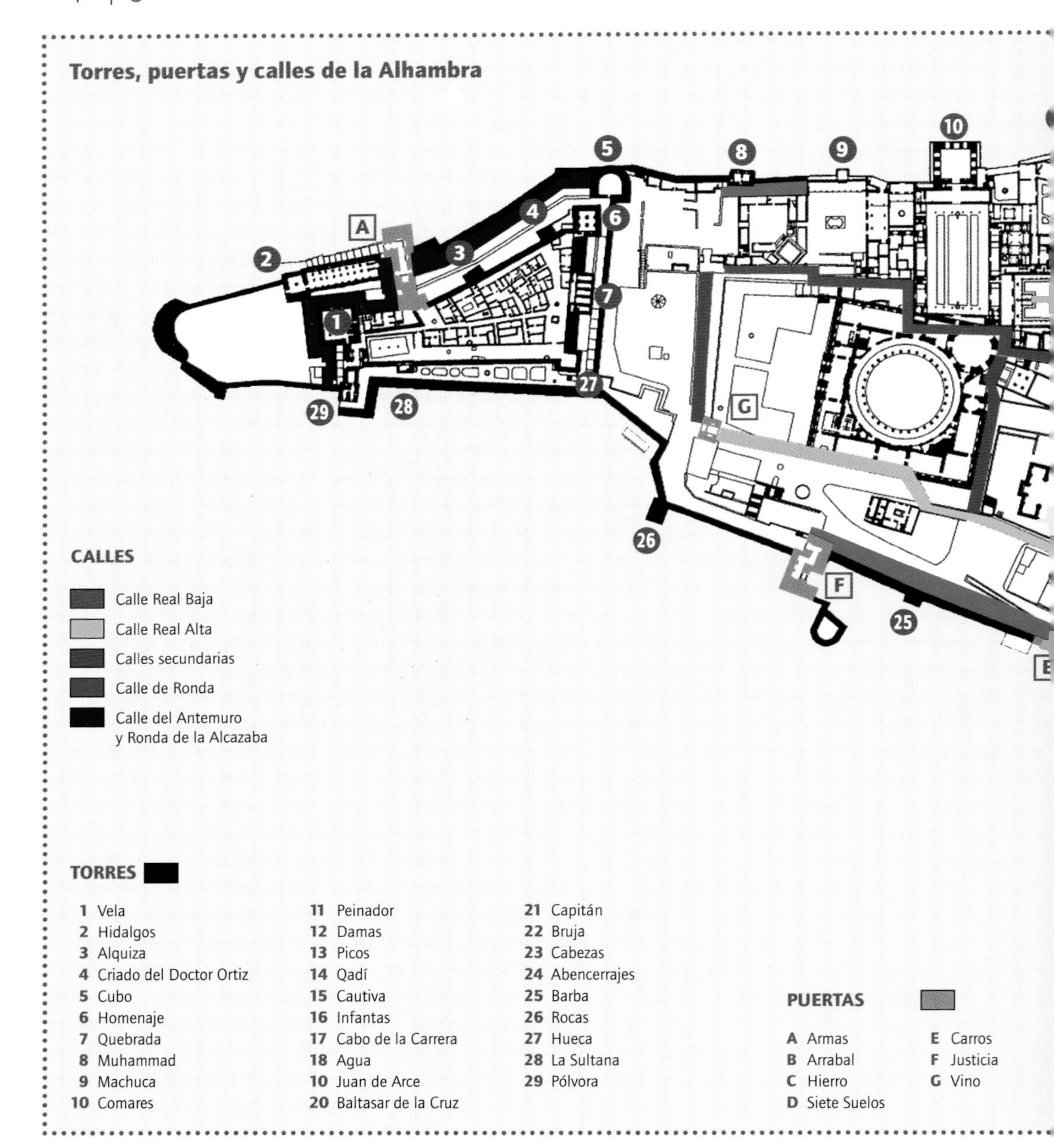

Estructura del conjunto

La ciudad palatina de la Alhambra ocupa una superficie de algo más de cien mil metros cuadrados y fue construida expresamente junto a otra ciudad, Granada. Por eso está fortificada, rodeada por una muralla de unos dos mil metros. Ambas ciudades son independientes aunque mantienen una comunicación directa.

El interior de la Alhambra se estructura en torno a tres espacios principales:

La Alcazaba: la *qasba* o recinto residencial militar
El *Qasr al-Sultán:* los palacios, el alcázar
La medina: ciudad cortesana al servicio del sultán

Estos espacios se coexionan mediante tres elementos básicos: las torres, las calles y las puertas.

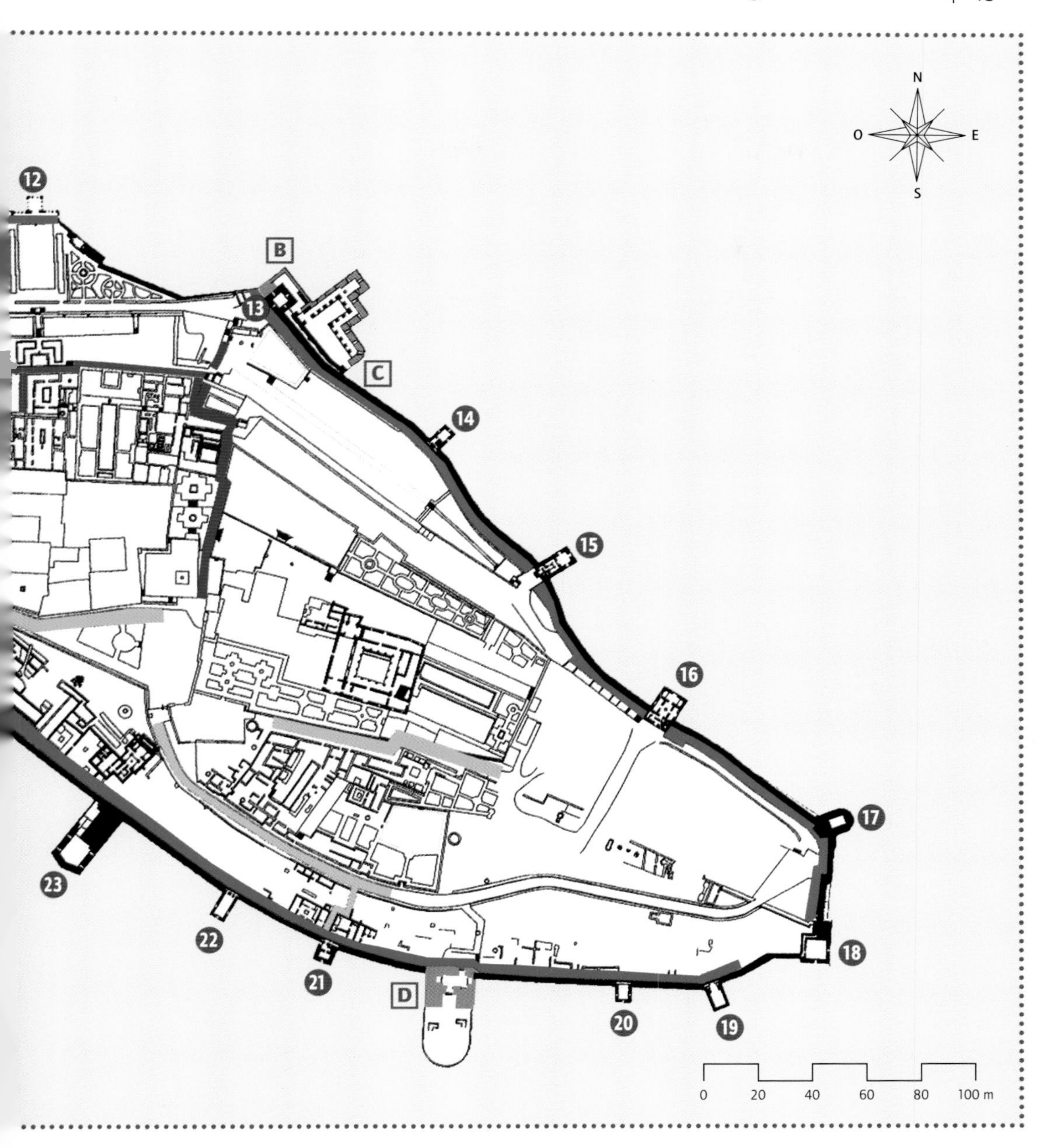

Las torres

Las torres tenían diferentes funciones que podían ser complementarias. En la actualidad se conocen unas treinta torres, normalmente distribuidas en saliente, a intervalos irregulares, a lo largo de la muralla. En su mayoría datan de época nazarí, aunque algunas son cristianas, otras fueron reconstruidas en las diferentes restauraciones realizadas en los dos últimos siglos y, las menos, han sido destruidas o han desaparecido. Las islámicas son en general de planta cuadrada, mientras que las circulares son de época cristiana; estas están mejor preparadas que las cúbicas contra los impactos de la artillería y su uso militar se generalizó en Occidente a partir del siglo XV. Aunque en toda fortificación

Calle del antemuro de la Alcazaba, con las murallas superpuestas y la torre de la Vela al fondo

las torres sobre la muralla sugieren una finalidad defensiva, en la Alhambra nazarí se pueden distinguir tres arquetipos o patrones: la torre «atalaya» con función militar, generalmente de tamaño reducido, que interrumpe el paso del adarve sobre la muralla y obliga al guardián del sector a informar de las novedades; la torre que abriga en su interior una vivienda palatina, alguna denominada poéticamente *qalahurra*, que permite el paso inferior del adarve mediante un túnel o galería para no interferir su intimidad; y la torre-pabellón, *bahw* o mirador, que forma parte de la estructura del palacio, cuando no su espacio más destacado.

Las calles

El urbanismo de la Alhambra estaba configurado por tres vías principales y varias secundarias, con callejones, cobertizos y placetas, que conformaban el entramado urbano. La mayoría de ellas estuvieron soterradas hasta que en el último siglo se ha llevado a cabo una serie de trabajos de excavaciones, desescombro y reparaciones, que han dado como fruto el descubrimiento de la mayor parte del viario de la Alhambra nazarí, por lo que sus denominaciones no son las originales, pues estas se desconocen.

La calle principal es la de Ronda, que recorre a lo largo de la muralla la cara interior del recinto y antiguamente hacía las veces de foso en caso de asedio, por lo que también se la conoce como calle del Foso. La calle Real Alta, o calle Mayor, configuraba la medina, va de oeste a este en suave ascenso y, a lo largo de su recorrido, se edificaron en orden jerárquico las viviendas, los inmuebles públicos (mezquita, baños), talleres y pequeñas industrias. La calle Real Baja comunicaba y delimitaba las diferentes áreas residenciales palatinas y disponía de ingenios que permitían su cerramiento para impedir el

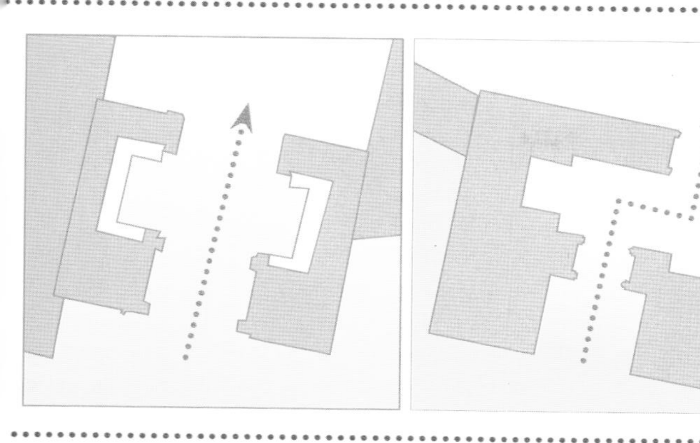

Esquema de los dos tipos básicos de acceso en las puertas de la Alhambra
En el esquema de la izquierda vemos que el acceso es directo o en línea recta, típico de las puertas interiores, como por ejemplo en la puerta del Vino.
En el esquema de la derecha, el acceso es en recodo, habitual en las puertas exteriores, como ocurre en la de la Justicia.

acceso o para establecer el aislamiento entre unas dependencias y otras.

Las puertas

Su función era la de controlar los accesos tanto al recinto amurallado como a los diferentes espacios. Hay dos tipos esenciales de puertas: las interiores y las exteriores. Las primeras son como esclusas que abren y cierran el paso a los distintos sectores de la ciudad; son de acceso directo, es decir, en línea recta, y generalmente tienen en su interior bancos o *mastabas* para permitir descansar a la guardia que las custodiaba y que podía residir en el propio edificio: su ejemplo más claro es la puerta del Vino, que da inicio a la calle Real Alta y a la medina. Las puertas exteriores se insertan en la propia muralla y, aunque necesarias, eran un punto débil para la defensa, por lo que están especialmente fortificadas e interiormente su acceso se desarrolla en recodo.

La gran muralla que encierra y protege la Alhambra nazarí tiene en su perímetro cuatro puertas defensivas destacadas, casi equidistantes, dos situadas al norte y otras dos al sur. Al norte están la de las Armas (*Bab al-Silah*) y la modernamente llamada del Arrabal, y en el lienzo sur, la de los Siete Suelos (*Bab al-Gudur*) y la de la Justicia (*Bab al-Sharía*); sobre ellas se elevan o forman parte de torres que tienen el mismo nombre y la misión añadida de vigilancia.

A continuación se ofrece una descripción de las puertas exteriores de la Alhambra en la dirección de las agujas del reloj, al margen del orden en que se visiten.

Puerta de los Siete Suelos

En el flanco sur de la muralla, a levante, se encuentra la puerta de los Siete Suelos, edificada en su actual configuración probablemente hacia mediados del siglo XIV, sobre otra anterior, más pequeña. Es la más próxima a la medina y debió de tener un cierto carácter ceremonial pues, según refieren las crónicas, ante ella se desarrollaban justas y paradas militares.

Esta puerta es uno de los lugares más enigmáticos de la Alhambra, seguramente debido a

Detalle del grabado de Hoefnagel, 1575, donde se representa la puerta de los Siete Suelos con la inscripción «Porta Castri Granatensis semper clausa».
Biblioteca de la Alhambra

Puerta de los Siete Suelos, o *Bab al-Gudur,* en la parte sur de la muralla

la proliferación de leyendas en torno a ella, entre las que se encuentra la recogida por Washington Irving, «El legado del moro», en sus famosos *Cuentos de la Alhambra*, a la que debe su actual denominación popular, pues su nombre original, en árabe, era *Bab al-Gudur,* puerta de los Pozos o de las Albercas.

A través de ella entraron las primeras tropas castellanas tras el pacto suscrito entre los Reyes Católicos y Boabdil, en la madrugada del 2 de enero de 1492. Un grabado de finales del siglo XVI lleva la inscripción «Porta Castri Granatensis semper clausa», lo que ha hecho que se prolongue su misterio hasta nuestros días. Sin embargo, según consta en los archivos, no se ordenó tapiarla hasta 1747, y no fue de nuevo abierta hasta 1812, cuando las tropas napoleónicas de ocupación, desgraciadamente, la destruyeron casi totalmente en su retirada.

Con las primeras restauraciones de la Alhambra realizadas a finales del siglo XIX, se limpió de escombros e incluso se labraron algunas piezas en mármol para su decoración. En el primer cuarto del siglo XX se llevó a cabo en su entorno un trazado de paseos y jardines, se eliminó la vegetación salvaje y se derribaron algunas construcciones modernas que la ocultaban al exterior.

Gracias a los grabados antiguos conservados, pudo ser reconstruida con bastante fiabilidad a mediados de los años sesenta del pasado siglo XX. Se completó en su interior la bóveda esquifada, de espejo, de la cámara central de la puerta. La fachada norte, que se conservaba prácticamente completa hasta poco más arriba de la línea de impostas, fue consolidada y reforzada con ladrillo visto. Para su reconstrucción se tuvo en cuenta la puerta de la Justicia, pues, aunque son diferentes, coinciden en numerosos detalles que permitieron confrontar algunos datos como, por ejemplo, la distancia entre jambas, la planta del portal, etc.

Puerta de los Carros habilitada en el lienzo sur de la muralla entre 1526 y 1536 para poder introducir en el interior de la Alhambra los materiales de construcción del palacio de Carlos V

Puerta de los Carros

Esta puerta no era una abertura original en la muralla nazarí de la Alhambra, sino que se habilitó entre los años 1526 y 1536 con motivo de las obras del palacio de Carlos V.

Fue necesario adaptar toda la zona que rodea el edificio renacentista y hubo que nivelar el terreno con la intención de realizar, delante de las fachadas, una gran plaza de Armas porticada con sus correspondientes placetas adyacentes. Aunque el proyecto no llegó a finalizarse y las obras quedaron inconclusas, sí se incorporó gran parte del relleno para las explanadas, y en la nomenclatura de la Alhambra quedó su testimonio, pues todo este sector actualmente se denomina «las Placetas».

Para poder acarrear el relleno de la explanada, así como los materiales pétreos para la edificación del palacio, se construyó una rampa en la ladera que sube hacia la muralla y se abrió esta puerta. En los documentos del siglo XVII se la denomina también «puerta del Carril». Posteriormente ha sufrido varias adaptaciones y ampliaciones; la última en 1792.

El umbral de la puerta está ligeramente elevado con respecto al pavimento de la calle de Ronda que recorre la parte interior de la muralla de la Alhambra. Con el paso del tiempo, la puerta de los Carros se convirtió en la única que tenía un acceso fácil para el paso de vehículos, actualmente restringido para residentes en los hoteles del recinto, para el transporte público o especial, y para los vehículos de mantenimiento del Conjunto Monumental.

Puerta de la Justicia

La puerta de la Justicia es, de las cuatro puertas exteriores del recinto amurallado de la Alhambra, la que sin duda tiene mayor carácter monumental. Su majestuosa presencia se ha convertido en uno de los símbolos de la Alhambra. Se conoce también como «puerta de la Explanada» por la amplia llanura que se extendía ante ella, hoy recubierta en parte por el espesor del bosque. Su nombre en árabe, *Bab al-Sharía,* tiene una doble acepción: significa explanada pero también quiere decir justicia, nombre que adoptaron los cristianos. La importancia simbólica del acontecimiento histórico de la salida de la

Elementos simbólicos de la puerta de la Justicia

Además del sentido práctico de comunicación y protección de un recinto amurallado, las puertas de la Alhambra poseen un valor simbólico y muestran elementos decorativos representativos de la cultura del mundo musulmán, como en la puerta de la Justicia, con la presencia de la llave y la mano en la clave de los arcos de su portada. La llave era símbolo de la fe, y la mano significaba los cinco preceptos de la ley musulmana, es decir, simbolizaba la perfección. Se ha especulado mucho sobre la representación de ambos elementos en una misma puerta, y se ha considerado como una metáfora del poder.

Alhambra por parte de Boabdil al frente de sus :ropas fue inmortalizada ante esta puerta en el retablo mayor del altar de la Capilla Real de Granada.

Mandada edificar en 1348 por el sultán Yúsuf I, esta puerta, de hecho, encierra formalmente un compendio de significados. Además de su función estructural, posee uno de los valores simbólicos más destacados de a Alhambra: la mano representada en la clave del gran arco exterior y la llave reproducida encima del arco interior de entrada son símbolos slámicos que contrastan con la figura gótica de a Virgen y el Niño, del escultor Roberto Alemán, colocada por orden de los Reyes Católicos sobre a gran lápida que contiene la inscripción árabe fundacional de la puerta, que está por encima de a llave.

Cuatro columnas adosadas, en cuyos capiteles aparece la profesión de fe musulmana, enmarcan el portón de la entrada, que ha conservado sus hojas chapadas en hierro y demás herrajes originales. Entre el gran arco exterior y el portón de la entrada queda un espacio a cielo abierto o buhedera que servía originalmente para, desde arriba, hostigar al eventual asaltante.

El interior, como es característico de estas construcciones defensivas, se desarrolla en doble recodo y salva un pronunciado desnivel. Aún pueden verse en la parte superior de los muros los soportes o perchas destinados a que la guardia depositara las armas (picas o lanzas). La solución de distintas cubiertas es típica de la arquitectura nazarí: bóvedas de arista, de cañón con lunetos y esquifada, así como el uso de cúpulas pintadas simulando aparejo de ladrillo rojo, fue también característico de la tradición constructiva y decorativa de los almohades, antecesores de los nazaríes. Introduciéndonos hacia el interior del recinto, en el muro de la derecha se construyó, a petición de los vecinos de la Alhambra en 1588, un retablo, obra de Diego de Navas el Joven, en conmemoración de la primera misa celebrada tras la conquista.

La fachada de la puerta que da al interior de la muralla conserva parte de la decoración original en las albanegas del arco de herradura, que muestra una red policroma de rombos cerámicos. Frente a ella discurre una amplia calle al pie de la muralla, que en época cristiana se reconstruyó con lajas de piedras sepulcrales reutilizadas.

Puerta de las Armas

La puerta de las Armas era la que históricamente utilizaban de forma habitual los granadinos para acceder desde la ciudad hasta la sede

Cúpula del interior de la puerta de las Armas

Su estructura interna es en recodo, al igual que las demás puertas exteriores de la Alhambra, y está dividida en tres espacios separados por arcos de herradura apuntados, y provista de bancos para el descanso de a guardia.

El ámbito central está cubierto por una bóveda esquifada, mientras que en los laterales son de gallones y están decoradas con pintura que imita adrillo, característica de la decoración nazarí.

Las bóvedas semicirculares gallonadas de las estancias laterales aparecen totalmente cubiertas con pintura de ladrillos fingidos, pintados en rojo con llagueado en blanco, para acentuar el efecto de profundidad de los gallones. Esta es una característica derivada de la decoración arquitectónica almohade.

Puerta y torre de la Justicia

administrativa de la corte. Era la única que conectaba directamente el centro de Granada con la Alhambra, hasta que en el siglo XV, como consecuencia de la conquista cristiana, la ciudad creció y extendió sus cercas, cambiando usos y costumbres de la población. Hasta entonces se ascendía por la ladera de la colina, cruzando el río Darro por alguno de los puentes que existían a lo largo del cauce, hasta la puerta de las Armas.

Esta puerta fue una de las primeras edificaciones que los nazaríes realizaron en la Alhambra a fines del siglo XIII y la que mayor influencia tiene de la tradición almohade, de la que los granadinos son herederos, tanto en lo decorativo como en lo constructivo. Como puerta exterior de un recinto fortificado tiene estructura interna en recodo, para dificultar el acceso en caso de asedio y poder parapetarse para su defensa. Destaca la portada, conformada por arco de herradura apuntado, de ladrillo, festoneado con piezas vidriadas de colores y recuadrado por un alfiz de cintas que se entrelazan y encierran las albanegas, que han perdido casi toda su decoración; las impostas de las que arranca el arco son de piedra.

El interior, dividido en tres ámbitos separados por arcos de herradura apuntados, se cubre con bóvedas de gallones en los extremos y esquifada en el centro, decoradas con una pintura que simula ladrillos rojos. A los lados y al fondo hay bancos para la guardia.

En el extremo de la puerta existe un espacio cúbico, a modo de *iwān* desde el que se controlaba el acceso de frente. A sus lados, sendas puertas con arcos de herradura permiten las comunicaciones interiores: el derecho, al interior de la Alcazaba, y el izquierdo, a un patio con poyetes para facilitar el descenso del caballo, donde se inicia una calle empedrada que conduce al interior de la Alhambra, la calle del antemuro, protegida por los tres lienzos superpuestos de las murallas de la Alcazaba.

Detalle de un reforzamiento inclinado de la Alcazaba, en la calle del antemuro, denominado «alambor». A la derecha, la portada interior de la puerta de las Armas

Puerta del Arrabal, situada en la base de la torre de los Picos, en el lienzo norte de la muralla

Puerta de Hierro, en el baluarte de la torre de los Picos, que sobresale al fondo

Puerta del Arrabal

La puerta del Arrabal está situada al pie de la torre de los Picos. Junto con la puerta de las Armas en la Alcazaba, era uno de los accesos septentrionales que comunicaba la ciudad con la Alhambra. Erigida probablemente por Muhammad II, fue el principal acceso a los primeros espacios palatinos de la Alhambra, y era la más cercana al Generalife.

Presenta arco de herradura apuntado, en piedra, con impostas; la clave, desaparecida, debió de ser de mármol con la tradicional llave esculpida. La atraviesa un pasadizo abovedado, que da paso a un baluarte con cuarteles y caballeriza, defendidos por una torre avanzada, que fue transformada en vivienda del personal de la Alhambra hasta épocas recientes.

El baluarte posee una galería con arcos escarzanos, bóvedas de cañón y ventanas abocinadas para la artillería, probable adaptación del siglo xv.

Puerta de Hierro

La denominada puerta de Hierro fue reformada en época de los Reyes Católicos, cuyos emblemas, el yugo y las flechas, se conservan en el arco carpanel que está muy desgastado; comunica directamente con el palacio del Generalife, cruzando la cuesta del Rey Chico.

La puerta de Hierro forma parte del baluarte defensivo de la puerta del Arrabal, que se encuentra al pie de la torre de los Picos.

Visita al recinto de la Alhambra

La Alhambra es un recinto rodeado de unos dos mil metros de muralla y una treintena de torres. Para tener una percepción de la Alhambra como recinto fortificado se recomienda acceder a ella por la puerta de la Justicia. Desde el atrio o pabellón de acceso, donde se pueden adquirir las entradas y recibir información sobre la visita, se continúa por un paseo que recorre el exterior de la muralla, la puerta de los Siete Suelos y varias de sus torres, entre ellas la de las Cabezas, y llega a la explanada de la puerta de la Justicia, donde, a la izquierda, podemos ver el pilar de Carlos V.

Itinerario seguido en esta guía

Proponemos un itinerario para facilitar la visita al Conjunto Monumental de la Alhambra y el Generalife. Hay tres zonas importantes: la Alcazaba, los Palacios y el Generalife.

A la secuencia aquí ofrecida responde el índice general del libro; no obstante, es posible alterar el orden de visita a los principales recintos y adaptarlo al plan que cada uno elija. Se debe tener en cuenta que el único condicionante para organizar la visita es el horario establecido en

Fachada exterior y principal de la puerta de las Armas

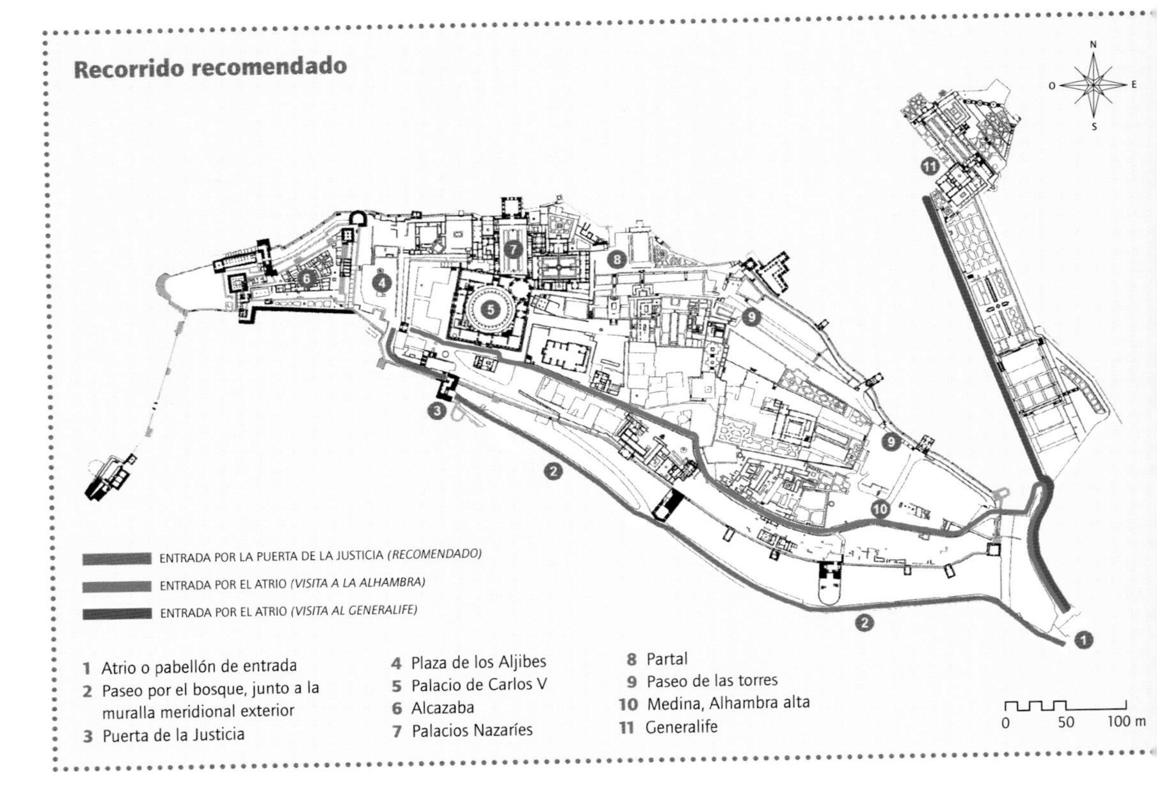

el tique de entrada a los Palacios Nazaríes; los demás recintos se pueden visitar en el orden que se quiera.

Para una comprensión global del monumento se propone el siguiente recorrido:

1 Atrio o pabellón de entrada
2 Paseo por el bosque, junto a la muralla meridional exterior
3 Puerta de la Justicia
4 Plaza de los Aljibes
5 Palacio de Carlos V
6 Alcazaba
7 Palacios Nazaríes
8 Partal
9 Paseo de las torres
10 Medina, Alhambra alta y calle Real
11 Generalife

Por encima del ámbito territorial de la Alhambra se extiende el Parque Periurbano de la Dehesa del Generalife, amplio espacio natural con importantes restos arqueológicos y por el que discurren senderos, paseos y zonas para la práctica de deportes al aire libre. Dispone de unas magníficas perspectivas del perfil orográfico de la ciudad. En sus estribaciones se encuentra el Cementerio Municipal de Granada.

Tanto los accesos peatonales como el transporte público y las calzadas para vehículos confluyen en una amplia área de recepción donde se sitúan las taquillas centrales del monumento. En sus proximidades se han habilitado un aparcamiento para vehículos privados y diversos servicios de alojamiento y restauración.

Atrio de la Alhambra

Se encuentra en el extremo sur del Conjunto Monumental. En el atrio de la Alhambra o pabellón principal de acceso se puede recibir información sobre la visita al conjunto, obtener las entradas e iniciar el recorrido.

El Patronato de la Alhambra se ha comprometido a recuperar esta área, por lo que se ha convocado un concurso internacional de ideas dirigido a la mejora y adaptación de este servicio.

Desde aquí se puede iniciar la visita al interior del recinto amurallado por dos vías principales: por la puerta de la Justicia o por el puente del Generalife.

xplanada de la puerta de la Justicia por la que se
ecomienda acceder a la Alhambra

Acceso al interior del recinto amurallado por el puente nuevo del Generalife

ntrada por la puerta de la Justicia

a opción de entrar a la Alhambra por la puerta de la usticia, por un camino de 675 m desde el pabellón le entrada, permite percibir la fortificación de la iudad desde el exterior y su implantación territorial, pesar de estar muy transformada por el bosque. l recorrido se inicia en La Mimbre, lugar adonde se lega desde la ciudad por la cuesta del Rey Chico, se igue hacia la puerta de los Siete Suelos, una de las uatro exteriores del recinto, y se continúa a lo largo le la vertiente sur de la muralla y sus torres. Una de as mayores es la de las Cabezas, eminentemente nilitar, pues protegía los flancos de las grandes uertas meridionales de la Alhambra, con su gran astión saliente para la artillería, denominado en locumentos de finales del siglo XV Baluarte del Olivo.

En el siglo XVI se habilitó en la ladera de la muralla na rampa que facilitaba el acarreo de materiales para a construcción del palacio de Carlos V y una puerta, lamada de los Carros, hoy único acceso para el tráfico odado al interior del recinto. Se continúa hasta una explanada situada frente a la puerta de la Justicia, actual entrada principal a la Alhambra.

Entrada por el atrio

Esta segunda opción de acceso a la Alhambra corre en paralelo a la que acabamos de describir pero por el interior de la muralla, y tiene una extensión de 740 m. Este recorrido cruza la medina alta de la Alhambra, que fue la zona residencial y de industrias artesanales al servicio de la corte, y hoy es un paseo arqueológico, y la calle Real, principal vía de comunicación de la Alhambra.

Se inicia, desde el atrio o pabellón de acceso, en el paseo de los Cipreses, que fue creado con motivo de la visita de la reina Isabel II en 1862. Tras un primer tramo en ascenso aparece una bifurcación que permite dos posibilidades: bien seguir de frente y hacer la visita al Generalife, o girar a la izquierda, donde se encuentra el acceso a la Alhambra por un puente moderno que enlaza la muralla, en su extremo oriental, con la finca del Generalife, salvando el foso natural de la cuesta del Rey Chico, una de las subidas desde la ciudad.

A partir de aquí se transita en paralelo a la Acequia Real, que abastecía de agua a la Alhambra, cuya entrada puede verse sobre el puente de la izquierda, vigilada por la torre del Agua. Además del inicio de la Acequia Real por el acueducto, en el recorrido se pueden ver restos de edificaciones con hornos para cerámica, tenería y casas junto a la cara interna de la muralla con sus torres, en parte destruidas en la retirada de las tropas napoleónicas, en 1812.

4 Acceso al recinto amurallado

Dentro del recinto amurallado el lugar al que llega el visitante es una amplia explanada dominada por la pétrea construcción del palacio de Carlos V. Se había previsto en el proyecto original de este edificio realizar ante él una gran plaza de Armas porticada, de estilo renacentista, que nunca llegó a construirse. Quedan como recuerdo unas explanadas que se conocen como las Placetas. Desde aquí se accede a la Alcazaba, a los Palacios Nazaríes y al palacio de Carlos V.

Una vez traspasada la muralla de la Alhambra, el visitante se adentra en una ciudad con su compleja articulación de edificios, calles, plazas, jardines, etc. Con independencia del lugar por el que se acceda a ella, los pasos conducen a un amplio espacio abierto en el que lo primero en distinguirse es la estructura de piedra del palacio de Carlos V que, como dijo Manfredo Tafuri, parece un «meteoro casualmente clavado en su interior».

Las Placetas

En el proyecto original de este edificio del siglo XVI se había dispuesto ante la entrada una gran plaza de Armas porticada, que no llegó a realizarse, aunque sí se prepararon, ante sus fachadas, unas explanadas que se conocen tradicionalmente con el nombre de «las Placetas».

Desde este espacio, ubicado casi en el centro de la Alhambra, se organiza la visita actual a los diferentes ámbitos del recinto.

GRANADA. 1105. Vista general de la Alhambra desde la torre del Homenaje.
J. Laurent Madrid

El palacio de Carlos V domina el sector de las Placetas y la plaza de los Aljibes. Fotografía de J. Laurent, hacia 1872

La plaza de los Aljibes en el interior del recinto de la Alhambra, presidida por las torres Quebrada y del Homenaje

Acceso al recinto amurallado

Cuando el visitante entra en la Alhambra se encuentra en el interior de una ciudad cercada por una gran muralla, con sus edificios, calles, plazas y jardines. Tras atravesar la puerta de la Justicia se llega a un amplio espacio a cielo abierto que limita con el palacio de Carlos V, los Palacios Nazaríes y la Alcazaba. Esta gran plaza se explanó cuando se edificó el palacio de Carlos V y se tenía el proyecto de construir aquí una gran plaza de Armas porticada que sirviera de antesala al palacio renacentista. En la actualidad es el punto en el que se inicia la visita a la Alhambra.

❶ Las Placetas

Ante la fachada meridional del palacio de Carlos V, en el espacio denominado las Placetas, se han hecho excavaciones arqueológicas y se han descubierto los restos de muros de época nazarí correspondientes a una casa concebida en torno a un patio con alberca central rodeado de habitaciones, importante testimonio del urbanismo de época nazarí, pues marca la cota de la calle principal.

❷ Puerta del Vino

Era una puerta interior del recinto por la que se accedía a la zona residencial. En su planta superior probablemente residía el cuerpo de guardia encargado de su vigilancia. En su fachada exterior, a poniente, se reproduce una llave, símbolo del poder que permite abrir y cerrar las puertas. La portada de levante destaca por su decoración de azulejos de cuerda seca y la yesería que enmarca la ventana superior.

❸ Plaza de los Aljibes

Se llama así porque bajo ella está un gran aljibe que mandó construir el conde de Tendilla, primer alcaide de la Alhambra tras la conquista cristiana. Es una gran explanada desde la que se accede a los distintos espacios de la ciudad palatina, y en muchos momentos ha sido escenario de importantes acontecimientos culturales. En la zona que linda con la muralla se han hecho excavaciones que han sacado a la luz restos de edificaciones.

❹ Aljibe de Tendilla

El viajero Jerónimo Münzer ya cita su construcción en 1494, es decir, inmediatamente después de la conquista de la Alhambra por los Reyes Católicos. El conde de Tendilla dirigió obras de reforzamiento de puertas, murallas y torres y la construcción de baluartes, pero su obra más importante, que además lleva su nombre, fue el aljibe situado sobre un barranco, entre la Alcazaba y los palacios nazaríes, bajo la plaza de los Aljibes.

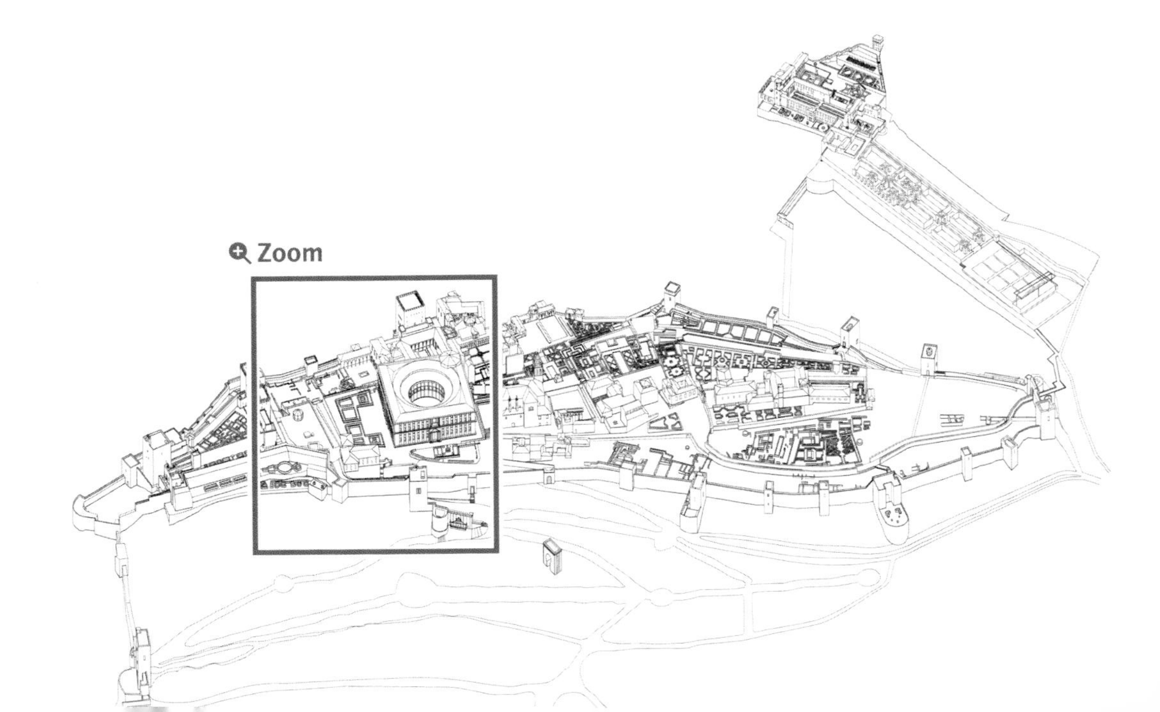

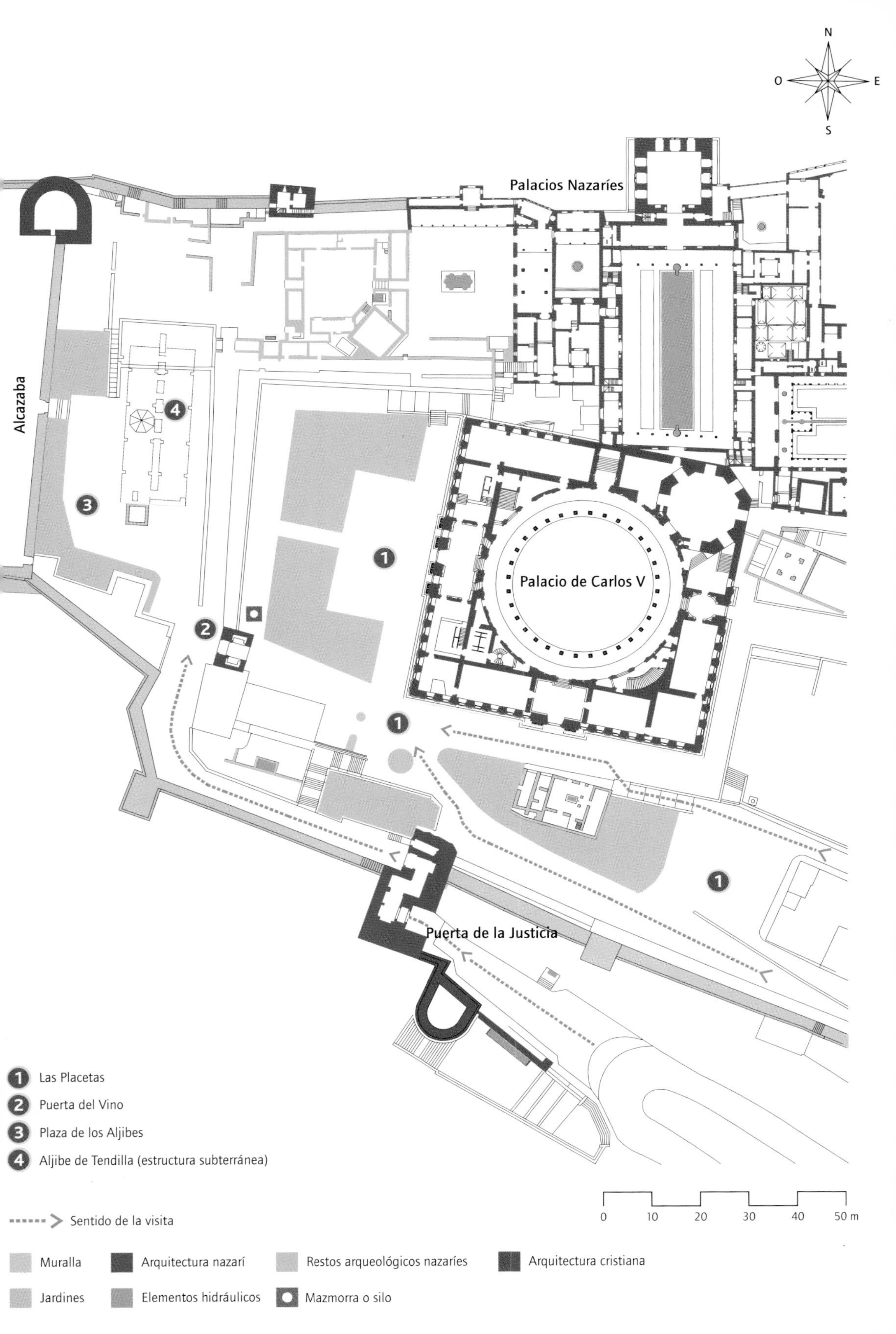
N
O
E
S
Palacios Nazaríes
Alcazaba
Palacio de Carlos V
Puerta de la Justicia
1 Las Placetas
2 Puerta del Vino
3 Plaza de los Aljibes
4 Aljibe de Tendilla (estructura subterránea)
Sentido de la visita
0
10
20
30
40
50 m
Muralla
Arquitectura nazarí
Restos arqueológicos nazaríes
Arquitectura cristiana
Jardines
Elementos hidráulicos
Mazmorra o silo

Restos de una casa nazarí en las Placetas situadas ante la fachada meridional del palacio de Carlos V

Las Placetas brindan algunos testimonios de diferentes etapas de su pasado, como los restos de muros situados frente a la fachada meridional del palacio de Carlos V, pertenecientes a la estructura principal de una casa nazarí en torno a un patio con alberca central rodeado de habitaciones, en donde se distinguen los umbrales de unas puertas con mochetas, que se supone eran la entrada a la casa desde la calle Real. Es una estructura arquitectónica de importancia en el urbanismo de la Alhambra medieval, pues marca la cota por la que discurría la calle principal de la medina nazarí. Todas las habitaciones, que han

Detalle de la fachada meridional del palacio de Carlos V, donde se ven los cañones en posición vertical.
Fotografía de J. Laurent, 1871

Cañones sobre cureñas que estaban (fotografía de la izquierda) ante el palacio de Carlos V y, en la actualidad, sobre el pretil de la muralla meridional

conservado restos de las solerías originales, se encuentran al mismo nivel, salvo la crujía de poniente, por debajo del resto, en cuyo eje aparece una puerta que pudo pertenecer a esta casa o a otra vecina, ante cuya fachada se extiende un pavimento de guijos, probablemente de una placeta anterior o de una calle perpendicular a la calle Real.

Estas estructuras fueron desescombradas en 1922 y completada su consolidación en la década siguiente.

Frente a ellas fueron empotrados en el suelo unos cañones en posición vertical. Probablemente, los relieves de la portada del palacio renacentista con referencias a la artillería propiciaron su instalación en este lugar que llegó a conocerse en el siglo XIX como la «Placeta de los Cañones»; hoy pueden verse emplazados sobre cureñas recreadas a finales del siglo XIX, asomados sobre el pretil de la muralla meridional de la Alhambra.

Desde estas placetas sorprende el contraste de la pétrea grandeza del palacio renacentista con el humilde aparejo, casi rural, de la iglesia de Santa María de la Alhambra, contraste que también se sentiría en 1576 cuando fue derribada, por su estado de ruina, la mezquita de la Alhambra que ocupaba el solar.

Al extremo contrario de la fachada del palacio de Carlos V, en la esquina, llama la atención el inicio de un arco inacabado, previsto en el proyecto como alternativa a la puerta del Vino, primordial construcción de la Alhambra nazarí cuya silueta destaca con sus marcados arcos de herradura.

Puerta del Vino

Hoy día es un elemento arquitectónico testimonial, pero en origen fue la principal puerta de acceso a la medina de la Alhambra, la que protegía, dentro del recinto amurallado de la fortaleza, el sector residencial y artesano al servicio de la corte. En cierto modo mantiene una función semejante a la que tuvo en la época nazarí. Al ser puerta interior, su acceso es directo, en línea recta, a diferencia de las puertas exteriores que debían proteger el interior y construían su entrada en recodo. No obstante, en

Acuarela de David Roberts, 1833, con la puerta del Vino y el palacio de Carlos V. Archivo de la Alhambra

su ámbito interior conserva el espacio necesario y los bancos para la guardia que controlaba el paso. El edificio dispone de una planta superior en la que, como es tradicional en la sociedad gremial hispanomusulmana, seguramente residía el cuerpo de guardia encargado de su custodia.

Estructuralmente es uno de los edificios más antiguos de la Alhambra nazarí, pues su edificación se atribuye a la época del sultán Muhammad III (1302-1309), aunque la decoración de sus dos fachadas corresponde a épocas diferentes.

La decoración de la portada de poniente, la más cercana a la Alcazaba, debió de realizarse a finales del siglo XIII o principios del XIV, aunque la lápida que figura sobre el dintel del arco menciona al sultán Muhammad V que gobernó en la segunda mitad del siglo XIV. Esta era la fachada exterior, por lo que sobre la clave del arco aparece la tradicional llave simbólica.

La portada interior, la de levante, aunque sigue un esquema semejante, fue decorada en época del segundo mandato del sultán Muhammad V, concretamente después de 1367, fecha de las campañas militares de Jaén, Baeza y Úbeda. Destacan de su decoración las preciosas albanegas del arco, realizadas en azulejos de cuerda seca, la composición en yesería que enmarca la ventana de la planta superior y los restos de pintura policromada que se conservan a la derecha del arco. Una reciente restauración ha puesto de manifiesto que los materiales

utilizados en la decoración de la portada subrayaban su aspecto cromático rojizo.

Desde la puerta del Vino parte hacia el este, en suave ascenso, la calle Mayor o calle Real de la Alhambra, principal vía de comunicación de la medina medieval, que ha permanecido en uso hasta nuestros días. Uno de los principales valores de esta puerta es su dimensión urbana, que aún puede apreciarse observando su entorno, pues se ha mantenido como referencia, como hito, para las diferentes comunicaciones interiores de la ciudad.

Plaza de los Aljibes

Una de las principales modificaciones estructurales y de las primeras obras que se ejecutaron en la Alhambra después de la conquista cristiana fue la edificación de un gran aljibe en la torrentera que separaba la Alcazaba del resto de la Alhambra, que fue promovida por Íñigo López de Mendoza, primer marqués de Mondéjar, segundo conde de Tendilla y capitán general de la Alhambra.

Sobre las bóvedas de este aljibe, del que hay noticia ya en 1494, se creó casi espontáneamente una amplia explanada que ha venido llamándose hasta nuestros días la plaza de los Aljibes.

Es el espacio que distribuye los accesos a los diversos sectores en el interior del recinto amurallado de la Alhambra y que, curiosamente, está casi en el mismo lugar en que se hacía semejante distribución en época nazarí.

Hasta mediado el siglo XX la plaza se prolongaba hasta la muralla norte, pero la actividad de las excavaciones arqueológicas iniciadas con el siglo obligó a su modificación y desescombro para recuperar un importante sector de la Alhambra, hasta entonces desconocido.

Antes de su definitiva configuración actual, esta plaza fue escenario de importantes acontecimientos culturales como el Primer Festival de Cante Jondo en 1922, de extraordinaria influencia en el panorama musical español contemporáneo, o la representación de autos sacramentales.

En el centro, y en su desaparecido quiosco que rememora el actual, se daban cita paseantes y tertulianos granadinos para degustar el tradicional azucarillo y aguardiente.

Aljibe de Tendilla

«En el Alhambra de Granada tiene vuestra majestad un aljibe el mejor que se conoce en el mundo así en su edificio y capacidad como en hacer y conservar el agua tan fría que sirve por nieve y muy limpia y clara; el cual mandaron hacer los señores Reyes Católicos [...]» (Archivo de la Alhambra, Leg. L-238-4. *Aljibes de la Alhambra. Petición para que no se venda el agua de los aljibes a aguadores*).

Este aljibe se construyó en la vaguada existente entre la Alcazaba y la medina interior de la Alhambra, con el fin de asegurar el suministro de agua, no solo del recinto palatino, sino de la propia ciudad de Granada. Su estructura es rectangular, de dos naves comunicadas por medio de seis puertas de arcos semicirculares. Sobre las dos naves cubiertas con bóvedas de cañón se abrieron brocales de pozo para extraer el agua. Encima de la cubierta del aljibe se sitúa hoy la plaza de los Aljibes. Al exterior solo es visible la boca de entrada, ya que esta zona ha sufrido tantas modificaciones desde el siglo XVI hasta el XX que su aspecto original se ha perdido.

Fachada oriental de la puerta del Vino. Era la puerta interior principal de la medina de la Alhambra

5 Palacio de Carlos V

Cuando el emperador Carlos V y su esposa Isabel de Portugal visitaron la Alhambra en la primavera de 1526 quedaron tan sorprendidos con el lugar, que quisieron hacerse una residencia en el interior de sus murallas. Además, aquella decisión tenía un valor simbólico que consolidaba la imagen del emperador como uno de los monarcas más poderosos del orbe: aquel recinto había sido el último baluarte de los musulmanes, y fue conquistado por sus abuelos, los Reyes Católicos.

Carlos I de España y V de Alemania, rey y emperador electo, monarca itinerante por toda Europa, visitó Granada en la primavera de 1526, tras celebrar su boda en Sevilla con Isabel de Portugal. Es difícil aceptar que pensara establecer en Granada el centro de su reino, pero sí quiso edificar una significativa residencia real, importante por su valor simbólico y por el lugar elegido: la ciudadela musulmana conquistada por sus abuelos, los Reyes Católicos. Para ello recurrió a la construcción de un impresionante edificio de piedra en el que integró las tres figuras geométricas que encarnaban en ese momento la representación del poder: el cuadrado exterior (símbolo del mundo terrenal), el círculo interior del patio (signo del orbe, de la Creación), ambos conectados mediante la capilla octogonal (trasunto de la edificada en Aquisgrán por su antecesor Carlomagno), que a su vez entronca el nuevo edificio con el palacio musulmán de Comares mediante la cripta, situada en la planta baja de la capilla, pero en eje y al mismo nivel que este.

Vista aérea de la situación del palacio de Carlos V junto a los palacios nazaríes

Portada meridional del palacio de Carlos V

Palacio de Carlos V

Es un palacio de estilo renacentista mandado edificar en el primer tercio del siglo XVI por el emperador Carlos V para ser residencia imperial, y que quedó inconcluso, pues en 1637 se abandonaron las obras de la estructura que aún no estaba cubierta. Se finalizó ya en el siglo XX. Su gran mole de planta exterior cuadrada sobre la que se inscribe un patio circular, cambió la imagen de la Alhambra. Adosado al pabellón sur del patio de Comares, su arquitecto, Pedro Machuca, pretendía que tuviera la función de pórtico noble para los palacios nazaríes.

1 Fachadas

El palacio tiene dos plantas, con cuatro fachadas de las mismas dimensiones; la situada al norte está en parte oculta al estar adosada al palacio de Comares. El banco corrido del zócalo, la cornisa que divide ambos pisos y el entablamento que remata la parte superior consiguen la horizontalidad de estas fachadas, en las que destaca el acentuado almohadillado de la planta inferior.

2 Portadas

El centro de las fachadas meridional y occidental se decoraron con dos grandes portadas de mármol de fuerte influencia romana, en cuyos relieves se plasmó un programa iconográfico en el que se quiso presentar al emperador Carlos V como el adalid de la paz universal.

3 Patio

El interior del palacio está ocupado por un gran patio circular de proporciones armónicas, con fachada corrida de dos plantas, cada una de ellas formada por treinta y dos columnas y separadas por un entablamento con decoración renacentista de metopas y triglifos. Ha sido escenario de importantes representaciones teatrales o musicales.

4 Museo de la Alhambra

Desde que se iniciaron las obras de recuperación del edificio en 1928, se le ha dado distintos usos, en general culturales. En la actualidad la planta baja alberga el Museo de la Alhambra, en el que se conservan objetos ligados a la Alhambra y a la civilización que la creó, como por ejemplo, el jarrón de las Gacelas.

5 Museo de Bellas Artes

Se encuentra en la planta alta del palacio. Presenta una colección de pintura y escultura, fundamentalmente de la escuela granadina de los siglos XVI al XX. Sus salas también se utilizan para celebrar exposiciones temporales.

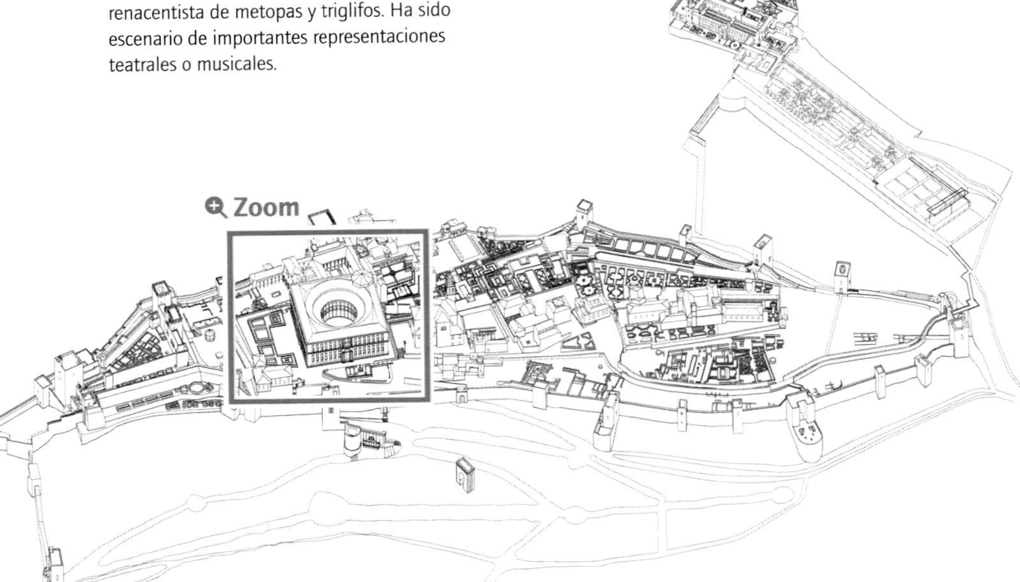

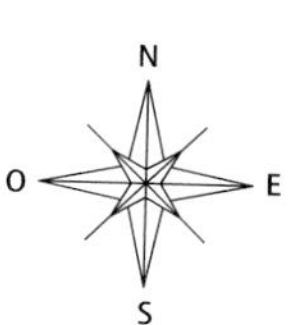

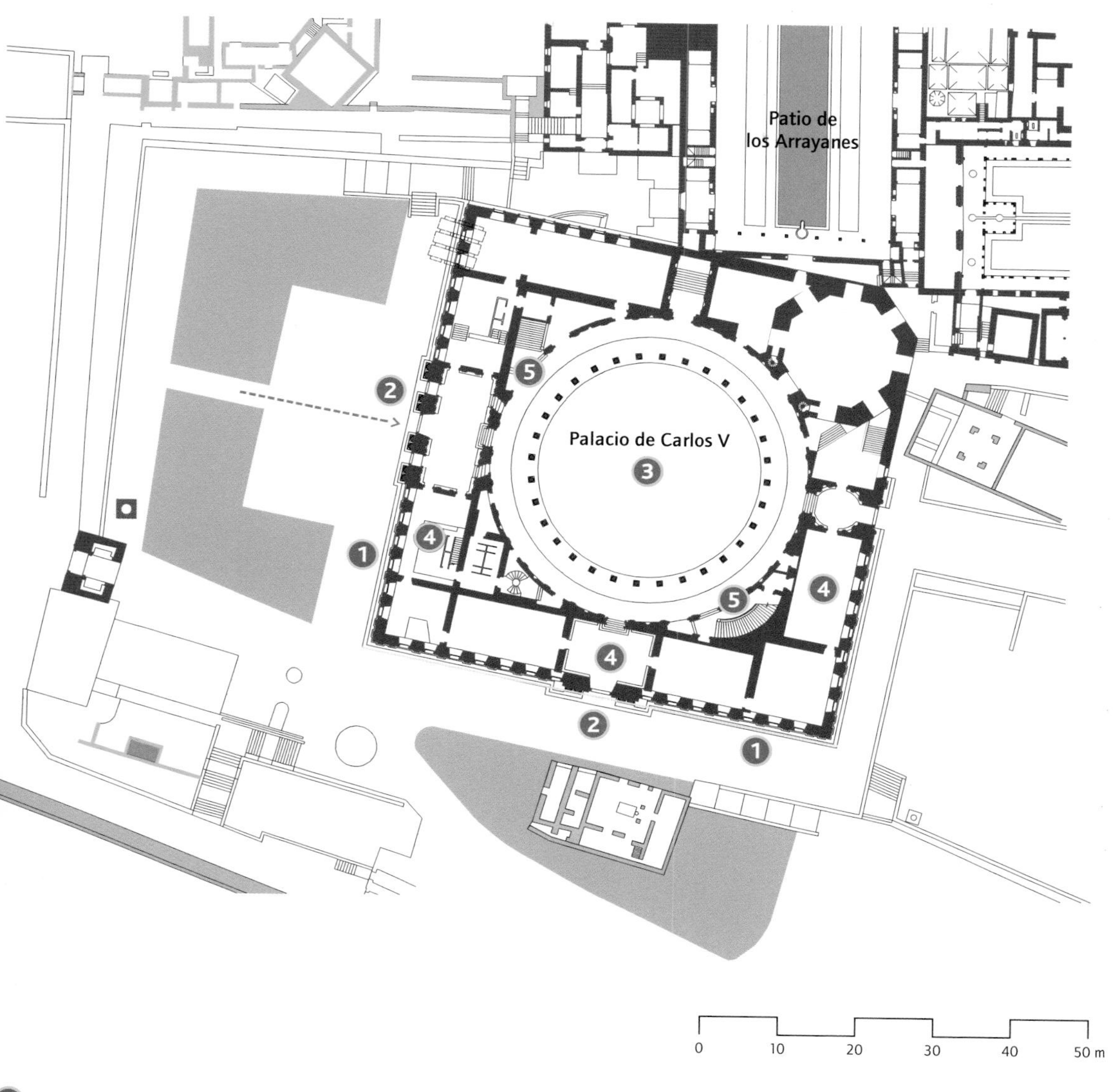

1 **Fachadas**

2 **Portadas**

3 **Patio**

4 **Museo de la Alhambra**

5 **Museo de Bellas Artes (planta alta)**

Sentido de la visita

Muralla

Arquitectura nazarí

Restos arqueológicos nazaríes

Arquitectura cristiana

Jardines

Elementos hidráulicos

Mazmorra o silo

La elección de la Alhambra como lugar para ubicar el palacio pretendía expresar el triunfo de la Cristiandad sobre el Islam. Por ello era necesario conservar las viejas construcciones islámicas para que sirvieran de contrapunto a la escala y a la potente romanidad del nuevo palacio. Los arquitectos renacentistas tenían una profunda fascinación por los modelos romanos de la Antigüedad clásica. El propio Carlos V, como emperador del Sacro Imperio Romano Germánico (Aquisgrán, 1520), se consideraba en la línea de sucesión de los emperadores de Roma. Parte de sus esfuerzos se dirigieron a contener al Imperio Otomano, tanto en Europa (Hungría y los Balcanes) donde en 1529 era sitiada Viena, como en el Mediterráneo (expedición de Túnez en 1535).

En la decisión de construir el palacio al estilo «romano» debió de influir también el propio gobernador de la Alhambra y capitán general Luis Hurtado de Mendoza, cuya familia tuvo un importante papel en la difusión de la cultura italiana en Castilla, aunque el modelo del edificio pudo ser sugerido por Baldassare Castiglione, amigo de Rafael Sanzio, Giulio Romano y del propio gobernador.

El proyecto, del que se conservan dos planos originales en el Palacio Real de Madrid, debe sus trazas a Pedro Machuca, pintor, escultor y arquitecto que estudió en Italia con Miguel Ángel y se formó en el círculo artístico de la Roma de León X, por lo que estaba instruido en el gusto renacentista, del que fue pionero en España. Las obras, financiadas con las aportaciones obligadas de los moriscos, se iniciaron en 1527, sobre lo que había sido en su mayor parte solar de un improvisado asentamiento cristiano, necesario solo en los primeros años tras la conquista. Machuca dirigió las obras hasta su muerte en 1550, dejando acabadas las fachadas, salvo las grandes portadas situadas a poniente y mediodía. Le sucedió su hijo Luis, que realizó el patio circular, pero se suspendieron las obras durante quince años por la rebelión de los moriscos de Granada en 1568. Cuando Felipe IV visitó Granada en 1628, no pudo alojarse en el palacio porque aún no era

Fachada occidental del palacio de Carlos V

habitable después de noventa años de trabajos. En 1637 se abandonaron definitivamente las obras y quedó sin cubrir aguas toda la estructura.

La implantación del palacio en la Alhambra, a pesar de su escrupuloso diseño, cambió la imagen del recinto y alteró tanto su tejido interior como su conexión con la ciudad. El proyecto original contemplaba una gran plaza porticada al oeste y otra más pequeña al sur, lo que suponía una importante modificación de los accesos. En realidad Machuca pretendía que el nuevo edificio, con sus plazas y fachadas, tuviera la función de pórtico noble para los palacios nazaríes.

Las fachadas

Las fachadas del palacio se caracterizan por su unidad cromática y su desarrollo horizontal. Al estar adosado al edificio musulmán, las fachadas meridional y occidental, la principal del palacio, presentan un mayor desarrollo decorativo. La horizontalidad está fuertemente acentuada por el banco que recorre toda la fachada a modo de plinto, por la cornisa que divide el cuerpo inferior del superior y por el entablamento corintio que remata por arriba. Expresión significativa del nuevo gusto italiano es el tratamiento con almohadillado *(bugnato rustico)* en todo el cuerpo inferior, con un aspecto poco común por la integración de las pilastras en el aparejo almohadillado, a cuyos sillares se fijan grandes anillas de bronce sostenidas por cabezas de leones, salvo en las esquinas, que son águilas.

En la planta alta se buscó una sucesión alternativa de los elementos decorativos, tanto en los emblemas de los plintos sobre los que descansan las pilastras, como en los dinteles de los huecos. Bajo el coronamiento de estos, en forma de frontón, se dispusieron unas curiosas guirnaldas rectas que refuerzan la horizontalidad general de la fachada y que algunos autores consideran un recurso manierista.

Las portadas

Esa horizontalidad solo se interrumpe por las portadas marmóreas, situadas en plano avanzado a modo de arcos de triunfo, que contrastan por su

Fachada occidental del palacio de Carlos V, con su portada principal

Anillas de bronce, de tradición hispánica, fijadas en la parte baja de la fachada, cuya función es meramente simbólica (cabezas de león, salvo en las esquinas, que son águilas)

Detalle del almohadillado entre pilastras, característico de la planta baja de la fachada. Se aprecian los distintos acabados que los tallistas dieron a la piedra

verticalidad, aunque respetan la diferenciación de los dos cuerpos. Las portadas, como elemento autónomo, expresan el peso de la tradición española frente a la italiana. La meridional está delimitada por sendos pares de columnas sobre basamentos con relieves. En la planta baja se dispone un gran portón, con una pilastra de orden jónico a cada lado, el mismo que las columnas, coronado por un frontón triangular sobre el que se reclinan figuras simbólicas de las Victorias. Los basamentos, con representaciones en relieve de armas antiguas y de época, se prolongan a los lados para acoger a sendos leones recostados. En la planta alta las columnas son de orden corintio y reposan sobre basamentos con relieves mitológicos que, a diferencia de la planta baja, se prolongan hacia el interior para destacar el gran ventanal a modo de serliana. Este es un recurso arquitectónico del Renacimiento que consiste en la combinación de un arco de medio punto

Relieve de la fachada occidental

En la fachada se representan episodios histórico-alegóricos que simbolizan el deseo del emperador de alcanzar la paz universal. En el centro de la composición, las Victorias, enarbolando sendos ramos de laurel, sostienen el emblema imperial español: las columnas de Hércules y el mundo coronado. En los vértices inferiores, dos angelotes prenden fuego con sus antorchas a los pertrechos de la guerra, diseminados por el suelo, ya sin sentido, al imponer el emperador la paz universal.

con huecos adintelados a los lados, utilizado en portadas, fachadas, etc., muy empleado por Palladio; se llamó así porque apareció dibujado por primera vez en *L'Architettura* de Serlio (1537), aunque posiblemente fuese creación de Bramante.

En la fachada occidental se encuentra la portada principal que se amplía lateralmente a ambos lados, lo que permitió habilitar otros dos accesos más reducidos. Las medias columnas, agrupadas por pares, se ven multiplicadas hasta ocho en cada piso, con lo que se acentúa la ruptura de la horizontalidad de la fachada. Destaca la decoración simétrica en relieve de los basamentos del cuerpo inferior cuya iconografía alude al desarme como consecuencia del final de la guerra, con lo que se trata de asemejar el palacio a un nuevo Ara Pacis universal, bajo patrocinio del emperador. Como contraste significativo, las semicolumnas del cuerpo superior descansan sobre basamentos cuya decoración es geométrica, al gusto herreriano de la época, y sobre los frontones de las ventanas hay tres grandes medallones con relieves que representan hazañas de Hércules.

Patio

El patio circular, sobreelevado con respecto al nivel del exterior, presenta dos galerías superpuestas. La inferior se cubre con una bóveda anular de piedra, sin precedentes renacentistas aunque sí antiguos, que fue dispuesta probablemente para recibir pinturas al fresco. Treinta y dos columnas de piedra pudinga de Loja de orden dórico-toscano, que sirven de soporte a un bello entablamento con friso de triglifos y metopas, constituyen la única fachada circular al patio. Sobre él se despliega un alto antepecho con la columnata de la galería alta, que fue realizada en 1619 en estilo jónico y similar disposición a la de la planta inferior, aunque no terminó de cubrirse hasta 1967. De las dos grandes escaleras, la principal en ángulo, del arquitecto Fernández Lechuga, se concluyó en 1635.

Del diseño general de la planta cabe destacar la capilla octogonal en la esquina más próxima al palacio de Comares, figura geométrica que viene

Patio interior del palacio de Carlos V, de planta circular, que se inscribe en la planta cuadrada del palacio

a ser una segunda estructura centralizada del palacio, de gran prestigio en el Renacimiento.

La escalera situada en el zaguán norte del palacio de Carlos V desciende desde el nivel del patio hasta la crujía occidental del palacio de Comares, y termina en el lugar donde hubo un alhamí correspondiente a la sala baja de la vivienda de este palacio, para lo que fue necesario derribar el muro de contacto entre los dos edificios. La escalera es una estructura muy representativa del programa de integración del palacio de Carlos V con los adyacentes palacios nazaríes. Su construcción se realizó en 1580, figurando este singular enlace semidirecto en el proyecto inicial del palacio. Con la ubicación, a mediados del siglo XX, del Museo de la Alhambra en la planta alta de la crujía occidental del palacio, la caja de la escalera quedó clausurada y oculta por un vestíbulo de entrada directa al Museo. Con ella fue necesario modificar también el frente del alzado del zaguán original, en el que se abrió el portal para acceder al Museo. La reciente recuperación del vano y del alzado permite apreciar que la implantación del palacio de Carlos V en la Alhambra musulmana pretendió respetar los palacios nazaríes y ser una continuación del legado histórico.

Escalera construida en 1954 por Francisco Prieto Moreno para unir las dos plantas del palacio

Usos culturales

Un edificio tan destacado ha recibido desde el siglo XVII diferentes propuestas de uso, desde residencia real, hasta algunas más aventuradas como el proyecto de colegio militar a finales del siglo XVIII para la formación de nobles americanos, o la residencia para el jefe del Estado en la etapa franquista, que nunca llegaron a concretarse. Eso sí, el recinto fue siempre foco de atención cultural para la ciudad, llegándose a celebrar en el patio corridas de toros y, sobre todo, representaciones teatrales, grandes conciertos y recitales estacionales. Su destino llegó a tratarse en las Cortes de 1902, pero lo cierto es que el palacio permanecía inconcluso, hasta que en 1923 el arquitecto Leopoldo Torres Balbás inició un programa de recuperación del edificio.

En 1928 se instaló un pequeño Museo Árabe, antecedente del Museo Arqueológico de la Alhambra, creado en 1942. Desde entonces se fueron completando huecos, cubiertas y forjados, y sirvió para albergar oficinas administrativas, archivos y biblioteca del Patronato de la Alhambra y para otros usos culturales y protocolarios. En la planta alta se inauguró en 1958 el Museo Provincial de Bellas Artes. Recientemente se ha reforzado su uso cultural de espacio museográfico con la definitiva instalación del Museo de la Alhambra en la planta baja, la completa remodelación de las instalaciones en la planta alta para Museo de Bellas Artes, la recuperación de la capilla y de la cripta para exposiciones temporales y usos múltiples, y la disposición de salas para reuniones institucionales y conferencias, así como una librería especializada.

El edificio histórico, cargado de simbolismo, del palacio de Carlos V, cumple así su destino de uso cultural como amplio espacio museográfico de la Alhambra.

Escalera de comunicación directa entre el patio del palacio de Carlos V y el palacio nazarí de Comares

Museo Arqueológico de la Alhambra
El palacio de Carlos V quedó inacabado a la muerte del emperador y así permaneció hasta el siglo XX en que el arquitecto Torres Balbás inició la recuperación del edificio. Desde entonces ha tenido diversos usos, siempre en el ámbito cultural. En 1995 se realizó la centenaria aspiración de destinar su interior a la museología, con la instalación definitiva del Museo de la Alhambra. En la imagen, la sala primitiva del Museo Arqueológico de la Alhambra, creado en 1942, embrión del actual Museo de la Alhambra y primera utilización del palacio como ámbito expositivo. Archivo de la Alhambra

Museo de la Alhambra

El Museo de la Alhambra se encuentra instalado en el interior del palacio de Carlos V, en el ala sur, y ofrece al visitante la posibilidad única de contemplar objetos artísticos y arquitectónicos del monumento ligados a la cultura que lo originó, la hispanomusulmana.

Creado en 1870, pasó a denominarse Museo Nacional de Arte Hispanomusulmán en 1962, y desde 1994 quedó adscrito al Patronato de la Alhambra y el Generalife. Desde ese momento se trasladó a su ubicación actual y se dispuso según las más avanzadas técnicas de la museología contemporánea. Se distribuye en siete salas ordenadas cronológicamente en las que se puede apreciar la evolución del arte hispanomusulmán y del propio monumento, con la mejor colección existente de arte nazarí, procedente sobre todo de excavaciones e intervenciones en la Alhambra.

Probablemente el objeto más destacado del Museo es el jarrón de las Gacelas (siglo XIV), realizado en loza dorada, al que acompaña el jarrón procedente de la colección Simonetti, e importantes fragmentos de otros jarrones, como el gollete de la colección Hirsch. Entre los fondos de loza destaca un plato califal procedente de Madinat al-Zahra', y numerosas piezas de ajuar del periodo nazarí, algunas de considerable tamaño; dignos de destacar son también unos fragmentos de loza fatimí adquiridos en El Cairo; los fondos de cerámica constituyen uno de los más amplios del Museo, que se completan con un curioso grupo de pequeñas piezas de juguetes. Los zócalos de alicatados, como el procedente de la sala de las Aleyas en el palacio de Comares, que estuvo en el Mexuar, y azulejos, como los del Peinador de la Reina, se cuentan entre las más importantes muestras de solerías.

Copia del proyecto (1793) de adaptación del palacio de Carlos V para ser sede del colegio militar, que no se llevó a cabo. Archivo de la Alhambra

Patio del palacio durante la «coronación» del poeta romántico José Zorrilla como Poeta Nacional Laureado, en 1889. Fotografía de Ayola

Sala del Museo de la Alhambra con el jarrón de las Gacelas en el centro, detrás la puerta de la sala de Dos Hermanas y otros objetos encontrados en la propia Alhambra

Entre las también numerosas yeserías, además de las procedentes de las excavaciones y las restauraciones de toda la Alhambra, cabe destacar las del mirador del patio de la Acequia en el Generalife, las del palacio de los Alijares, o las del palacio de Dar al-Arusa en el Cerro del Sol.

En el grupo de la madera destacan la puerta y la celosía de la sala de Dos Hermanas del palacio de los Leones; las piezas con labores de incrustación, como el pequeño cofre nazarí con fragmentos en marfil en una de sus caras, una alacena de dos grandes hojas, procedente de la casa de los Infantes de Granada, una jamuga con respaldo de cuero repujado, y un curioso tablero de ajedrez, todos del siglo XIV o XV; hay que aludir también a varias armaduras nazaríes y mudéjares granadinas; a piezas de un alero mudéjar toledano del siglo XI, o unas tablas almohades y protonazaríes procedentes de la Casa de los Tiros.

Entre los mármoles, la pila califal procedente del palacio Alamiriya de Almanzor, y varias fuentes y pilas nazaríes como la de Lindaraja; junto a ellas destacan un capitel y una basa califales del siglo X, así como varios capiteles, basas y fustes de columnas nazaríes de diversa procedencia; las losas sepulcrales de los sultanes nazaríes y otras *maqabriyyas* de piedra; la lápida fundacional y la pareja de leones (siglo XIV) del Maristán en el Albaicín y, aunque incompleto, un curioso reloj de sol, así como una variada colección de braseros de piedra de varias épocas.

El Museo también exhibe una más reducida pero muy importante selección de numismática, vidrios, tejidos o documentos como un Corán nazarí. Finalmente metales, entre los que sobresalen el *Yamur* de cobre (siglo XI) de la mezquita del Qadí y varios candiles califales de diversa procedencia.

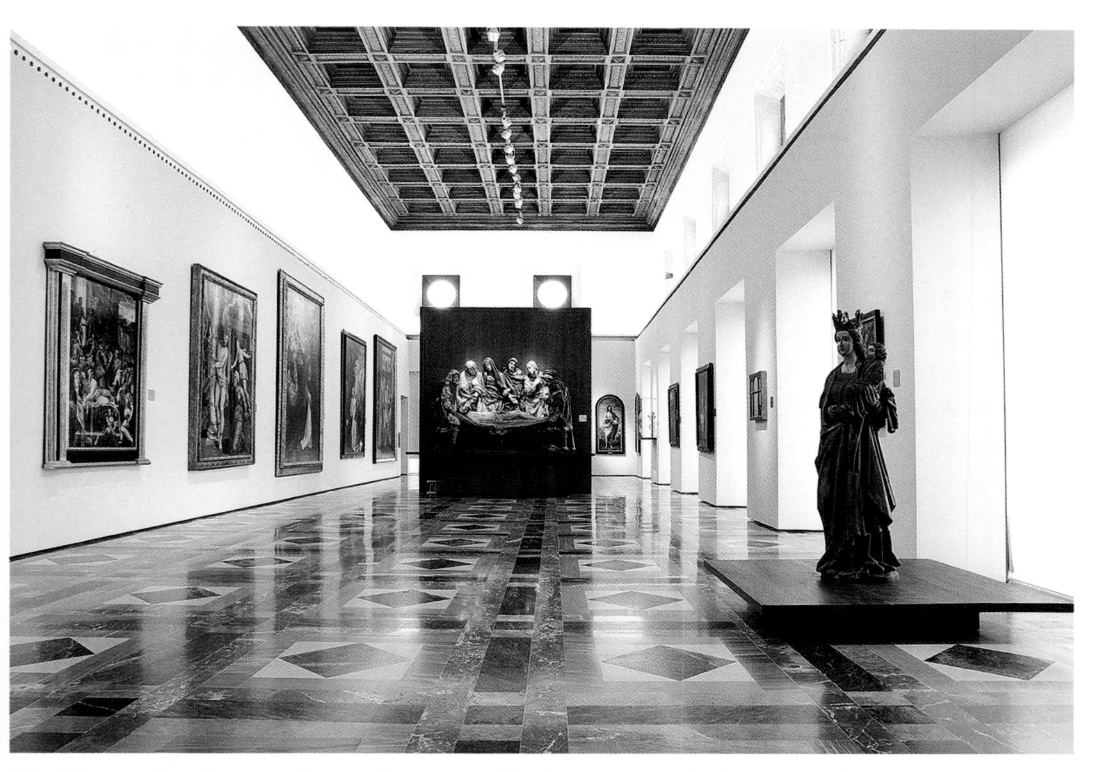

Sala del Museo de Bellas Artes de Granada, que custodia piezas maestras de pintura y escultura

El Museo se divide en las siguientes salas:

Sala I: La fe, la ciencia y la economía
Sala II: Arte emiral y califal
Sala III: Del arte califal al nazarí
Sala IV: Arte nazarí. Edificios públicos
Sala V: Arte nazarí. La Alhambra y la arquitectura
Sala VI: Arte nazarí. La Alhambra, cultura material
Sala VII: Arte nazarí. La Alhambra, cultura material

Museo de Bellas Artes de Granada

Ubicado en la planta alta del palacio de Carlos V, posee una escogida colección de pintura y alberga exposiciones temporales. Tiene su origen en la desamortización del siglo XIX, por lo que parte esencial de su colección consiste en pintura granadina de tema religioso realizada entre el siglo XVI y XVIII. Son obras procedentes de monasterios como el de la Cartuja, o series de cuadros que decoraron el interior de los conventos de San Francisco, la Merced, los trinitarios o los agustinos descalzos. Tras ubicarse en diferentes lugares de Granada, en 1958, con motivo de las celebraciones del IV centenario del fallecimiento del emperador, se instaló en la planta primera del palacio de Carlos V, donde permanece desde entonces.

Entre sus piezas más significativas cabe destacar un esmalte de Limoges, el *Entierro de Cristo,* de Jacobo Florentino, el *Bodegón del cardo* de Juan Sánchez Cotán, y obras maestras del barroco, del neoclasicismo, del romanticismo y de la pintura granadina de los siglos XIX y XX, entre los que destaca Manuel Ángeles Ortiz, de quien el museo conserva un importante fondo de obras de sus series de «Albayzín» y el «Paseo de los Cipreses».

El jarrón de las Gacelas, una de las obras maestras de la cerámica medieval islámica. Museo de la Alhambra

6 La Alcazaba: la *Qasba*

En la parte oeste de la colina de la Sabika, la más cercana a la ciudad, se alza la Alcazaba con la torre de la Vela dominando la Vega y protegiendo la ciudad palatina de la Alhambra. Cuando el primer sultán nazarí del reino de Granada, Al-Ahmar, eligió la Sabika como sede del sultanato, existía un viejo castillo rojo que, tras reformarlo, se convirtió en la fortaleza defensiva de todo el conjunto. Constituida por varias torres y hasta tres lienzos de murallas superpuestas, en su interior habitaba el estamento militar, en el llamado barrio castrense.

Decidida la edificación de una nueva ciudad, la dinastía nazarí buscó arropar las delicadezas de su residencia y la magia de los arrabales palaciegos en la sólida defensa natural que representa el monte de la Sabika. En su parte más elevada se encontraba un viejo castillo rojo, el edificio más antiguo de la Alhambra, que, tras reformarlo, serviría de fortaleza defensiva para todo el recinto. A pesar de edificarse en la Alta Edad Media, y tal vez en parte fue reconstrucción de una tardía construcción romana, recibió el nombre de Alcazaba Yadida, es decir Fortaleza Nueva, cuya reseña documental más antigua es de en torno al año 860. El primer sultán nazarí, Al-Ahmar, rechazó la Alcazaba del Albaicín, la antigua Qadima, viejo foro romano fortificado sobre la recia muralla ibérica, y decidió establecerse en la montaña contigua hacia 1238, situada más estratégicamente, para establecer la nueva *qasba* de Granada, el distrito de los servicios para la nueva administración y la sede de su reino durante los dos siglos y medio siguientes.

Reedificó sobre la base de algunas torres arruinadas y reconstruyó la casi totalidad de sus murallas, anteriores al siglo XI, fecha en que el castillo había servido de protección a Granada, cuando esta fue capital de uno de los reinos de taifas, el Zirí.

Estructura de la Alcazaba

La Alcazaba tiene en planta forma triangular. Su vértice occidental es el más próximo a Granada, sobre la que posee un dominio privilegiado, y en ese vértice se edificó la gran torre de la Vela, desde entonces símbolo de la ciudad; hacia el otro extremo,

Vista aérea de la Alcazaba
La planta de la Alcazaba tiene forma triangular. En su parte oriental, de norte a sur, la separa del resto de la Alhambra un importante refuerzo amurallado construido entre tres poderosas torres: Homenaje, Quebrada y Adarguero o Hueca. Otras tres torres cierran la estructura por su lienzo occidental: Hidalgos, Vela y Pólvora. Es un recinto integrado en la Alhambra, pero completamente independiente. Como lugar castrense, está fuertemente fortificado. En la imagen, tomada desde el norte, se aprecia, en la parte superior, el recinto del siglo XI al que, a partir de la etapa nazarí, se le fueron añadiendo torres de diferentes características así como reforzamientos de murallas.

Las torres del Homenaje, Quebrada y Hueca cierran el recinto de la Alcazaba hacia el este

Alcazaba

Ocupa la parte de poniente de la colina, en la zona que avanza sobre la ciudad a modo de proa de un barco. Su función es claramente defensiva, no solo por la fortaleza de sus muros y torres, sino también porque en su interior se encuentra el barrio castrense, es decir, la zona donde vivía la tropa encargada de la defensa inmediata del sultán y de la ciudad palatina. En el vértice más cercano a Granada se levantó la torre de la Vela, desde la que se divisa todo el territorio circundante.

1 Torre del Homenaje

Situada en el lienzo norte de la muralla, lindando con la plaza de los Aljibes, es la torre más elevada de la Alhambra y desde su terraza se contempla el más extenso panorama que se puede divisar desde la Alhambra. En su base, en época cristiana se construyó la torre del Cubo, que es un baluarte circular para conseguir una mayor defensa.

2 Barrio castrense

En el interior de la Alcazaba se ha recuperado la base de los muros de una serie de edificaciones que forman un barrio homogéneo y completo, que era el lugar donde residía la guardia del sultán y parte de la tropa que vigilaba y defendía la Alhambra. Entre los edificios se distinguen las viviendas con todos sus servicios, la tahona con su horno, letrinas, baño, aljibe, etc.

3 Puerta de las Armas

Situada en la torre del mismo nombre, era la única de las cuatro grandes puertas exteriores de la Alhambra que al principio de la época nazarí comunicaba directamente con la ciudad de Granada, y por la que accedían los habitantes de la ciudad que acudían a hacer gestiones en la sede de la corte.

4 Torre de la Vela

La torre de la Vela o torre Mayor, como se llamaba desde que se edificó en el siglo XIII, en época nazarí, ha sido un referente en la vida de los granadinos. Según la tradición, en su terraza se alzaron los estandartes de los Reyes Católicos el mismo día que Boabdil entregó las llaves de la ciudad. Su campana ha anunciado a los habitantes de Granada múltiples acontecimiento

5 Torre de la Pólvora

Situada al sur de la torre de la Vela y sobresaliendo de la muralla, ha sido un elemento defensivo de la mayor importancia en la historia de la Alhambra. Es de tamaño reducido y junto a ella parte la muralla que un la Alhambra con Torres Bermejas.

6 Jardín de los Adarves

Ocupa el lugar en el que en época medieval estuvo el foso defensivo, entre la muralla y un muro levantado hacia 1550 en la parte meridional de la Alcazaba. La transformación del foso o adarve en jardín fue realizada en el siglo XVII, cuando la amenaza morisca dejó de existir por su expulsión en 1609.

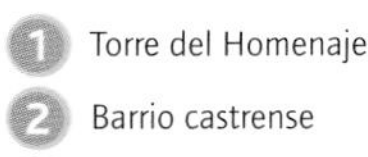

1 Torre del Homenaje
2 Barrio castrense
3 Puerta de las Armas
4 Torre de la Vela
5 Torre de la Pólvora
6 Jardín de los Adarves

Baluarte o Revellín

------> Sentido de la visita

Muralla | Arquitectura nazarí | Restos arqueológicos nazaríes | Arquitectura cristiana

Jardines | Elementos hidráulicos | Mazmorra o silo

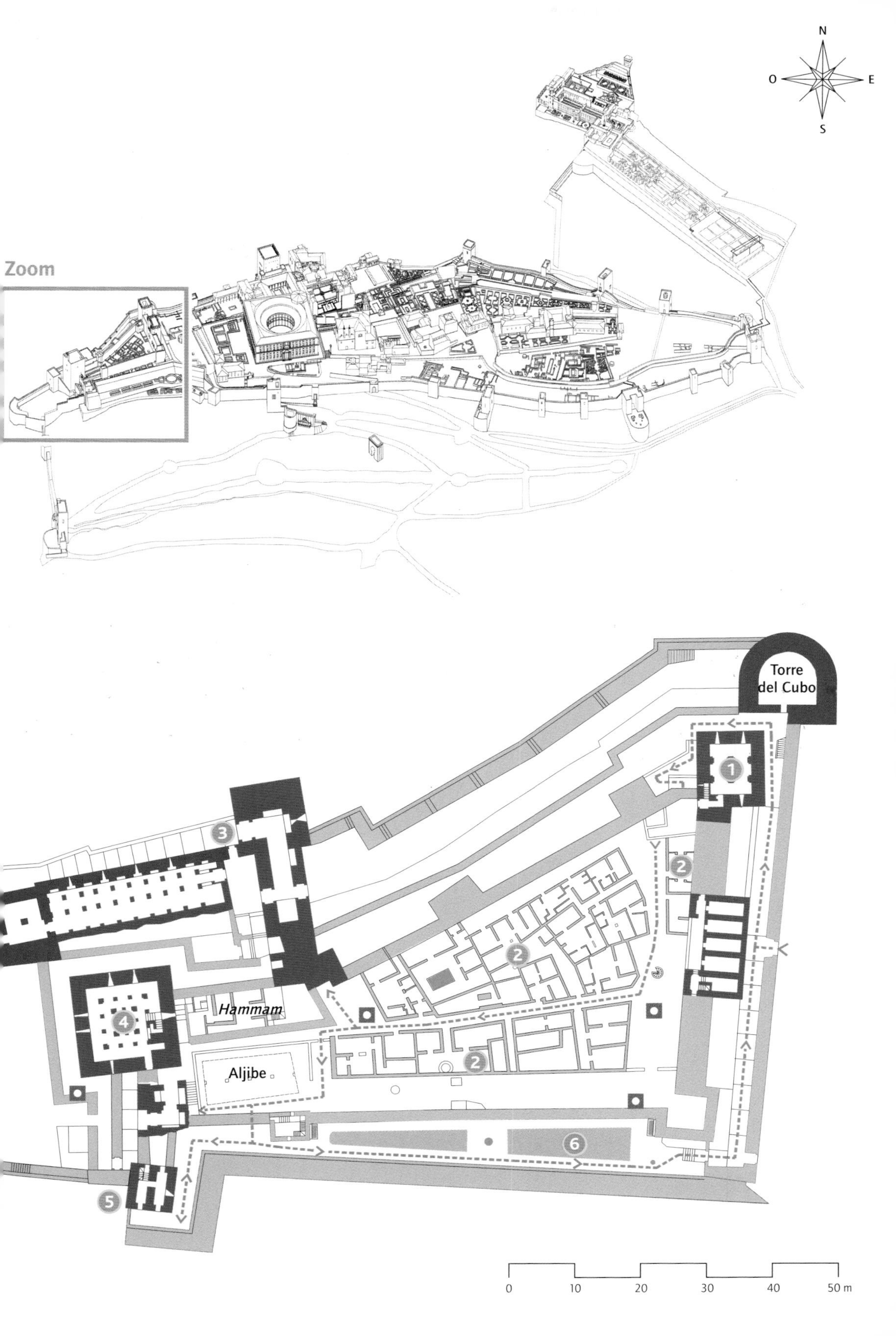
N
O
E
S
Zoom
Torre del Cubo
1
2
3
4
5
6
Hammam
Aljibe
0
10
20
30
40
50 m

Entrada a la Alcazaba por la puerta situada en la base de la torre Quebrada, en la plaza de los Aljibes

el oriental, se extiende el resto de la Alhambra, por lo que necesitó un importante refuerzo amurallado, construido entre tres poderosas torres: Homenaje, Quebrada y Adarguero o Hueca, de norte a sur, según sus nombres cristianos.

Tras el paso de los nazaríes, la ocupación de la fortaleza de la Alhambra por los Reyes Católicos supuso un amplio programa de reforma y su adaptación a las nuevas técnicas del ataque y defensa de este tipo de recintos, basada en el uso masivo de una artillería entonces emergente, la pirobalística. Estas transformaciones comienzan en 1492 con la ejecución de los baluartes artilleros que protegen las grandes puertas de la Alhambra, y terminan hacia 1589 con la construcción del cubo artillero, o torre del Cubo, en el lugar que ocupó la desaparecida puerta de la Tahona, en la esquina suroeste, bajo la torre del Homenaje.

Este aparentemente complejo sistema defensivo estaba propiciado por el desfiladero natural que separa el promontorio de la Alcazaba del resto de la Alhambra, una barranquera que desagua hacia el valle septentrional del río Darro. Continuaron las reformas en 1494 con la construcción del gran aljibe de dos naves promovida por Tendilla, cuya cubierta sirvió de plataforma para configurar una amplia explanada. El proyecto de construcción del palacio de Carlos V contribuyó a su conformación. Aunque no se llegó a construir sobre ella la gran plaza de Armas prevista, la terraza creada derivó en la actual plaza de los Aljibes.

Visita a la Alcazaba

Se entra en la Alcazaba por su antemuro oriental, e inmediatamente se percibe su naturaleza castrense cuyo nombre de origen árabe, *Alhizán,* define muy bien su imagen de castillo. Sobre las murallas superpuestas se elevan las torres de refuerzo de origen nazarí, en cuyo extremo noreste se concentra gran parte de la estrategia defensiva de la Alhambra.

Torre del Homenaje y torre del Cubo

La torre del Homenaje domina todo el perímetro de la Alhambra como si fuera la centinela de todo lo que sucede en el interior de la medina. En su terraza se encuentra el punto más elevado de la fortaleza, lo que permitía el contacto visual con las torres atalayas diseminadas por las montañas del entorno, tal vez mediante espejos o señales de humo, para obtener información puntual de los movimientos de tropas enemigas.

Los cristianos, más adelante, reforzaron su base con la torre del Cubo, cuya forma cilíndrica ofrece mejor protección frente a la artillería que las torres nazaríes de planta cuadrada, como la que quedó encerrada en su interior, la torre de la Tahona. Tanto desde la terraza del Cubo, como desde el adarve que circunvala la base de la torre del Homenaje se aprecia el valor estratégico de la Alcazaba.

La torre del Homenaje es una de las grandes torres defensivas de la Alcazaba. A sus pies se construyó la torre del Cubo en época cristiana

Planta y alzado de la torre del Homenaje

La torre del Homenaje, que en su interior tiene seis pisos, como se puede comprobar en el alzado, era, desde el punto de vista estratégico, la más importante de la Alcazaba, y en su terraza superior se encuentra el punto más elevado de la fortaleza. Era la atalaya desde la que se observaba el territorio circundante para controlar posibles ataques. En época cristiana, alrededor de 1586, fue reforzada en su parte baja con la torre del Cubo, de forma circular para defenderse mejor de la artillería. Archivo de la Alhambra

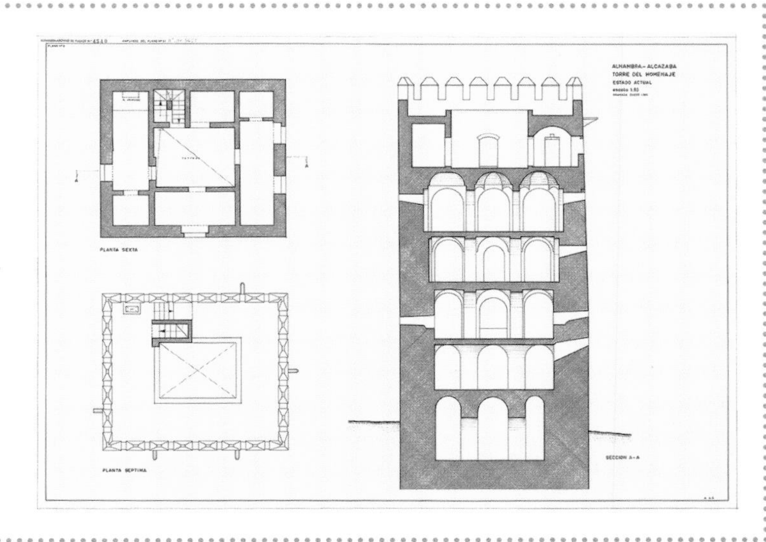

La Alcazaba está reforzada por tres murallas: la interior y más elevada, con pequeñas torres macizas salientes; la intermedia corresponde al cierre del recinto; y la inferior, que protege la calle de acceso desde Granada, corresponde al perímetro general de la Alhambra

Esta zona septentrional muestra una disposición arquitectónica única en la Alhambra, de una gran belleza plástica, que consiste en la superposición de tres lienzos de murallas: el más elevado pertenece al recinto de la taifa Zirí del siglo XI, con tres pequeñas torres macizas en saliente; el intermedio es donde se sitúa el adarve de la ampliación nazarí; y el inferior es un antemuro que protege la amplia calle por la que los ciudadanos de la Granada nazarí se introducían en la Alhambra.

Aquí coinciden varios elementos singulares de la protección del recinto. En la base de las murallas superpuestas se dispusieron unos alambores o escarpas, es decir, unos refuerzos del muro en plano inclinado para dificultar el posible asalto. Al pie de la torre del Homenaje se instaló un curioso parapeto perpendicular que, además de obligar a rodearlo durante el ascenso, oculta el portón de entrada a la fortaleza para evitar que nadie pudiera controlar los cambios de turno de la guardia que por allí deambulaba. Finalmente, se accede a la puerta del recinto alto, dispuesta en recodo y con un tramo del techo sin cubrir para hostigar desde arriba al posible asaltante.

Barrio castrense

El interior de la Alcazaba es hoy un espacio al aire libre que, sin embargo, se encuentra ocupado en su práctica totalidad por un aparente laberinto de muros y pavimentos. Se trata de una anastilosis, es decir, de la recuperación arquitectónica por medio del arranque de los muros de los restos arqueológicos que conformaron un barrio castrense de época nazarí que había quedado sepultado. En los primeros años del siglo XX se encontraba casi todo el área cubierto de tierra o escombros que se retiraron y salió a la luz la planta de un suburbio complementario de la ciudad palatina. Era un arrabal independiente del resto de la ciudad, en el que habitaba el contingente militar, probablemente seleccionado

El barrio castrense, descubierto a principios del siglo XX, era un arrabal en el que vivía la tropa encargada de la defensa del sultán y su corte. Disponía de todos los servicios de cualquier otro barrio residencial: tahona con horno, baño de vapor, aljibe, etc.

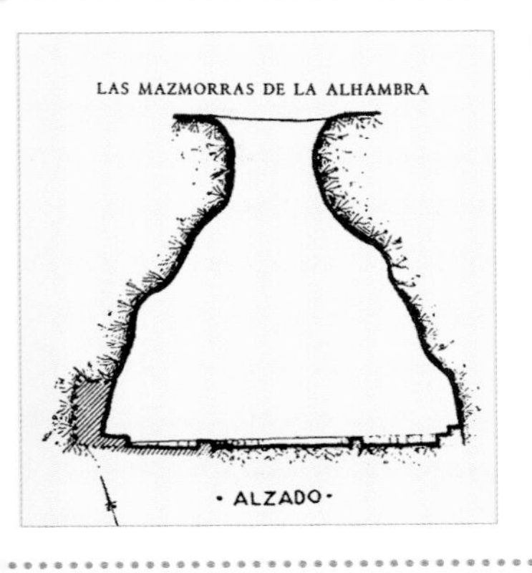

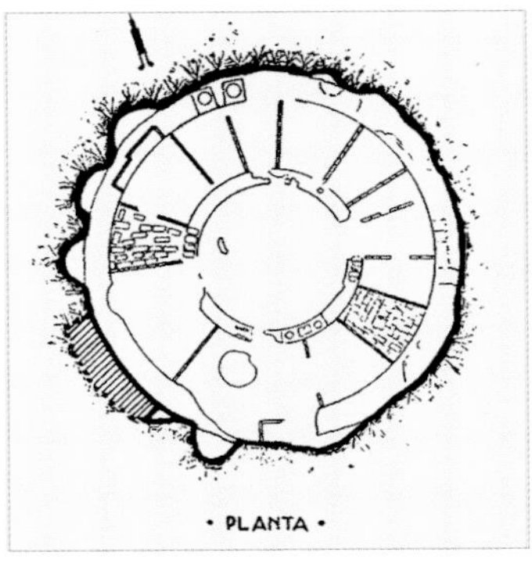

Las mazmorras de la Alhambra

En la plaza de Armas de la Alcazaba se descubrió hacia 1910 una mazmorra cuyo alzado es como una tinaja de boca estrecha a ras de suelo. La base es más ancha y está dividida por tabicas radiales de ladrillos que forman celdas para los reclusos. Ningún sitio mejor que la Alcazaba para encerrar a los prisioneros importantes, por su valor de cambio con el enemigo.

Los dibujos de la planta y la sección son de Torres Balbás. Archivo de la Alhambra

La terraza de la torre de las Armas constituye un espectacular mirador desde el que se divisa un amplio territorio alrededor y, sobre todo, se aprecia la disposición de la Alhambra respecto a Granada

por su absoluta fidelidad al sultán, encargado de la seguridad de la Alhambra. Es la *qasba* de la Alhambra, con viviendas, cuarteles y servicios propios de una comunidad castrense.

La zona próxima a la muralla norte la ocupan viviendas agrupadas en idéntica organización a la de cualquier barrio: tienen su acceso en recodo para evitar las miradas indiscretas desde las callecitas o los corredores por los que se llega a las casas; todas se disponen, con variantes y tamaños diferentes pero siguiendo el mismo esquema, en torno a un pequeño patio al que abren la habitación principal, la letrina, la alacena y la escalera de acceso a la planta alta, como cualquier vivienda hispanomusulmana. Una longitudinal calle principal separa este sector del inmediato al sur, en el que los muros divisorios y la distribución de los espacios es más regular: probablemente son barracas o cobertizos para la guardia joven que aún no vive con su propia familia como sus camaradas vecinos.

En el barrio se encuentran algunos elementos relacionados con la vida castrense, como mazmorras, silos para almacenar provisiones, depósitos para armas o munición; y, como cualquier otro suburbio, disponía de lo necesario para la vida ordinaria: una tahona para cocer los alimentos previamente preparados por cada familia o donde cocinar el rancho diario, y un espacioso baño de vapor para la higiene habitual y la ritual, con todas las dependencias propias, así como su correspondiente aljibe contiguo, reformado en el siglo XVI.

En la actualidad se puede acceder a dos espectaculares miradores ubicados en la Alcazaba desde donde observar uno de los valores más ponderados de la Alhambra, su relación con el amplio territorio circundante. La torre-puerta de las Armas y la torre de la Vela son muy diferentes

Torre de la Vela con el sol de mediodía reflejado en su cara oeste

entre sí, pero ambas proporcionan desde sus azoteas espectaculares vistas sobre Granada, su Vega, el valle del río Darro, la ciudad baja, el Albaicín, el Sacromonte, etc., y sobre todo ofrecen una visión general de todo el recinto de la Alhambra y del Generalife.

Puerta de las Armas

La puerta de las Armas, una de las primeras construcciones que se levantaron en la Alhambra del siglo XIII, es la única de las cuatro grandes puertas exteriores que comunicaba directamente con la ciudad de Granada hasta bien entrado el siglo XIV. El progreso de la Reconquista propició que numerosos andaluces buscaran amparo en los nuevos arrabales granadinos, que expandieron la ciudad y transformaron su tejido urbano y las costumbres de la población local, como la necesidad de subir al palacio para gestionar asuntos. Desde la azotea puede observarse, al oeste, el enlace con la ciudad baja a través de la margen izquierda del río Darro y, al este, la entrada a la ciudad palatina por la calle del antemuro. También se divisa la muralla septentrional de Granada que la articula con la Alhambra, el Albaicín alto, el barrio del Sacromonte y el cerro de San Miguel.

Torre de la Vela

Toda la fortaleza de la Alhambra parece gravitar en torno a la inexpugnable mole de la torre de la Vela, llamada en época nazarí torre Mayor; no en vano, desde el primer tercio del siglo XIII ha venido marcando la vida cotidiana de los granadinos.

En el siglo XVI también se la llamó torre del Sol, pues este se refleja en la fachada de mediodía actuando como un reloj de sol para la ciudad. Las plantas interiores se resuelven con bellas soluciones constructivas, como pilares

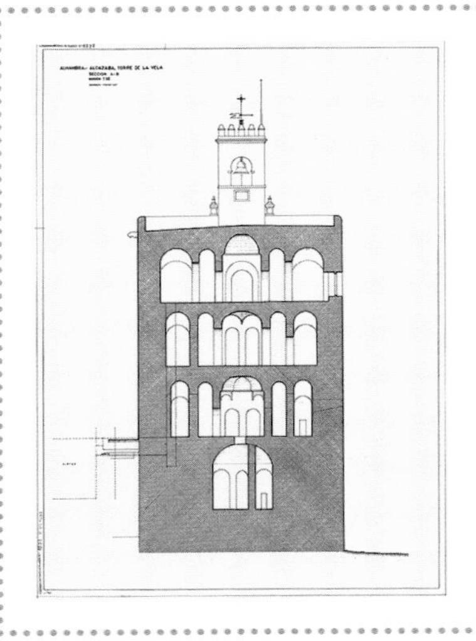

GRANADA.—ESTADO DE LA HISTÓRICA TORRE DE LA VELA,
después de la tormenta del 22 de Mayo.— (De croquis remitido por D. Valentín Barrachegurén.)

Torre de la Vela
En el alzado se aprecia que se van ampliando los espacios en los pisos superiores para aligerar de peso el edificio.
Tras la conquista cristiana de la Alhambra, se instaló en la terraza de la torre de la Vela una campana, que ha sido sustituida en distintas ocasiones. La actual es de 1773, y su emplazamiento, de 1840.
La campana de la torre de la Vela ha estado presente en la vida de los granadinos, avisando de múltiples acontecimientos. Sección y grabado, Archivo de la Alhambra

de ladrillo, bóveda central, galerías laterales también abovedadas, sótano con mazmorra, y una terraza en la parte superior. Como es característico de las grandes torres nazaríes, los espacios interiores se van ampliando en las plantas superiores, con objeto de aligerar peso al edificio y asegurar su estabilidad. La escalera, al menos en el tramo medio, tenía con seguridad un trazado diferente del actual. En la azotea tuvo, como la mayoría de las torres de la Alhambra, grandes almenas que, con el tiempo y los habituales seísmos de la zona, fueron precipitándose, quedando alguna al pie de la torre. La tradición sitúa en la terraza la conocida ceremonia de enarbolado de los estandartes de los Reyes Católicos tras la toma de la ciudad el 2 de enero de 1492. También se la llamó torre de la Campana, pues, como en otras fortalezas cristianas conquistadas a los musulmanes, se colocó una para llamar a la población a rebato. Según consta documentalmente, debido a su uso y a las inclemencias del tiempo, la campana fue sustituida en 1569, 1598, 1624, 1640, 1655 y 1773, fecha en que se realizó la actual. A mediados del siglo XVI, la iconografía muestra la campana en la esquina noroeste de la torre, trasladándose a su actual emplazamiento en 1840; un rayo arruinó la espadaña que fue reconstruida en 1882. Con sus distintos toques castrenses de día y de noche, la campana de la Vela ha determinado la vida de Granada y su entorno. Por su regularidad, hasta época muy reciente ha servido a los agricultores de la Vega para repartir los turnos de riego. Igualmente se hacía sonar en ocasiones señaladas como alarma por incendios, rebeliones populares o duelos por fallecimientos de la realeza, por lo que en 1843 la reina Isabel II otorgó el privilegio de incluir la torre de la Vela en el escudo oficial de la ciudad. A lo largo del año repica con motivo de conmemoraciones, como el 2 de enero, día de la toma de la ciudad, el 7 de octubre, celebración de la Virgen del Rosario y aniversario de la batalla de Lepanto, el 12 de octubre, día de la Hispanidad, o en Semana Santa durante la procesión por la ciudad de la Cofradía de Santa María de la Alhambra. Una de las tradiciones granadinas más arraigadas consiste en subir cada año a la torre de la Vela el día 2 de enero para tocar la campana, lo que presuntamente asegura a las jóvenes casaderas que a lo largo del año quedarán comprometidas. En la actualidad, los toques regulares nocturnos se efectúan de forma automatizada.

Por delante de la torre de la Vela se extiende el llamado «Revellín», un baluarte de artillería que se ha comparado con la proa de un barco anclado en la colina. Documentos de finales del siglo XV lo llamaban «Baluarte de la Mezquita de Sobre Darro». Ante él, además de vestigios del primitivo enlace del recinto con la ciudad medieval, se encuentran otros elementos significativos, como la puerta del recinto alto de la Alcazaba, con una bóveda circular de ladrillo y en la fachada arco de herradura en piedra, medio oculta por el recrecido de la muralla.

Por la base de la torre de la Vela discurre una calle antemuro o barbacana que era la senda natural de entrada al interior de la Alcazaba, independiente del resto del recinto amurallado. Conecta con la gran puerta exterior de las Armas y el edificio de las caballerizas, cuya estructura es fácilmente reconocible.

El Revellín, que completa todo el aparentemente complicado sistema de murallas y torres de la Alhambra, se encuentra conectado, a su vez, con las murallas que protegen a Granada por el sur, y que cruzan la actual cuesta de Gomérez hasta el Mauror, donde se encuentran las Torres Bermejas.

Torre de la Pólvora

En ese complejo programa defensivo debió de ejercer un importante papel de salvaguardia y control la torre de la Pólvora, que trasciende la etapa medieval y continúa e incluso incrementa su importancia en época cristiana. Es muy significativo que haya mantenido esa denominación en el tiempo, a pesar de que los documentos del siglo XVI la nombran como torre de Cristóbal del Salto. Se trata de un tipo de torre de tamaño más reducido que las grandes torres de la Alhambra pero de un alto valor estratégico. La torre de la Pólvora protegía el costado meridional de la torre insignia de la Vela y controlaba a modo de poterna la puerta y el antemuro meridional, hoy soterrados bajo el jardín de los Adarves, un sector que aumentó su importancia estratégica en el siglo XV con los avances de la artillería y la poliorcética.

Dos siglos más tarde, aprovechando el aterrazamiento de la zona entre los lienzos de

La torre de la Pólvora destaca sobre la plataforma artillera del siglo XVI, recientemente recuperada

muralla de la Alcazaba, derivaría en el ámbito lúdico ajardinado actual, desde el que se divisan las Torres Bermejas y el Carmen de Peñapartida.

Tal vez por eso fue el lugar de la Alhambra elegido en 1957 para inmortalizar en una lápida los conocidos versos del poeta mexicano Francisco de Icaza: «Dale limosna, mujer, que no hay en la vida nada como la pena de ser ciego en Granada».

Jardín de los Adarves

El espacio que ocupa el jardín de los Adarves formó parte del programa de adaptación de la Alcazaba para la artillería, para lo cual, el foso que había entre los dos muros meridionales de la fortaleza se rellenó en el siglo XVII hasta el nivel actual, y se aprovechó el exterior existente como núcleo y se construyó, apoyado en él, el muro de contención. Esta pared, levantada hacia 1540, está resuelta con una técnica muy depurada y utilizada preferentemente durante el siglo XVI, que consiste en el empleo de pilastras verticales de ladrillo macizo e hiladas horizontales del mismo material que encierran unos cajones rellenos de mampostería, con alzado en ligero talud. La coronación forma un parapeto corrido y abocelado, con piezas de cantería del mismo perfil, muy eficaz frente al impacto directo de la artillería. Este espacio fue, en su origen, una amplia plataforma artillera diseñada para las ligeras piezas de artillería de la época, cuyo disparo por encima del parapeto efectuaba un retroceso. La primera vez que aparece esta cortina entre baluartes es en el plano de la Alhambra conocido como *La planta grande*, de 1528, atribuido a Pedro Machuca. La ejecución de este muro se sitúa entre 1550 y 1555 por los documentos relativos a las compras masivas de ladrillo y de las cornijas (piezas talladas en cuarto de bocel, y de piedra caliza de Alfacar con las que se corona el parapeto). El equipo técnico que lleva a cabo las obras estaba compuesto por Luis Machuca como maestro mayor, Gonzalo de Lorca, obrero mayor, y Juan de Marquina que era el aparejador de las obras que falleció en 1552 y fue sustituido por Bartolomé Ruiz.

El muro sigue un trazado paralelo a la muralla interior, formando un ángulo en su extremo norte para abrazar a la torre de la Pólvora que, de esta forma, queda incorporada al dispositivo defensivo a la manera de baluarte extremo. El muro en la cara sur de esta torre cuenta con dos almenas artilleras de excelente factura, resueltas con derivas laterales curvas e inferiores, deprimidas para permitir el disparo hacia abajo de pequeños cañones para batir el pie del muro.

Fuente del jardín de los Adarves

La fuente central del jardín de los Adarves, que tiene forma de timbal, fue colocada en 1624 sobre la fuente del patio de los Leones, donde permaneció hasta 1954. En esta fecha, la fuente de los Leones fue restituida a su probable disposición original. Se desconoce con certeza el lugar para el que fue tallada esta otra fuente, que seguramente ocuparía algún espacio palatino. Fotografía de J. Laurent, hacia 1872

Jardín de los Adarves, así llamado por su ubicación entre los lienzos de murallas en la zona meridional de la Alcazaba

El uso militar de este espacio no duró mucho, debido, sobre todo, a la desaparición del peligro que suponía la comunidad morisca, cuya sublevación, neutralizada entre 1568 y 1571, supuso su definitiva expulsión en 1609.

No sabemos la fecha exacta de transformación del adarve en jardín, aunque consta en un documento que en 1628 se construyó el primero de los dos pilares que hoy pueden verse y que está decorado con representación de genios marinos sobre delfines, por lo que la remodelación pudo realizarse alrededor de esa fecha. La fuente central con forma de timbal fue acoplada en 1624 sobre la fuente de los Leones, donde permaneció hasta 1954, fecha en que esta última fue devuelta a su disposición original. Estas transformaciones del adarve se deben a Íñigo López de Mendoza y Mendoza, V marqués de Mondéjar, que heredó ese título tras recuperar la alcaidía de la Alhambra en 1624, y han quedado recogidas en una hermosa leyenda, de las muchas que constituyen el patrimonio mágico de la Alhambra, según la cual, en los Adarves se encontraron unos jarrones de rica porcelana rellenos de oro, escondidos probablemente en tiempos de la conquista.
El marqués dedicaría parte de ese oro a diseñar el jardín y adornarlo con fuentes. Alguno de esos jarrones seguramente forma parte de la serie de grandes vasos de loza dorada de los que hoy se conservan una veintena de ejemplares dispersos por los principales museos y colecciones de todo el mundo, dos de ellos en el Museo de la Alhambra.

7 Los Palacios Nazaríes

La *Dar al-Mamlaka,* con sus distintas casas reales mandadas edificar por los diferentes sultanes durante la etapa nazarí, conforma lo que hoy conocemos como Palacios Nazaríes. Aunque se ubican en un único espacio compartimentado, cada palacio se identifica con el sultán que lo mandó construir, y en la actualidad forman tres ámbitos independientes: Mexuar, Comares y Leones. A ellos podemos añadir el palacio adaptado para Casa Real cristiana, que es una zona de los Palacios Nazaríes que se acondicionó como residencia del emperador Carlos V mientras se edificaba su palacio.

La Alhambra, vista desde el exterior, sobre todo desde el Albaicín, es un recinto amurallado y fortificado por formidables torres construidas al borde de precipicios escarpados que la hacen difícilmente accesible.

Sin embargo, los palacios que hay detrás de esos muros desnudos y muchas de las habitaciones del interior de las torres aparecen como frágiles obras de una delicada arquitectura y sutil decoración. El contraste es tan intenso que produce una emoción estética inigualable.

Los palacios nazaríes son las residencias que los distintos sultanes musulmanes que habitaron la Alhambra fueron construyendo y ampliando durante sus reinados para su propio uso y el de la corte.

El palacio de la Alhambra o *Dar al-Sultán*

Como en toda ciudad palatina del Islam, en la Alhambra el espacio de poder, la *Dar al-Sultán*, residencia de los sultanes donde trascurre su vida familiar y, ocasionalmente, la ceremonial, marca el eje en torno al cual la ciudad se estructura y tiene sentido. Los llamados palacios nazaríes constituyen un solo espacio compartimentado de manera similar a los tradicionales asentamientos nómadas que dieron lugar a las primeras ciudades musulmanas.

A lo largo de casi dos siglos y medio en la Alhambra nazarí se realizaron numerosas edificaciones, ampliaciones y reformas, a veces radicales y traumáticas. Cada uno de los palacios se identifica con el sultán que lo mandó edificar, por lo que existen, como mínimo, media docena de palacios, cuando en realidad el espacio áulico, el centro de poder, debería ser unitario. Aunque los denominemos palacio de Comares, de los Leones, del Partal, o los identifiquemos como Serrallo, palacio de verano o de invierno, en realidad nos referimos a un único ámbito, al palacio de la Alhambra o, en todo caso, a los ámbitos palatinos de la Alhambra.

La Casa Real

A partir de la segunda mitad del siglo XIX, desde la perspectiva de una interpretación moderna del conjunto, en los manuales al uso se identificaban como «cuartos»; y así aparecían como «Cuarto de Comares», «Cuarto de los Leones», etc. Realmente, el vocablo árabe que designa el espacio habitable es *al-Dar* (la estancia, la casa), una de cuyas acepciones es, precisamente, cuarto. Y los textos árabes así lo suelen denominar: *Dar al-Sultán*. Según esta interpretación se entiende que se llamara a los palacios musulmanes de la Alhambra «la Casa Real Vieja», para diferenciarla de «la Casa Real Nueva», es decir, el palacio renacentista del emperador Carlos V.

De esta forma, el conjunto de los palacios nazaríes consta hoy de tres ámbitos independientes, aunque comunicados: el ámbito del Mexuar, y los denominados Cuarto de Comares y Cuarto de los Leones. De los ámbitos palatinos identificados, dos de ellos, el de Comares y el de los Leones han conservado la mayor parte de sus dependencias gracias, entre otros factores, a que a lo largo de su historia, desde el poder establecido hubo siempre una firme decisión de preservar vivo su espíritu y, sobre todo, de mantener en uso sus estancias.

Detalle en perspectiva de la superposición de los palacios que forman la Casa Real de la Alhambra

Palacios Nazaríes

Como sede de la corte del sultanato, quizá lo más destacado de la Alhambra son los palacios que mandaron edificar los sultanes nazaríes. Tras los muros desnudos, carentes de cualquier decoración, que forman el exterior del recinto, encontramos una serie de edificios de sutil arquitectura y frágil y delicada decoración que produce una intensa emoción estética. Son las residencias que los distintos sultanes de la etapa nazarí utilizaron para ellos y su corte. Actualmente están divididos en tres ámbitos principales, independientes pero comunicados entre sí.

❶ El Mexuar

Es el más primitivo de los conservados. En época nazarí servía de sala de audiencia y reuniones importantes. A la sala principal se accede a través de dos patios. Tenía una tribuna elevada donde se sentaba el sultán. Al fondo se encuentra una pequeña habitación, que servía de oratorio, desde donde se divisa el Albaicín, orientado de forma diferente a la muralla para adaptarse a la prescripción religiosa. La decoración es el resultado de varias intervenciones entre los siglos XVI y XX.

❷ Palacio de Comares

Construido durante la etapa de Yúsuf I, en este palacio los sultanes nazaríes establecieron la sede del salón del trono, además de ser residencia del sultán y de su familia. Todo el palacio, dispuesto alrededor del patio de los Arrayanes o de Comares, es un prodigio arquitectónico y decorativo, en el que se ha logrado una perfecta armonía entre los elementos construidos y la naturaleza, consiguiendo un microclima y un grado de humedad, ventilación y aromas que contribuyen al bienestar de sus habitantes.

❸ Palacio de los Leones

El más destacado de las palacios nazaríes, de la segunda mitad del siglo XIV, bajo Muhammad V, sus dependencias se distribuyen alrededor del patio de los Leones, el más conocido de todos los espacios de la Alhambra, que da nombre al palacio por su fuente central, que consta de doce leones que actúan como surtidores. Fue expresamente construido para ser residencia con una exquisita decoración de sus estancias, entre las que destaca la sala de Dos Hermanas.

Zoom

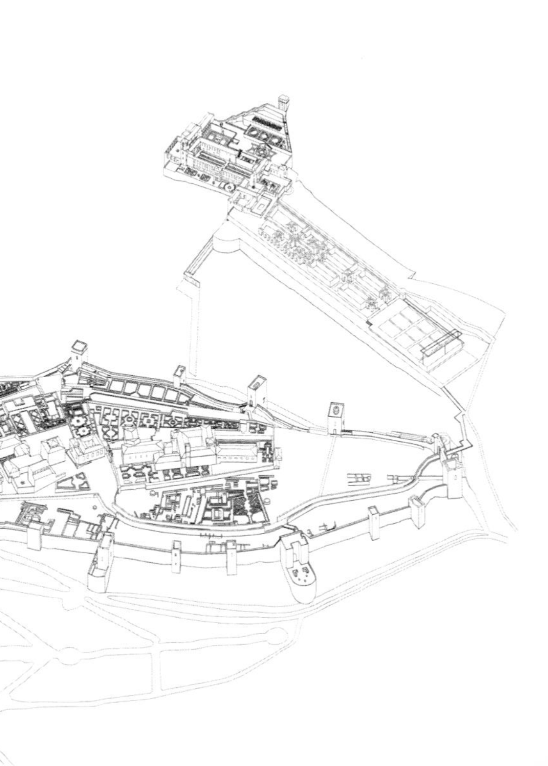

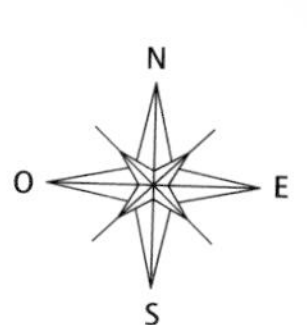

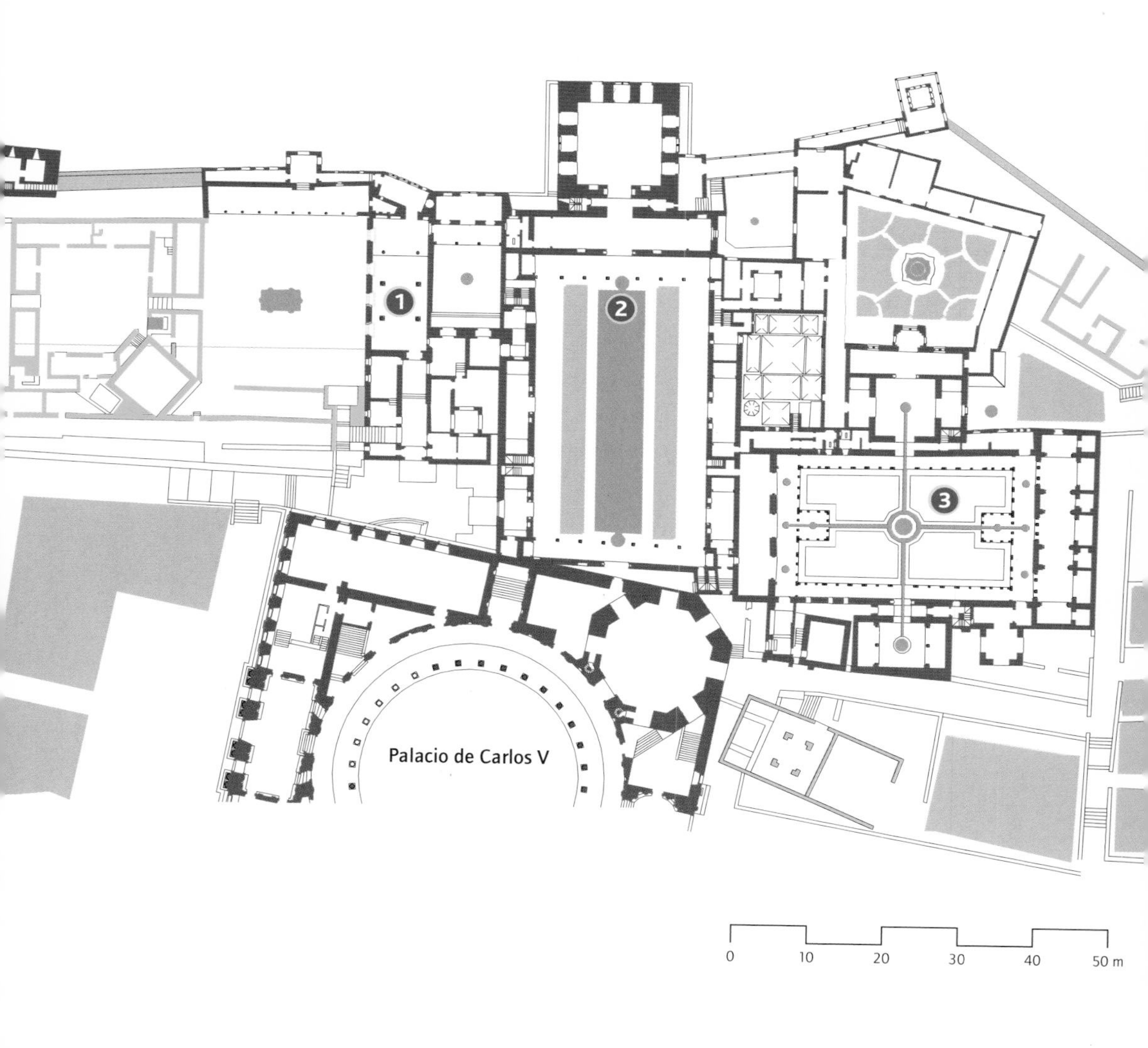

1 El Mexuar

2 Palacio de Comares

3 Palacio de los Leones

Muralla
Arquitectura nazarí
Restos arqueológicos nazaríes
Arquitectura cristiana
Jardines
Elementos hidráulicos

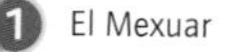

7.1 El Mexuar

La zona denominada Mexuar está muy modificada en relación a su primera construcción, aunque por descripciones de la época y las estructuras arquitectónicas conservadas, sabemos que se distribuía en tres ámbitos en torno a patios a distintos niveles y salas de usos múltiples. Fue el núcleo principal del primer palacio nazarí edificado en este sector, y a lo largo del siglo XIV estuvo destinado fundamentalmente a la burocracia y a la administración de justicia.

Los dos primeros patios del Mexuar estaban destinados a la burocracia y a la administración de justicia. Han sido recuperados arqueológicamente, por lo que en la actualidad pueden ser identificados en su mayor parte por el arranque de los muros que sobresalen entre espacios ajardinados. Esta zona constituye lo que denominamos genéricamente el Mexuar, es decir, el Consejo.

Con la ayuda de los textos que describen su disposición original y las estructuras arquitectónicas que se han conservado, más o menos transformadas por las modificaciones de época cristiana, podemos reconocer su distribución en tres ámbitos sucesivos: el Mexuar nuevo o segundo Mexuar, el Mexuar privado o inicial y la sala del Trono.

Patio de la Mezquita

El primero de los patios presenta varias salas alargadas, que seguramente fueron utilizadas como oficinas de la administración de la corte, abiertas a un patio central. Es probable que la que está situada al sur sea la que los textos llaman *Qubbat al-'Ard*, donde los secretarios despachaban la correspondencia oficial, los recursos judiciales y en la que había un reservado para que el sultán pudiera recibir ocasionalmente el saludo de su pueblo. Junto a ella, y por encima de un pilar para abluciones, sobresale la denominada mezquita vieja o del sultán, que es un pequeño oratorio con su alminar contiguo; algunos textos árabes la consideran «mal decorada» por no estar correctamente orientada hacia la Meca. Edificada por el sultán Isma'íl I

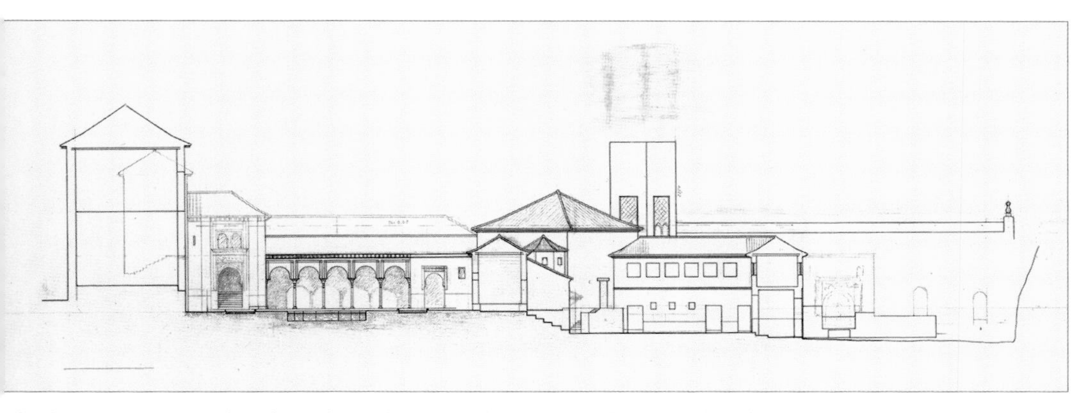

Alzado de la reconstrucción hipotética de los dos patios que preceden a la sala del Mexuar, realizada en la Oficina Técnica de la Alhambra en la década de 1950. Archivo de la Alhambra

Sala del Mexuar con la sala de Oración al fondo

El Mexuar

Su estructura arquitectónica y decorativa ha sido muy modificada a lo largo de los siglos, pues tras la conquista cristiana, uno de sus ámbitos fue destinado a residencia de los gobernadores. Consta de dos amplios patios que debieron tener edificaciones adosadas a la muralla, y una gran sala, la del Mexuar, que también se fue adaptando a los diversos usos que se le ha dado a lo largo de la historia.

❶ Patio de la Mezquita

El primer patio fue llamado madraza de los Príncipes a mediados del siglo XX por su aparente semejanza con la madraza de Granada. Presenta restos de varias salas alargadas, quizá las oficinas de la Administración del Estado, abiertas a un patio central.

❷ Patio de Machuca

Por una ampia escalera se accede al segundo patio, o patio de Machuca, que en el centro tiene una alberca de bordes lobulados, llamada en los textos árabes «zafariche de peregrina forma». Fue muy modificado en época cristiana, cuando se dedicó a residencia de los gobernadores y del arquitecto Pedro Machuca.

❸ Sala del Mexuar

Era la sala central del palacio edificado por Isma'íl I (1314-1325). Fue modificada por Muhammad V y transformada en capilla cristiana en el siglo XVI. En algunas etapas fue sede del trono del sultán.

❹ Sala de Oración

Es una pequeña mezquita, con la orientación preceptiva a la Meca, que en el siglo XIX se abrió a la sala del Mexuar, para lo que se tuvo que horadar el muro y rebajar el suelo. Desde sus ventanas se divisa una espectacular perspectiva del Albaicín.

❺ Patio y pórtico del Cuarto Dorado

Aquí recibían los sultanes del siglo XIV a sus súbditos. Se accedía a él a través de una estrecha puerta para que la guardía controlara a los que entraban. El pórtico se sostiene mediante unas esbeltas columnas con capiteles reutilizados tallados en piedra. Enfrente se encuentra la portada por la que se accede al palacio de Comares.

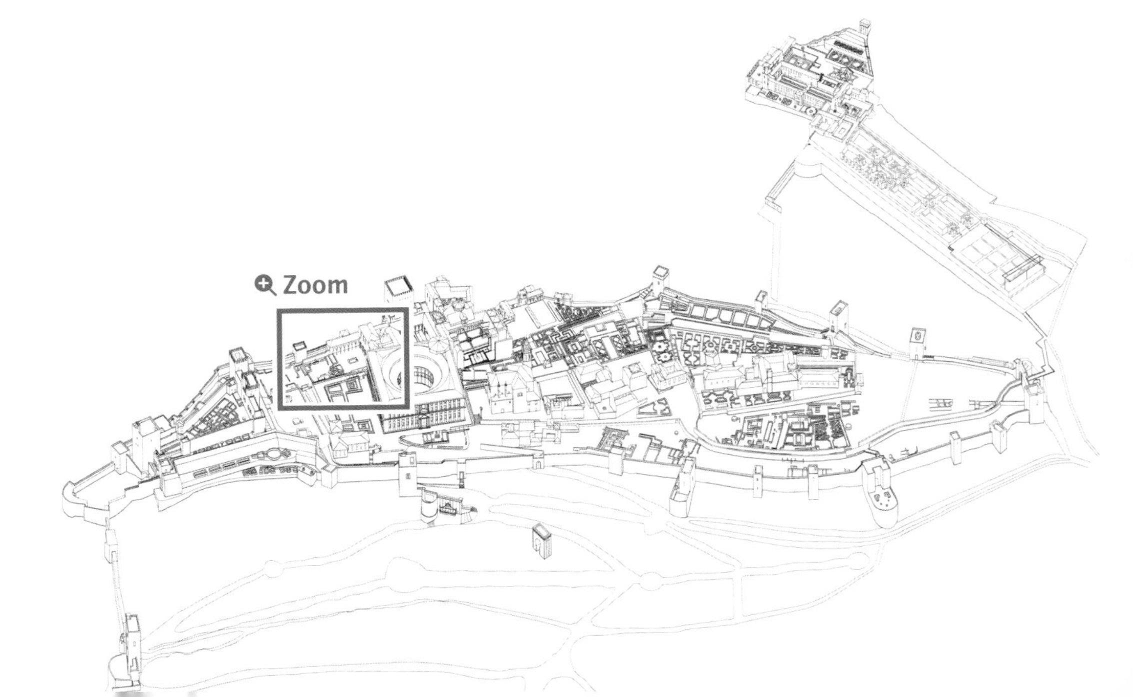

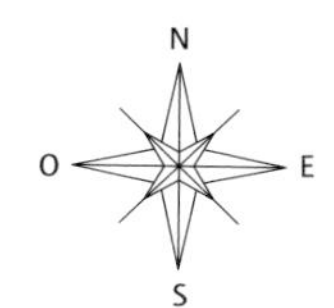

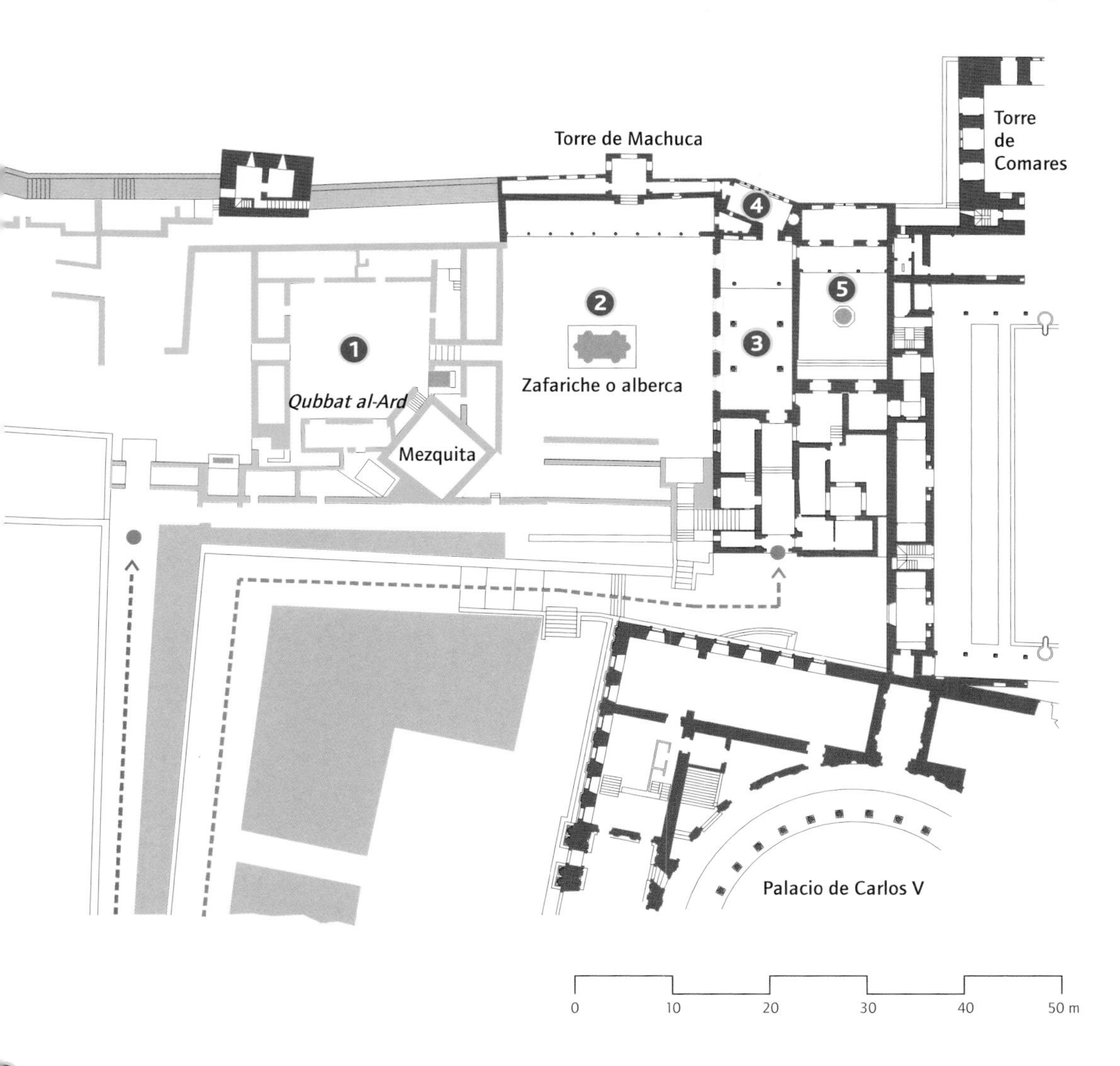

1 Patio de la Mezquita
2 Patio de Machuca
3 Sala del Mexuar
4 Sala de Oración
5 Patio y pórtico del Cuarto Dorado

Entrada. Punto control horario
Acceso grupos
Acceso individuales

Muralla
Arquitectura nazarí
Restos arqueológicos nazaríes
Arquitectura cristiana
Jardines
Elementos hidráulicos

Detalle de un grabado de *Les delices de L'Espagne et du Portugal* (Lisboa, 1715), con los edificios del Mexuar entonces existentes. Biblioteca de la Alhambra

Vista aérea de los patios del Mexuar. En el centro del segundo patio destaca el estanque o «zafariche de peregrina forma»

(1314-1325), fue respetada y quedó integrada en las remodelaciones de la segunda mitad del siglo XIV. Se llamó modernamente a este patio «Madraza de los Príncipes» por su aparente parecido con la Madraza de la ciudad y por considerar que, al encontrarse en palacio, estaría dedicada a sus moradores.

Patio de Machuca

Por una escalera se asciende al segundo patio, en cuyo centro sorprende una alberca con bordes lobulados que los textos árabes describen como «zafariche de peregrina forma».

Originalmente hubo en ambos lados menores fuentes circulares además de surtidores en forma de pequeños leones que vertían el agua al interior, pero todo ello ha desaparecido. Al costado septentrional del patio una galería porticada de nueve arcos, recuperada gracias a las restauraciones de principios del siglo XX, da paso a una torre mirador de pequeñas dimensiones que sobresale al exterior de la muralla. Obra del sultán Yúsuf I (1333-1354), se la conocía con el nombre de la Victoria (*al-Nasr*) en época nazarí, y más recientemente como torre de los Puñales, llamada así porque se encontró una daga entre sus muros durante alguna restauración. También se conoce a la torre, como a todo el patio, con el nombre de Machuca, por haber sido la residencia de este arquitecto. Una hilera de cipreses en forma de arcos recrea la desaparecida galería meridional que servía de acceso a la llamada sala del Trono. Actualmente todo este sector está muy modificado por las adaptaciones que se hicieron en época cristiana, especialmente cuando se destinó a residencia de los gobernadores de la Alhambra. En la llamada *Planta grande* de 1528, atribuida a Pedro Machuca, que se conserva en el Palacio Real de Madrid, esta zona aparece nombrada como «patio del mexuar donde posaba la reyna germana». De todas formas, podemos imaginar cómo pudo ser en época nazarí gracias a un texto original, recientemente divulgado. Se trata del relato sobre la fiesta conmemorativa del *Mawlid* por el nacimiento del profeta Mahoma, celebrada aquí durante el invierno de 1362, escrita por Ibn al-Jatib, visir del sultán Muhammad V, el gran reformador de la Alhambra en la segunda mitad del siglo XIV.

Sala del Mexuar

En la evolución de la sala del Mexuar se aprecian tres etapas principales: la primera corresponde a la época en que constituía la estructura central del palacio edificado por el sultán Isma'íl I (1314-1325); una segunda, en la que su nieto,

Muhammad V, adaptó este espacio a su programa palatino; y en tercer lugar, su conversión en capilla cristiana durante el siglo XVI.

Se accede a esta sala a través de un angosto patio por el que se llega a una delicada portada adintelada, representativa de la arquitectura hispanomusulmana en la que destaca el amplio vuelo del alero de madera sobre sendas ménsulas apilastradas. Ha perdido los alicatados del cuerpo inferior aunque conserva el primoroso techo del umbral. Este ámbito se correspondería con el que los textos nazaríes denominan el «Vestíbulo del Alcázar» y obedecería al cierre de su primitiva entrada estucada –parte de cuyos restos integrados en el muro pueden verse desde el interior– de época de Muhammad V.

La sala, donde se ubicó en algunas etapas el trono del sultán, está constituida por un espacio central de planta cuadrada, delimitado por cuatro esbeltas columnas de mármol, cuyos capiteles conservan su antigua decoración policromada; originalmente sostenían una «altísima cúpula [...] ceñida por un mar de cristal sin fisuras», como la describe el mencionado texto árabe de la fiesta del *Mawlid* de 1362, desmontada hacia 1540 para añadir una planta superior con habitaciones. Este espacio cuadrado se inscribe en otro rectangular con zócalo alicatado en las cuatro paredes, y por encima una banda epigráfica que inicialmente tuvo un poema con letras «[...] recubiertas por panes de oro purísimo [...] entre lapislázuli molido», donde hoy puede

Patio de acceso a la sala del Mexuar, con delicada portada adintelada y el característico alero de madera de amplio vuelo

leerse «el Reino [...], la Grandeza [...] y la Gloria es de Dios», como elegidas intencionadamente por los moriscos conversos al cristianismo por su parentesco con la letanía latina «Christus regnat, Christus vincit, Christus imperat». Esta sala fue trasformada en capilla tras la conquista, pero los techos de madera de los ámbitos perimetrales conservan sus trazas originales. Para la conversión del Mexuar en capilla cristiana fue necesario rebajar el suelo y añadirle el espacio rectangular del fondo, un patio que el texto árabe denomina «saleta del tesoro del perfume» y que hoy está separado por una balaustrada de madera en lo

Artesonado del techo en el umbral de la puerta de ingreso a la sala del Mexuar

Detalle epigráfico de la sala del Mexuar: *al-mulk li-l-lah, al qudra li-l-lah, al-'iza li-l-lah* («El reino [...], la Grandeza [...] y la Gloria es de Dios»)

Vista de la sala del Mexuar con el coro realizado en época cristiana. Fotografía de finales del siglo XIX. Biblioteca de la Alhambra

Interior de la sala del Mexuar como capilla hacia 1925. Archivo de la Alhambra

alto, que en su nueva función como capilla se dispuso a modo de coro.

Los alicatados de este espacio fueron traídos de otro lugar. En su decoración, a base de estrellas o «sinos», se alternan de manera simbólica el lema nazarí en árabe, el escudo imperial español con el águila bicéfala y el de los gobernadores cristianos de la Alhambra. La cúpula original de cristal, descrita en el texto de 1362, que era como una linterna que iluminaba toda la estancia, no se conserva. Los cierres actuales de las ventanas fueron instalados para graduar la luz de la capilla en el primer tercio del siglo XVI.

Patio y pórtico del Cuarto Dorado

A través de una estrecha puerta se accede a un patio que se encuentra a continuación, lugar donde, en la Alhambra de la segunda mitad del siglo XIV, el sultán recibía en audiencia a sus súbditos. Por eso la pequeña puerta con arco de herradura permite el paso de una sola persona, facilitando a la guardia el control de los asistentes, que eran conducidos a través de la inmediata galería porticada al interior de la sala de espera. Esta, desde la etapa de los Reyes Católicos, recibió el nombre de Cuarto Dorado, cuando fue repintado su artesonado

Sala de Oración

En las restauraciones de la Alhambra promovidas entre 1868 y 1889 se incorporó a la sala del Mexuar un pequeño oratorio musulmán contiguo, para lo que fue necesario horadar el muro y rebajar el suelo original, del que quedó como testigo el poyete corrido bajo las ventanas. Este edificio, orientado preceptivamente para la oración ritual, conserva en el muro de cabecera –la *qibla*– un *mihrab* de planta poligonal y arco de herradura. Todo su flanco norte está abierto hacia el Albaicín, con una perspectiva que invita al creyente a la meditación sobre la grandeza de la Creación a través del paisaje y de la naturaleza, reforzado por la inscripción del *mihrab* que solicita: «ven a la oración y no seas de los negligentes» (Corán, 2ª parte, sura VII, aleya 205).

Techo del Cuarto Dorado con artesonado nazarí sobrepintado con motivos heráldicos y decorativos de los nuevos residentes cristianos

La ventana central del Cuarto Dorado se transformó en época cristiana en un mirador con asientos enfrentados, de clara estirpe mudéjar

musulmán con motivos ornamentales dorados y se añadieron los emblemas de los monarcas. Las reformas cristianas de la estancia modificaron también el resto de la decoración, especialmente con la clausura de las ventanas laterales y la trasformación de la central en un mirador con asientos enfrentados y curiosos capiteles, que confieren al lugar un ambiente propio del mestizaje cultural que representa el arte mudéjar.

El pórtico, formado por tres esbeltos arcos, conserva en parte la decoración original en la que destacan los capiteles centrales de tipo almohade, tallados en piedra. A finales del siglo XV quedó oculto por un robusto arco morisco, inmortalizado en 1871 por el pintor Mariano Fortuny en una de las imágenes más repetidas por la tradición pictórica orientalista de la Alhambra; fue derribado en 1965.

La planta alta del edificio que hoy conocemos como el Mexuar fue utilizada en la etapa moderna para residencia de los gobernadores de la Alhambra. Sin embargo, su adaptación como palacio cristiano fue muy anterior, prácticamente tras la conquista, a finales del siglo XV. Así, en la *Planta grande* de 1528, sobre el pórtico del Cuarto Dorado aparece la anotación «aposento donde posaba la emperatriz», indicando claramente la transformación que ya entonces había experimentado el lugar. Todavía en el siglo XIX continuó usándose como vivienda, según recoge el escritor norteamericano Washington Irving cuando solicitó hospedaje al gobernador para escribir sus *Cuentos de la Alhambra* en 1828. La comunicación para la habitabilidad de las plantas altas del sector necesitó de importantes adaptaciones, como el corredor volado sobre el patio del Cuarto Dorado, dibujado por John F. Lewis hacia 1835, que enlazaba directamente las plantas altas del Mexuar y del contiguo palacio de Comares. Este curioso voladizo sobre ménsulas, desmontado a principios del siglo XX, fue denominado en la historiografía contemporánea de la Alhambra como «corredor de Harriet», al

Dibujo de J.F. Lewis que muestra el pórtico del Cuarto Dorado en 1835, con el arco morisco levantado en el siglo XV **y desmontado a mediados del siglo** XX**, así como el corredor de madera, suprimido con anterioridad.** Biblioteca de la Alhambra

haberlo dibujado la esposa de Richard Ford durante su estancia en la Alhambra entre 1830 y 1832.

La pila central de mármol es una réplica de la fuente de Lindaraja, una de las piezas más bellas de la hidráulica nazarí, que hoy se conserva en el Museo de la Alhambra y que con las transformaciones cristianas quedó fuera de su contexto. La reja situada junto al pórtico permite contemplar un oscuro corredor subterráneo utilizado para el control de la guardia palatina. Probablemente en una primera etapa nazarí no era un patio cerrado, sino que se abría al paisaje de la ciudad en su cara norte, sobre la muralla. De hecho, por debajo del Cuarto Dorado corre un pasadizo de ronda, originalmente a cielo abierto sobre el adarve o parte alta de la muralla, al igual que en el resto de la Alhambra.

El crecimiento de las estructuras palatinas a lo largo del siglo XIV hizo de este patio un lugar intermedio entre el ámbito semipúblico y el privado, con una gran carga simbólica. Seguramente esta fue reconocida por los monarcas cristianos por lo que, a su vez, le incorporaron sus propios iconos identitarios. Por ello hoy este es uno de los lugares más representativos de los valores de integración cultural que atesora la Alhambra.

Las paredes laterales del patio conservan en su estado original grandes superficies sin decorar, con estuco liso de cal, para reflejar la luz y realzar la gran fachada que, frente al Cuarto Dorado, se alza solemne.

7.2 Palacio de Comares

Además de haber sido la residencia del sultán y de su familia en determinados momentos, en el palacio de Comares se ubicaba el salón del Trono, un espectacular ámbito en el interior de la torre, siguiendo así el concepto musulmán de la polivalencia de los espacios. El palacio se estructura alrededor de un gran patio rectangular al que se abren las habitaciones y en el que, en un ámbito a cielo abierto, arquitectura, vegetación y agua contribuyen a proporcionar a sus moradores un oasis considerado anticipo del Paraíso.

Fachada de Comares

La portada del palacio de Comares, una de las obras capitales del arte islámico, fue mandada erigir por el sultán Muhammad V en 1370 para conmemorar la conquista de la ciudad de Algeciras, plaza importante para el sultanado nazarí para el control estratégico del estrecho de Gibraltar, tanto desde el punto de vista militar como comercial. Ante ella, destacado en el centro de la grada de tres peldaños, sentado en su trono —seguramente una lujosa jamuga—, el sultán presidiría los actos ceremoniales, engalanado como si formara parte inseparable del solio, y cobijado por el soberbio alero de madera, obra cumbre de la ebanistería islámica. La carga alegórica de esta impresionante fachada se ve acentuada por la cita coránica de la sura «del Trono», situada sobre la ventana central de la planta alta. Otros textos, como el poema de cuatro versos grabado entre veneras en el arranque del alero, insisten en su realeza: «[...] mi posición es la de una corona [...]», y marca su función: «[...] mi puerta es una bifurcación de caminos [...]; el Occidente cree que en mí está el Oriente». De las dos puertas, la derecha daba acceso al interior del palacio, donde transcurría la vida privada del sultán y su familia. El aposento al que daba paso la puerta izquierda, tal vez estaba ocupado por el «Tesoro de la pagaduría militar», mencionado en el texto de 1362 que narra la fiesta del *Mawlid*. También contribuía a reforzar esa imagen áulica

Detalle del techo del recinto de entrada al palacio de Comares

Las techumbres de madera de la arquitectura palatina nazarí son elementos de gran importancia simbólica y decorativa. En este caso nos encontramos ante un entramado de madera de gran valor ornamental que presenta el mestizaje cultural que integra motivos y emblemas de los reyes cristianos, dorados entre 1496 y 1497, sobre la característica realización musulmana de piezas geométricas. A partir de un círculo se crea una estrella o sino, en este caso de dieciséis puntas, cuya prolongación va elaborando todo el programa decorativo del techo. Estos techos conforman la labor denominada ataujerado, que integra lacería, cintas y piezas geométricas clavadas en un tablero fijado bajo el techo. Este representativo ejemplo se encuentra en el acceso al palacio de Comares, tras la puerta de entrada.

Fachada del palacio de Comares en el patio de los Arrayanes, frente al pórtico del Cuarto Dorado

Palacio de Comares

Mandado edificar por Yúsuf I, completó su espléndida decoración su hijo Muhammad V. Se accede a él por la fachada con dos puertas situada en el patio del Cuarto Dorado, construida por Muhammad V. Por la de la derecha se accedía a zonas de servicio y la de la izquierda conducía a las dependencias nobles. El centro del palacio lo ocupa el magnífico patio de los Arrayanes, con alberca central flanqueada por macizos de arrayanes y pórtico en cada uno de sus lados menores. En el interior de la torre está la mayor sala de la Alhambra nazarí: el salón de Comares. También se encuentra en este palacio el único baño de vapor de época musulmana que se conserva completo.

❶ Fachada de Comares

Marca la separación entre el ámbito público y el privado. Excepcional por su concepción arquitectónica y ornamental (decoración integral, la epigrafía que contiene, el alero de madera con canecillos). El momento de su edificación marca probablemente el cénit del arte nazarí.

❷ Patio de los Arrayanes

Como en todo ámbito doméstico hispanomusulmán, el patio es el eje de la residencia que distribuye las estancias, en torno a una alberca que se integra con la arquitectura, rompe la horizontalidad del espacio, armoniza con la sutil vegetación y matiza la luz a través de su espejo.

❸ Sala de la Barca

En este espacio polivalente del palacio, situado en el tránsito desde el patio al salón del Trono, como desde el desierto al interior de la jaima, el nuevo sultán rogaría el auxilio divino antes de tomar posesión del trono.

❹ Salón de Comares

Es la mayor estancia del recinto, donde se sitúa el ámbito del poder terrenal del sultán, en cuyo magnífico techo aparecen referencias escatológicas. Su concepción edilicia y su completa decoración son a la vez síntesis y prototipo del arte islámico en Occidente.

❺ Pabellón Sur

De características similares a las de la sala de la Barca, se derribó para construir el palacio de Carlos V, dejando solamente la crujía interior al patio, pero su fachada de tres pisos se mantuvo a modo de telón para conservar el aspecto original del patio.

❻ *Hammam* o baño de Comares

Elemento imprescindible en el islam, el baño de Comares se ubica entre los palacios de Comares y de los Leones, con acceso directo desde el patio de los Arrayanes, junto a las habitaciones del sultán, para quien estaba reservado.

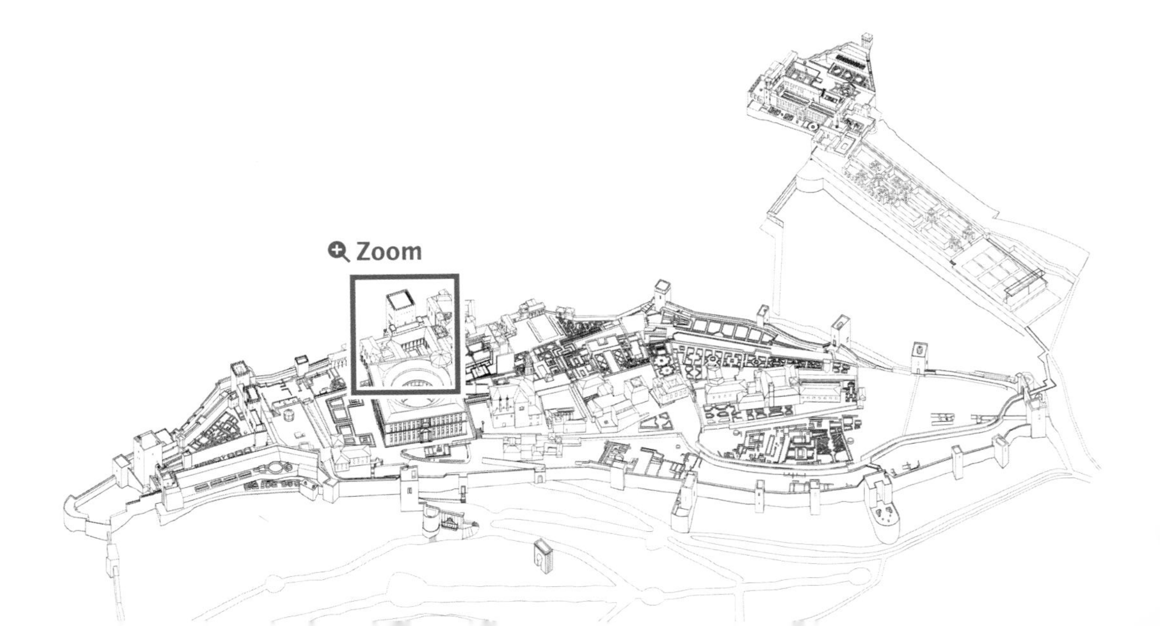

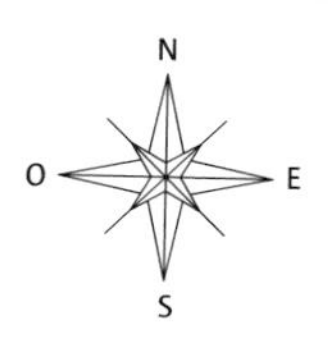

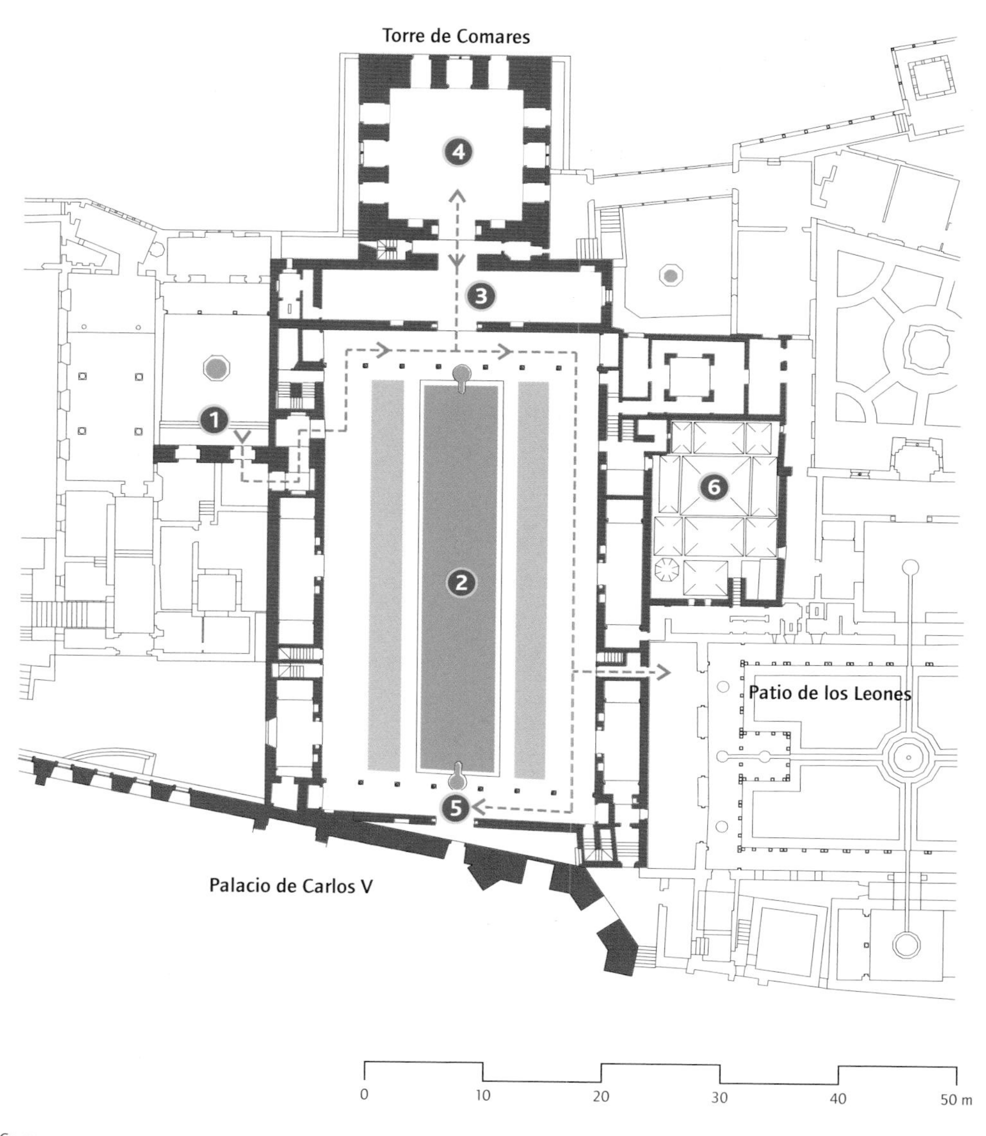

1 Fachada de Comares

2 Patio de los Arrayanes

3 Sala de la Barca

4 Salón de Comares

5 Pabellón Sur

6 *Hammam* o baño de Comares

Sentido de la visita

Arquitectura nazarí

Arquitectura cristiana

Elementos hidráulicos

Jardines

la rica y variada paleta de color desplegada en la decoración del zócalo alicatado y de los encuadres de ambas puertas —hoy restaurados con otro material estucado, que recuerda los alicatados—.

La entrada al palacio discurre a través de un pasadizo sin luz directa, en ascenso y doble recodo, con sus extremos cerrados por puertas que abrían en sentido contrario, de modo que la guardia estuviera protegida en su interior y pudiera controlar los accesos para imposibilitar el paso a las dependencias o impedir evadirse de ellas. Las techumbres de madera, uno de los elementos decorativos más destacados de este paso, muestran también ese mestizaje cultural que integra motivos dorados y emblemas de los reyes cristianos sobre la tablazón musulmana de piezas geométricas. En contraste con el lóbrego paso, un estallido de luz acompaña al visitante cuando sale al patio de los Arrayanes.

Patio de los Arrayanes o de Comares

Cada rincón de este palacio es representativo de toda la arquitectura doméstica hispanomusulmana: acceso en recodo a un patio a cielo abierto, núcleo central de la vivienda dotado de algún dispositivo de agua y vegetación que centra la vida familiar y en torno al que se abren las habitaciones. Las viviendas que se conservan por toda la Alhambra tienen similar configuración, aunque en proporciones y decoración diferentes. Aquí, el eje del patio lo ocupa una alberca espectacular que durante años ha servido para darle nombre, pues se conocía como «patio de la Alberca», aunque también se llamó «patio de los Arrayanes» por los recortados macizos de esta especie vegetal que se extienden a lo largo de sus lados mayores. Agua, vegetación y cielo abierto introducen la naturaleza en el interior del palacio de una manera simbólica pero también física, pues contribuyen a establecer un sistema de microclima, humedad, ventilación, aromatización, como si de un oasis se tratara, anticipo terrenal del Paraíso. La alberca forma parte del programa constructivo y estético del palacio: su quieta

Espacio central del palacio: la alberca del patio de los Arrayanes con la fachada norte y la torre de Comares al fondo

Fuente de la alberca del patio de Comares
En el suelo del patio de los Arrayanes, ante el arco mayor de cada uno de los pórticos de los lados menores, existen unas fuentes esquemáticas que abastecen de agua a la alberca de manera sorprendente por su singular diseño: el agua, que sale con fuerza por el surtidor a la parte circular de la fuente, fluye rápidamente hacia la piquera, donde se frena antes de verter a la superficie de la alberca, evitando ondulaciones y ruido. Los surtidores no son los originales, pues se sustituyeron por otros, cuya huella del salpicado se aprecia en el solero.

superficie refleja como un espejo la arquitectura circundante y rompe la horizontalidad del patio, en busca de profundidad y verticalidad. Al mismo tiempo, dota al espacio de luminosidad directa, cargada de matices que pueden ser más espectaculares a mediodía, cuando el sol se encuentra alto e ilumina el pórtico norte reflejando sus yeserías en el agua del estanque. Ubicados en los lados menores, ante el arco central de los respectivos pórticos, se puede apreciar toda esa simbiosis entre arquitectura y naturaleza, perseguida y conseguida en pocos

Estado en que quedó el pórtico del pabellón norte del palacio de Comares tras el desgraciado incendio ocurrido el 15 de septiembre de 1890, a consecuencia del cual se vino abajo toda la techumbre de madera que cubría la sala de la Barca. Las piezas que se salvaron del incendio han permitido una completa y laboriosa reconstrucción del techo que finalizó en 1965. Archivo de la Alhambra

lugares como en la Alhambra nazarí. Bajo esos mismos arcos, sendas fuentes esquemáticas de singular diseño abastecen a la alberca de manera también sorprendente: el agua, que sale con fuerza a la parte circular de la fuente, fluye rápidamente hacia la piquera, donde se frena antes de verter a la superficie, evitando así posibles ondulaciones.

Las puertas laterales del patio dan paso a cuatro estancias domésticas a modo de viviendas independientes, pero integradas en el palacio. Todas ellas tienen la misma distribución: una sala baja principal con entrada directa desde el patio a través de grandes arcos enmarcados con decoración de yesería que se destacan de la monótona fachada lisa. De los otros arcos más pequeños, cuatro comunican con las respectivas escaleras de subida a las algorfas o cámaras de la planta alta, que se abren al patio mediante ventanas de doble arco y parteluz, provistas de celosías de madera. El arco más próximo al pórtico norte da acceso al baño del palacio.

Sala de la Barca

La sala de la Barca es la antesala del salón del Trono, estancia que constituye el centro de poder de la arquitectura palatina de la Alhambra. Un texto epigráfico antiguo identifica el espacio como una gran tienda para el sultán, ante la que se despliega un toldo, es decir, la galería del pórtico.

Torre y sala dibujan en planta el tradicional esquema espacial de T invertida: una sala longitudinal de la que sobresale perpendicularmente al norte, sobre la muralla general, una torre-mirador con alcoba interior de planta cuadrada, de proporciones y riqueza decorativa apropiada para el salón del Trono de la dinastía. En los umbrales de los accesos a las habitaciones nobles de las casas –y aquí, al ser un palacio, destacan especialmente– se encuentran encajados en el grueso de los muros unos de los elementos decorativos y funcionales más característicos de la Alhambra: las *taqas*.

La sala de la Barca recibe su nombre, no como se cree popularmente por la forma del techo, sino

Mihrab del pequeño oratorio privado del sultán situado entre la sala de la Barca y el salón de Comares

Taqa ubicada en el umbral de acceso al salón de Comares enmarcada por un poema que explica metafóricamente que su función era la de contener vasijas

por el vocablo árabe *al-Baraka* (la Bendición), pues en ella se rogaría el auxilio divino para el nuevo sultán antes de que tomase posesión del trono en el contiguo salón de Comares o del Trono. Su promotor, el sultán Yúsuf I, no pudo verla finalizada, pues fue asesinado en 1354, por lo que la mayor parte de la decoración se debe a su hijo Muhammad V, cuyo nombre aparece en las yeserías.

Destaca su bella armadura semicircular con casquetes esféricos en los extremos, ornamentada con decoración geométrica a base de ruedas de estrellas. Desde finales del siglo XVI era conocida como «la sala Dorada», al ser repintado el techo por completo. Sufrió un devastador incendio en 1890 que provocó el hundimiento de toda la techumbre, aunque se salvaron algunas piezas que permitieron su completa reconstrucción, que finalizó en 1965.

Un zócalo de alicatados con diferentes composiciones reviste la zona inferior de los muros de toda la estancia, incluidas las amplias alcobas para lechos que, tras grandes arcos semicirculares, prolongan la sala en los extremos. En la de la izquierda, una puertecita comunica, tras un doble recodo, con la letrina principal del palacio, que conserva restos de la pintura original del zócalo; la puerta de la alcoba contraria fue abierta en el siglo XVI para comunicar con los servicios de la Casa Real cristiana.

Sobre las amplias superficies murales sin decoración, seguramente se colgaban ricas telas o tapices, mientras que el suelo se cubriría de grandes alfombras. Un amplio umbral conduce al salón del Trono, a cuyos lados un corredor transversal comunica, por la izquierda con la escalera de subida a las plantas altas de la torre, y a la derecha con un pequeño oratorio que permitía al sultán la oración privada.

Salón del Trono

El salón del Trono, de Comares o de los Embajadores, situado en el espacio interior de la torre de Comares, es seguramente la estancia

Salón del Trono del palacio de Comares, en el interior de la torre mayor de la Alhambra

Detalle de la unión del techo del salón de Comares con el muro
La banda o arrocabe con decoración epigráfica existente en lo más alto de las paredes del salón de Comares o del Trono demuestra la importancia de esta sala como el ámbito donde el poder terrenal, de origen divino, se ejerce en su más amplia manifestación. La sura 67 del Corán, aquí escrita en caracteres blancos, revela la incuestionable soberanía de Dios. Empieza a leerse la primera aleya en la cara norte y recorre las cuatro paredes. Techo e inscripción coránica vienen a legitimar al sultán, cobijado bajo ellos.

más destacada del palacio y de toda la Alhambra. En él se despliega una síntesis de los conceptos constructivos, estéticos y simbólicos de la cultura hispanomusulmana, de la que podríamos considerarlo incuestionable manual universal. El espacio interior es un ejemplo de perfección proporcional: un cubo dentro de la torre mayor de la Alhambra, revestido de ornamentación en todos sus planos.

En esta *qubba* se respira el poder terrenal y sobrenatural y la decoración epigráfica de sus paredes lo confirma: un poema inscrito en sus muros afirma que este es el trono de la dinastía; bajo el techo, en la franja más alta de la pared, la sura 67 del Corán, llamada «del Reino» o «del Señorío», revela la incuestionable soberanía de Dios. Se encuentra proporcionalmente distribuida, escrita en caracteres blancos sobre la tabica de madera desde la que se superpone el techo, en las cuatro caras de la torre, comenzando la primera aleya en el norte y concluyendo la número treinta en el este. La torre de Comares está orientada a los cuatro puntos cardinales para subrayar, aún más, el simbolismo del poder de Dios en el cielo y en la tierra.

La etimología de Comares procede en parte del vocablo árabe *arsh*, que, como muchas palabras árabes, tiene dos significados: pabellón o tienda de campaña y trono, y fue elegido sin duda con la intención de señalar que la sala equivalía a una excepcional jaima que acogía a un excelso personaje.

Los tres gruesos muros exteriores de la torre están perforados a nivel del suelo con tres aberturas cada uno, practicadas para cobijar nueve pequeñas alcobas, iguales entre sí por parejas, salvo la situada frente a la entrada que presenta un ornato más cuidado, pues en ella se ubicaba el sultán. De esta forma, con su disposición tripartita, las alcobas rompen la horizontalidad de las cartelas que se despliegan sobre sus arcos. Los paramentos de la gran sala han sido completamente decorados, en la zona inferior mediante zócalos de alicatados con diferentes combinaciones geométricas, y en los alzados, con diversos paneles de yesería en bandas verticales a modo de tapices y horizontales con epigrafía, también con diseños

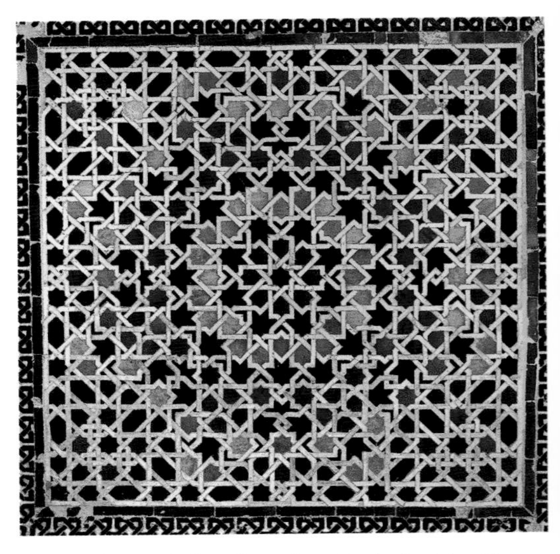

Detalle de uno de los alicatados del zócalo del salón de Comares

La decoración ataujerada o de «difícil engarce» del techo del salón de Comares, junto a su función simbólica, la hacen alcanzar la categoría de obra maestra de la carpintería islámica. A la izquierda reconstrucción de los colores originales del techo realizada por el pintor y restaurador Manuel Maldonado, basada en los trabajos de investigación de fray Darío Cabanelas ofm. en los años sesenta del pasado siglo

estrellados sobre fondos vegetales. En la actualidad solo se aprecia en su aspecto original el cromatismo de los zócalos cerámicos, pero podemos ver los restos de policromía en las yeserías e imaginar la auténtica sinfonía de color que revestía por completo la estancia. Incluso los cierres de las ventanas, hoy recreación de las antiguas celosías de madera, debieron de tener cristales traslúcidos con encendidos colores. Una segunda fila de ventanas con celosías en la parte superior de los muros proporciona ventilación e iluminación a la estancia.

Aunque en sitios tan destacados como este lo habitual era que se cubrieran los suelos con grandes alfombras, y de ello se han conservado suficientes testimonios, de la solería original solo quedan algunas piezas en el paño cuadrado central, completadas con algunas del siglo XVI y otras posteriores reutilizadas y, probablemente, en los quicios de las alcobas habría losas de mármol, como ocurre en otras zonas del palacio.

Toda la decoración de la estancia culmina en la excepcional techumbre, obra maestra de la carpintería hispanomusulmana, realizada con la técnica ataujerada o de «difícil engarce», heredada por los maestros mudéjares que la transmitieron como carpintería «de armar» o «de lo blanco». Ejecutada en siete paños de tableros superpuestos, acoplados unos sobre otros y acodalados contra los muros, sobre los que se van claveteando las 8.017 piezas diferentes que componen el diseño; el motivo geométrico de su decoración, consistente en sucesivas ruedas de estrellas, es un trasunto celeste, símbolo del cosmos, de la grandeza de la Creación. Así, el techo viene a ser la representación escatológica

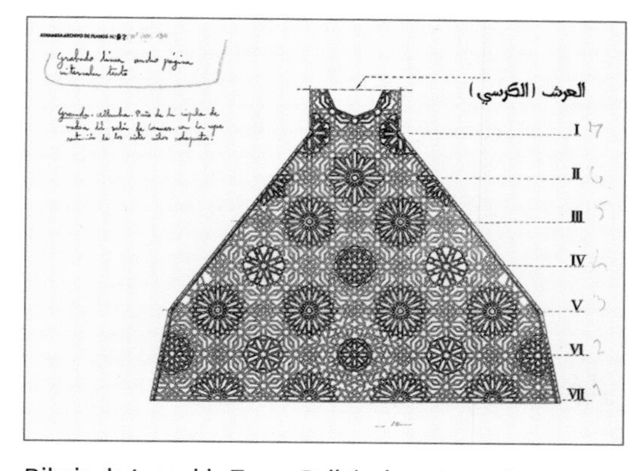

Dibujo de Leopoldo Torres Balbás durante su etapa al frente de la Alhambra (1923-1936), que reproduce el techo del salón de Comares con la representación musulmana de los siete cielos. Archivo de la Alhambra

Alcoba del salón de Comares transformada en puerta

Alcoba central del salón, que ocuparía el sultán

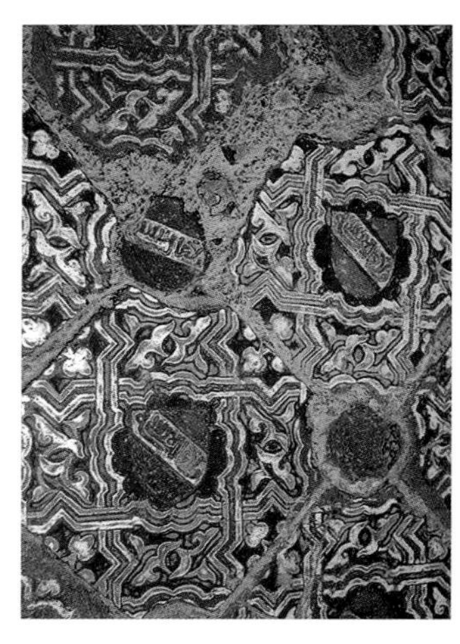

Detalle central del suelo del salón, con el escudo nazarí de la Banda

de los siete cielos que, tras la muerte, el alma del creyente ha de superar, según sus méritos, ascendiendo hasta alcanzar el octavo, el Paraíso, el Trono de Dios, aquí representado por el cupulín central de mocárabes; en él injertan sus raíces los cuatro árboles del Paraíso, simbolizados en los vértices del techo, que también se pueden identificar con los ríos del Paraíso irrigando los cielos escalonados. Así, el techo venía a legitimar al sultán que se ubicaba bajo él, bajo la misma bóveda celeste «en la que no existe defecto ni imperfección alguna», según la cita coránica, para ejercer las funciones de su excelsa magistratura.

Los Reyes Católicos y el propio emperador Carlos V no debieron ignorar el profundo simbolismo del salón por cuanto, mientras permanecían en la Alhambra, el pendón real era enarbolado en esta torre y no en la de la Vela, como cabría esperar.

Con la llegada de los reyes cristianos y la habilitación de la Casa Real Nueva, se realizaron varias reformas que alcanzaron a esta simbólica y espléndida sala, al transformar la primera alcoba de la derecha según se entra, en puerta de paso a las Habitaciones del Emperador.

Pabellón sur

El lado sur del patio de Comares presenta una gran fachada vertical, sin retranqueos, que cubre toda la crujía, no obstante dividida horizontalmente en tres alturas. La planta baja, tras un pórtico igual al frontero, debió de presentar similares características espaciales a las de la sala de la Barca, aunque es más reducida, para permitir la construcción de los huecos de escaleras a las plantas altas a los lados, como atestiguan las puertecitas situadas en los extremos de la galería.

Conocida por documentos antiguos como sala de las Aleyas o de las Helias, de su decoración han quedado improntas en la cara interior del muro, alguno de cuyos elementos, como por ejemplo el zócalo alicatado, fue retirado en 1537 para su reutilización en el Mexuar. Las plantas altas presentan una distribución semejante, abiertas al patio, con un espacio central alargado y alhamíes en los extremos.

El eje central está marcado, en la primera planta, con ventana doble y parteluz, y en la segunda, con una elegante solución adintelada en el vano central de la galería para evitar un arco mayor que obligara a elevar más la cubierta.

Fachada sur del palacio de Comares con el palacio de Carlos V adosado al fondo. Las dos grandes *mesas* de arrayán no son originales: tras numerosas adaptaciones vegetales, fueron fijadas en el siglo XIX y forman parte indisoluble del patio

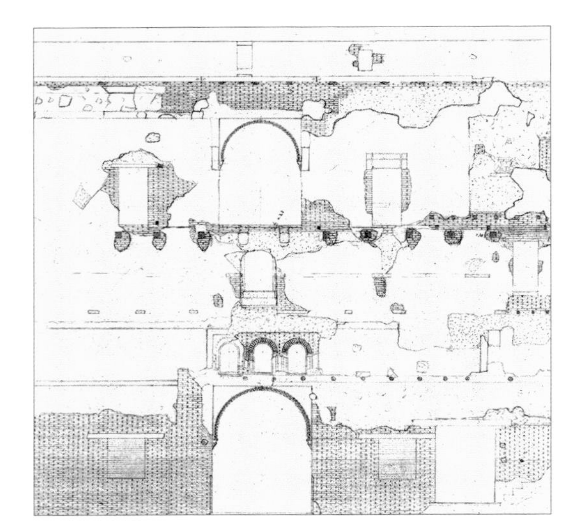

Alzado interior de la fachada sur del patio de los Arrayanes donde se aprecian los restos decorativos y su disposición original. Copia (1988) del original s/f. Archivo de la Alhambra

La historiografía decimonónica interpretó la presencia de un espacio tan singular y tan destacado en el palacio como lugar del imprescindible harén; de ahí que también se le haya denominado «Serrallo», sin más fundamento que la estética cultural del orientalismo. Más recientemente se ha pensado que sus aposentos eran el lugar de formación y residencia para los futuros sultanes.

Esta fachada se mantiene a modo de tramoya o «telón de fondo teatral», pues la edificación que había detrás se derribó para construir el palacio de Carlos V, que se ve adosado detrás. Al arquitecto renacentista no le habría supuesto especial dificultad eliminar la fachada nazarí y abrir la nueva a modo de portada corrida con sus ventanales directamente al patio; sin embargo optó por mantener la imagen o la composición estética originaria y establecer

Escalera de comunicación directa entre el palacio de Carlos V y el de Comares, abierta en el muro lateral de la habitación del suroeste

la comunicación entre ambos palacios a través de una escalera, algo forzada, construida en la alcoba suroeste nazarí, donde se ubicó la solemne «portada del Príncipe», que sirvió hasta 1924 de entrada para la visita a los palacios de la Alhambra.

Al otro extremo del patio, los Reyes Católicos realizaron la conexión directa entre los palacios nazaríes de Comares y de los Leones, a través de la puerta de acceso a la planta alta de la vivienda sureste, lo que supuso un cambio en el proyecto espacial de la arquitectura de la última etapa hispanomusulmana.

Merece la pena contemplar desde la galería sur el reflejo de la torre de Comares en la superficie de la alberca, que actúa como ilusoria prolongación de la edificación, así como la incidencia de la luz, artífice de efectos reflejos en la propia arquitectura.

Hammam o baño de Comares

Entre las singularidades de la arquitectura islámica que se conservan en la Alhambra destaca especialmente el *hammam:* el baño de Comares, llamado hasta no hace mucho tiempo Baño Real por haberlo reservado para su uso particular los Reyes Católicos. Hoy sabemos que cada palacio de la Alhambra disponía de su propio *hammam*, pero este es el único baño medieval islámico que se ha conservado prácticamente íntegro en Occidente. Tomado por la cultura islámica de las antiguas termas romanas, pronto se convirtió en un elemento fundamental del mundo musulmán.

Las estancias del baño de la Alhambra, por su estado de conservación y especial naturaleza, no se visitan habitualmente, aunque sí se pueden contemplar desde otros espacios a través de huecos.

Ubicado entre los palacios de Comares y de los Leones, cerca de las habitaciones del palacio, tiene una puerta directa al patio, junto a la crujía en la que residía y gobernaba el sultán.

Este baño ha conservado bastante bien todos sus elementos, con las modificaciones estructurales propias de un cambio de uso y de un mantenimiento más testimonial que funcional. La entrada, al mismo nivel del patio de los Arrayanes, conduce a un primer espacio vestibular donde desvestirse, con

Sala de las Camas del baño de Comares
Para el Islam, la higiene del cuerpo es un principio insoslayable de carácter sociorreligioso. Por esta razón, el *hammam* o baño era un elemento indispensable en los palacios de los sultanes nazaríes. El de esta casa real es el único de esta época que se ha conservado prácticamente completo en Occidente, por lo que ha sido objeto de culto durante siglos. Su estado de conservación y especial singularidad no permiten su exposición a un elevado número de personas, pero se pueden ver varios de sus aposentos durante la visita desde otros espacios. Grabado coloreado de Alexandre Laborde, 1812

una alcoba para ello, y una letrina apartada y aireada. Desde este primer apoditerio se desciende por una pronunciada escalera a la sala de reposo, llamada *bayt al-maslaj,* que es, quizá, el lugar más destacado del baño. Se llama popularmente sala de las Camas, por los dos amplios aposentos ligeramente elevados que flanquean la estancia principal. Todo este espacio está aireado e iluminado cenitalmente por una linterna central, muy frecuente en la arquitectura nazarí. Los elementos decorativos de la sala –fuente, pavimentos, columnas, alicatados y yeserías– son en gran parte originales, aunque techos y yeserías fueron reparados y repintados con vivos colores en la segunda mitad del siglo XIX por el entonces «restaurador-adornista» de la Alhambra, Rafael Contreras. Las puertas que flanquean las camas forman parte de la estructura original del baño: además de la de acceso, su paralela abre a un almacén de servicio; las fronteras conducen a una letrina emplazada tras la alcoba, y a las cámaras de vapor del baño.

Toda la zona de vapor del *hammam* está cubierta con bóvedas horadadas con multitud de tragaluces, ligeramente cónicos, con formas lobulares y estrelladas. Dotadas de cristales practicables en la cara exterior, los encargados del funcionamiento del baño las abrían o cerraban para regular el ambiente de vapor de las salas.

Le sigue un espacio reducido y de paso, llamado *bayt al-barid,* dotado de una pila con agua fría, al que sucede la zona central del baño o *bayt al-wastani,* estancia amplia y caldeada con un ámbito central flanqueado por sendas arquerías de triple arco de herradura ligeramente apuntada.

Frente al vano de acceso, otro conduce a la última sala caldeada del baño, la *bayt al-sajun,* a cuyos extremos, bajo amplios *iwanes,* dos grandes pilas vertían a voluntad

Linterna de la sala central del baño de Comares, característica de la arquitectura nazarí, para la aireación de la estancia y su iluminación cenital

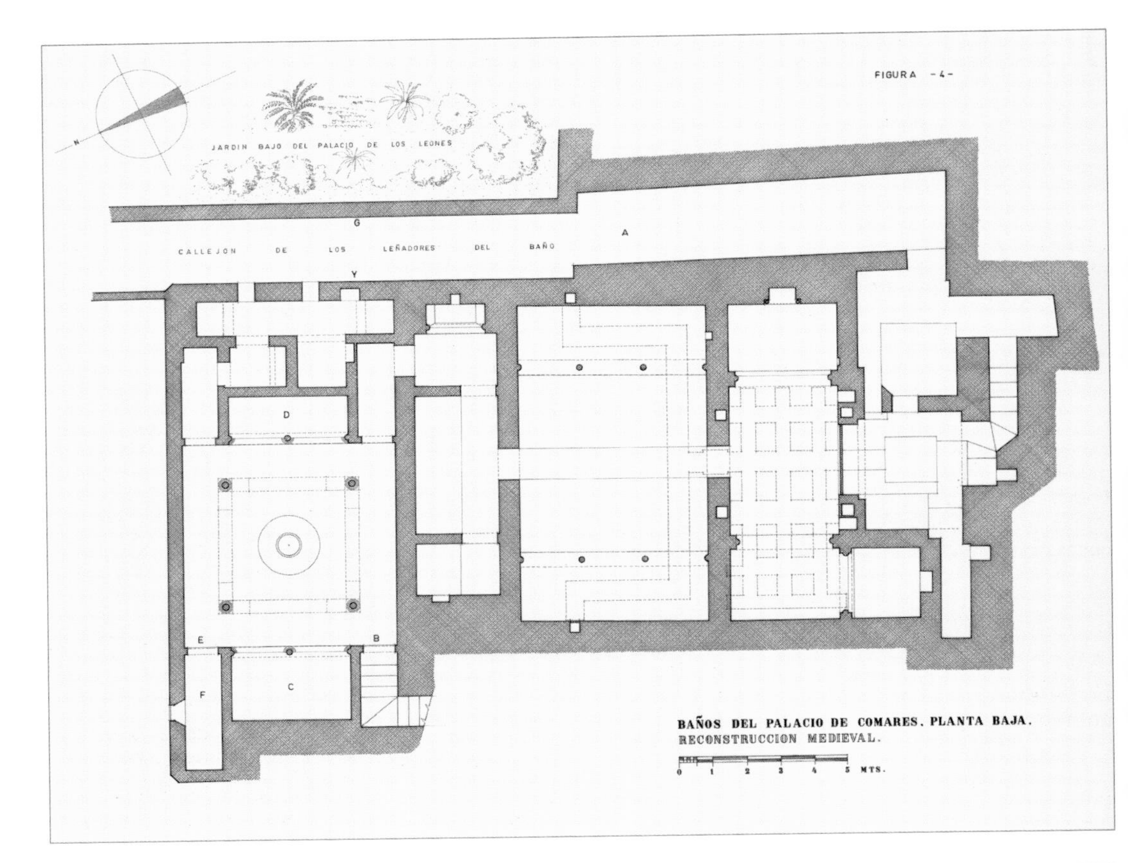

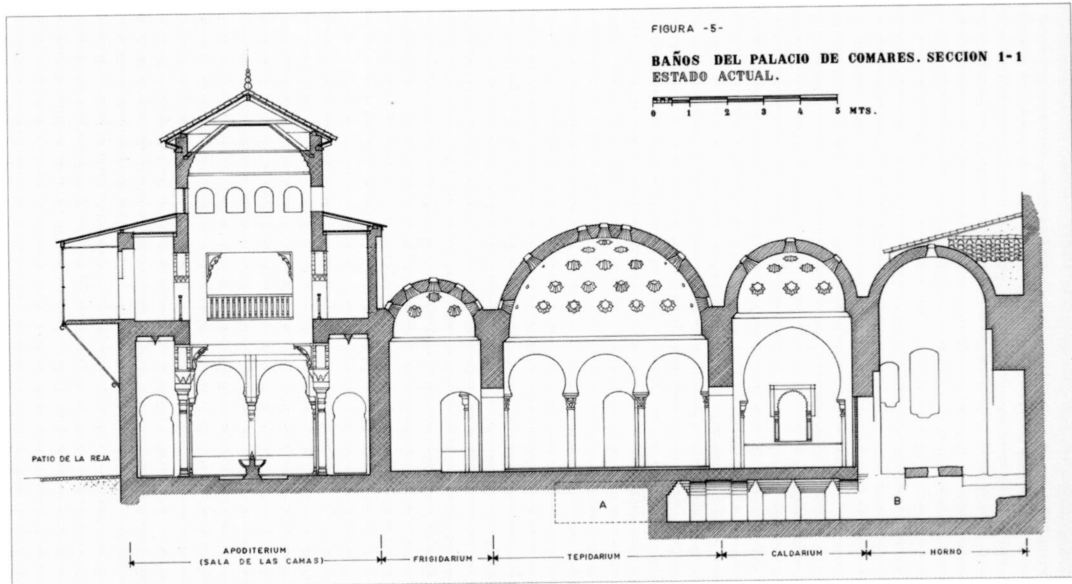

Reconstrucción de la planta original y el alzado del baño de Comares, según la investigación de Jesús Bermúdez Pareja, publicada en *Cuadernos de la Alhambra* (n.ºs 10-11), 1974-75. Archivo de la Alhambra

Decoración de azulejos en la sala fría del baño simulando las ondas del movimiento del agua

Zócalo cerámico del siglo XVI con las iniciales del «Plus Ultra», del emblema imperial de Carlos V

Detalle de los tragaluces poligonales en la bóveda principal del *hammam*

agua fría y caliente. Bajo el suelo de esta sala está situado el hipocausto, junto al que se emplazan, tras el arco cegado del fondo, el horno *(al-furn)* y la caldera, en cuya proximidad existe una leñera con su correspondiente puerta trasera de servicio.

Vista parcial de la sala central del *hammam*

Las salas de vapor tienen solerías de mármol bajo las que discurren conductos para mantener el calor, por lo que en ellas se debía usar calzado de suela gruesa. De la misma forma, en los muros se instalan canalizaciones de barro de diferentes tamaños y secciones para conducir el aire caliente y el vapor de la caldera y alcanzar la temperatura y la humedad necesarias para el baño.

En el siglo XVI se renovaron algunos zócalos cerámicos de estas salas, en alguno de los cuales se pueden ver las iniciales del «Plus Ultra» imperial, y se habilitó una nueva salida a través del colindante patio de Lindaraja.

Desde Jerónimo Münzer en 1494, hasta el vanguardista Henri Matisse en 1910, numerosos visitantes y artistas han quedado cautivados por la atmósfera y el misterio de la luz del baño de Comares, uno de los lugares fascinantes de la Alhambra. La nómina de representantes de las artes plásticas que plasmaron sus impresiones es muy extensa; baste con señalar las planchas de Alexandre Laborde (1812), los apuntes de Richard Ford (1831) o el plano que levantó James Cavanah Murphy (1813) con detalles como el circuito de canalizaciones o la caldera del baño.

7.3 Palacio de los Leones

Mandado construir por Muhammad V (1362-1391), el palacio del Riyad o del Jardín está organizado en dos terrazas a distinto nivel y sus habitaciones se disponen en torno a un patio rectangular que, en lugar de alberca, tiene en el centro la fuente más famosa de la Alhambra, la de los Leones, y galería porticada en los cuatro lados. Era un palacio residencial, y en sus cuatro salas principales conocidas como Mocárabes (oeste), Reyes (este), Abencerrajes (sur) y Dos Hermanas (norte), se celebraban actividades de ocio, fiestas o veladas musicales. En el piso superior había otras alcobas donde también se desarrollaba la vida cotidiana palatina.

El *Qasr al-Sultán*, la casa real nazarí, fue ampliada por Muhammad V (1354-59 y 1362-91) bajo su segundo mandato, etapa que se considera de máximo apogeo del sultanato.

Fue llamado palacio del Riyad o del Jardín, tal vez porque fue edificado en el solar que hasta entonces ocupaba un patio-jardín del palacio anterior, cercado por simples tapias.

Organizado en dos terrazas a distinto nivel, sus principales estancias se distribuyen en torno a un patio rectangular en crucero. Esos dos niveles o paratas se implantan entre el baño de Comares, su aljibe y su eventual acceso, y la excepcional *qubba* de la Rauda que abría a la calle Real Baja y a la cuesta que salva el desnivel del Partal.

Su entrada principal debió de estar situada en el ángulo suroccidental, con acceso en recodo desde la calle Real.

La actual comunicación directa desde el palacio de Comares obedece a las adaptaciones realizadas tras la conquista para instalar en la Alhambra la Casa Real cristiana. Lo primero que sorprende al ingresar en el palacio es la galería porticada corrida a lo largo de todo el perímetro del patio. Aunque se han visto similitudes con los claustros mudéjares, en realidad funciona como un pasillo perimetral de enlace y distribución de las distintas dependencias del palacio, como si fueran jaimas agrupadas en torno a un oasis. Bajo el alero se disponen arcos

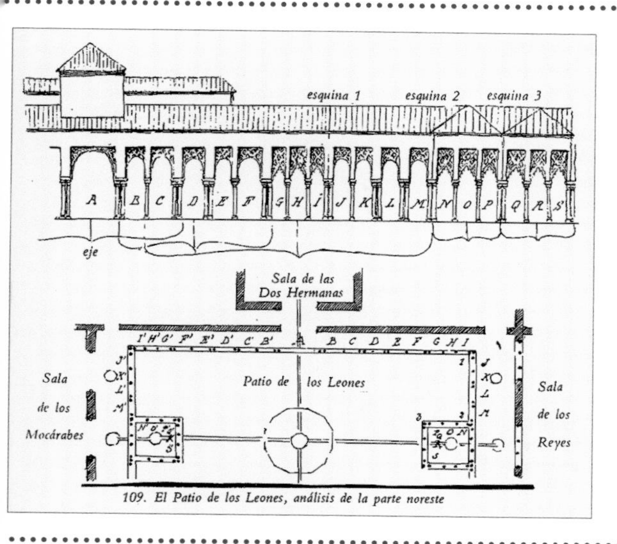

109. El Patio de los Leones, análisis de la parte noreste

Galería porticada del patio de los Leones

Dispuesta a lo largo de todo el perímetro, está formada por arcos sostenidos por columnas que siguen el sistema proporcional trazado a partir de la diagonal de un cuadrado. En los lados más estrechos sobresalen unos pabellones a modo de pórticos, cubiertos por techos cupulares semiesféricos, bajo los cuales, en el suelo, existen las fuentes esquemáticas que también hay en el patio de los Arrayanes, por las que fluye el agua que desde los cuatro lados llega hasta la fuente central.

La lámina de la izquierda está tomada de la obra de investigación del profesor Georges Marçais, *Melanges d'histoire et d'archeologie de l'Occident musulman*, 2 vols., Argel, 1957.

El patio de los Leones ocupa el espacio central al que confluyen todas las dependencias del palacio

Palacio de los Leones

La decoración nazarí alcanza en este palacio un esplendor inusitado. Sus lienzos de pared calados como si fueran de encaje, sus finas columnas, la exquisita yesería de sus paredes, sus coloridos alicatados, sus techos de mocárabes y la perfección de sus proporciones contribuyer a crear el ambiente propicio para una existencia placentera.

❶ Sala de los Mocárabes

Es un espacio de planta rectangular, que en origen estuvo cubierto por una techumbre de mocárabes, arruinada por una explosión en 1590. Su actual bóveda es del siglo XVII.

❷ Patio y fuente de los Leones

Esta simbólica fuente que da nombre al palacio, de inspiración ancestral, está compuesta por una taza central y, alrededor, doce leones que miran hacia fuera y tienen surtidores en sus bocas.

❸ Sala de los Abencerrajes

Este salón de planta cuadrada se cubre con una delicada cubierta con forma de estrella de ocho puntas gracias a una genial transición mediante pechinas. Su decoración de mocárabes es una de las más exquisitas del arte islámico.

❹ Patio del Harén

Situado por encima de la sala de los Abencerrajes se encuentra el patio de una vivienda con dos pórticos, uno de ellos sustentado sobre columnas con capiteles de serpentina reutilizados de otro lugar.

❺ Sala de los Reyes

Está distribuida en una serie de espacios cúbicos, símbolo de perfección, y rectangulares en un conjunto arquitectónico armonioso. Tres de sus alcobas tienen techos decorados con pinturas únicas de escenas cortesanas.

❻ Sala de Dos Hermanas

Es la sala principal del palacio y la de mayor riqueza decorativa. En su piso alto se abren ventanas, con delicadas celosías, hacia el interior de la *qubba*, que está cubierta con uno de los más espectaculares techos de mocárabes de la Alhambra.

❼ Sala de los Ajimeces

La sala recibe su nombre por los balcones volados de madera y con celosías que cerraba los dos amplios ventanales que se enfrentan en el centro de cada uno de sus lados mayores.

❽ Mirador de Lindaraja

Una de las muchas joyas que guarda la Alhambra, originalmente estaba abierto al Albaicín sobre un huerto-jardín que se extendía hacia la muralla norte.

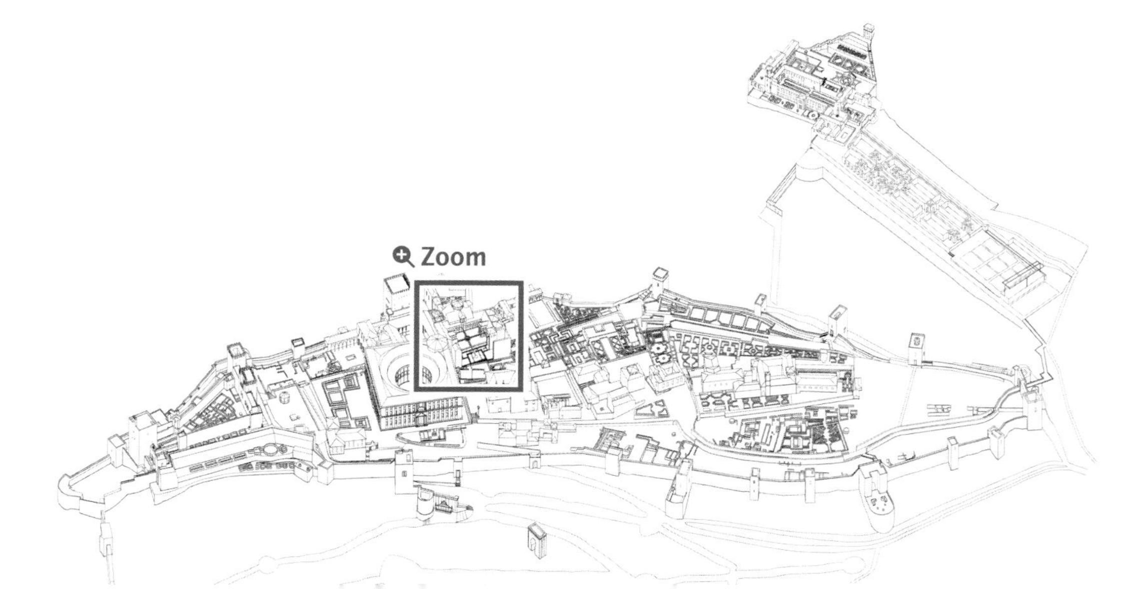

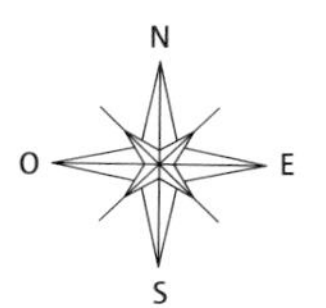

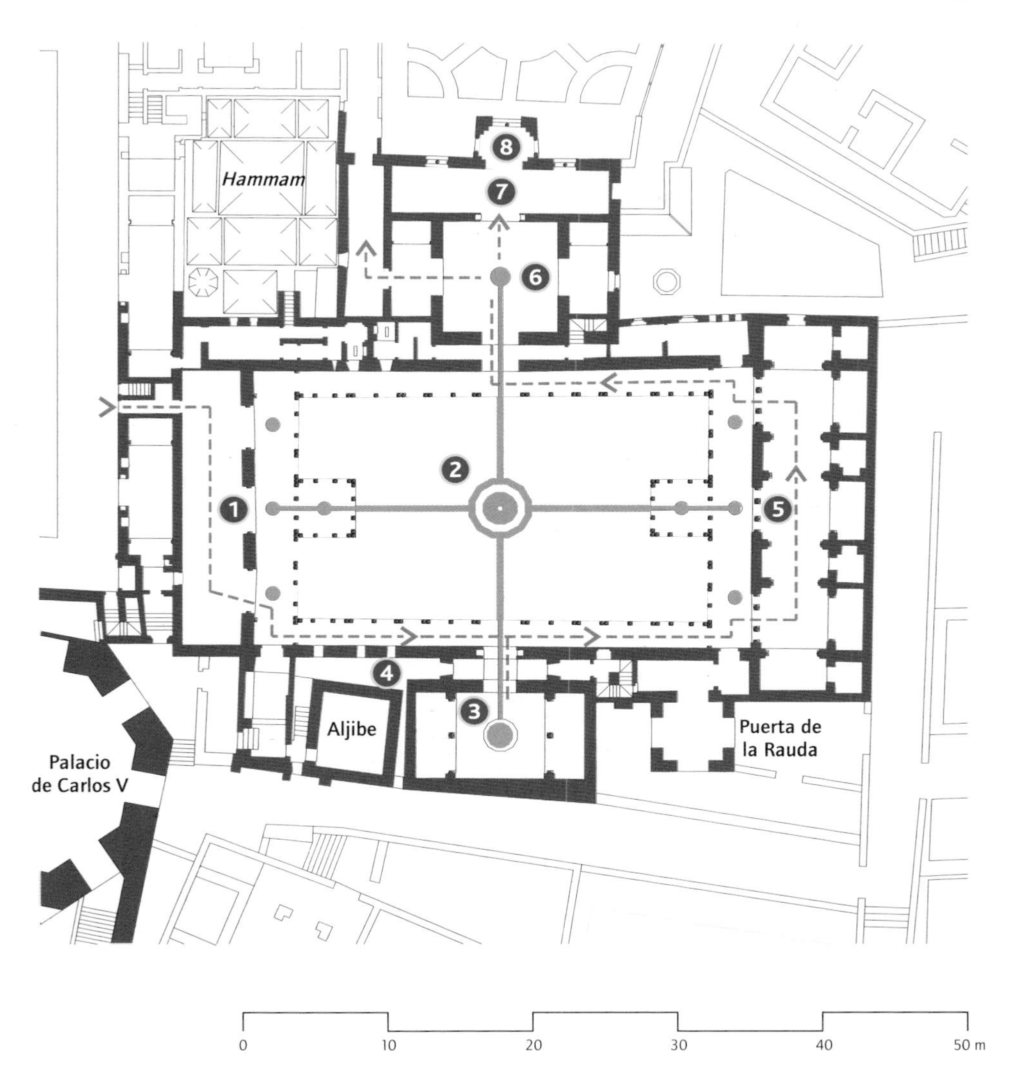

1 Sala de los Mocárabes
2 Patio y fuente de los Leones
3 Sala de los Abencerrajes
4 Patio del Harén (planta alta)
5 Sala de los Reyes
6 Sala de Dos Hermanas
7 Sala de los Ajimeces
8 Mirador de Lindaraja

-----> Sentido de la visita

Arquitectura nazarí
Arquitectura cristiana

Elementos hidráulicos

Vista del palacio de los Leones desde la cornisa del palacio de Carlos V (1986). Archivo de la Alhambra

soportados por ciento veinticuatro columnas que siguen el sistema proporcional trazado a partir de la diagonal de un cuadrado y que alcanza aquí probablemente el máximo grado de perfección.

Los ejes mayores están centrados por un arco principal que les sirve de pórtico, mientras que de los ejes menores sobresalen abiertos hacia el patio sendos pabellones cúbicos, cubiertos en su interior por techos cupulares semiesféricos, y en el suelo hay unas pilas esquemáticas o fuentes rehundidas.

Sala de los Mocárabes

La sala de los Mocárabes es una de las estancias del palacio, un espacio vestibular o de recepción, de planta rectangular, que abre al patio mediante tres grandes arcos de mocárabes para favorecer su iluminación y ventilación. Debe su nombre a la desaparecida techumbre que la cubría, toda ella de mocárabes, probablemente una de las más hermosas de toda la Alhambra, que quedó arruinada a consecuencia de la explosión en 1590 de un polvorín cercano y fue derribada y dividida la sala en dos espacios separados por una reja; uno de ellos fue cubierto por la actual bóveda de yeso, diseñada en 1714 por el pintor Blas de Ledesma para la visita de los reyes Felipe V e Isabel de Parma, a quienes corresponden las iniciales «F. Y.» que figuran en el extremo. De la bóveda original de mocárabes apenas quedan algunos restos de su arranque en la parte superior del muro de cierre, en los que puede intuirse la policromía que tuvo el techo perdido. Algo parecido ocurre con la decoración de los paramentos de la sala, que originalmente debieron de tener en su parte inferior los tradicionales alicatados, dejando preparada la zona superior, tal vez, para recibir tapices o labores de yesería.

Patio de los Leones

El nombre con el que se conoce universalmente a este palacio se debe a la fuente que figura en el centro del patio, heredera de la tradición procedente del oriente islámico de usar como surtidores figuras de animales, ampliamente difundida en al-Andalus a partir del siglo X. Tal vez el origen de esa tradición habría que buscarlo, según algunos investigadores, en el «Mar de Bronce» del templo de Jerusalén descrito en la Biblia, sustituyéndose aquí sus doce toros por otros tantos leones. Aunque similares, las figuras son diferentes entre sí y se encuentran dispuestas de espaldas a la fuente, en una actitud simbólica intencionada. Lejos de ser figuras hieráticas, como hasta ahora se consideraban, muestran un minucioso detalle de ejecución; el bloque de mármol debió de ser escogido por el maestro tallista, que utilizó las vetas naturales de la piedra para acrecentar el modelado de la figura, en las que se marcan, además de los pelajes diferenciadores y las fauces entreabiertas con sus pliegues, detalles tan delicados como el vello de las extremidades o la singularidad de cada dedo, en consonancia con la decoración naturalista del palacio.

Según consta documentalmente en el Archivo Histórico de la Alhambra, la fuente de los Leones cambió radicalmente su aspecto en la segunda mitad del siglo XVI. La nueva fuente tenía un esquema piramidal con la elevación del cilindro central de apoyo y de la taza principal mediante balaustres aparentemente asentados sobre la espalda de las figuras de los leones, además del

Sala de los Mocárabes, cuya cúpula original, que dio nombre a la sala, fue restituida parcialmente a principios del siglo XVII. A la derecha, detalle de los restos de la cúpula original

Los leones de la fuente

Los doce leones, aparentemente iguales, mantienen rasgos que los singularizan individualmente. Están todos en postura de alerta, colas replegadas, orejas levantadas, dientes apretados, actitud tensa, expectantes al mínimo gesto u orden de su señor, el sultán. Por otro lado, la asociación del agua, purificadora, fuente de vida, con la imagen del león, guardián del poder, se pierde en los albores de la Humanidad, pero se integra de manera simbólica en las tradiciones de las grandes religiones monoteístas. En esta escultura, recientemente restaurada, se puede ver con detalle cómo las vetas de la pieza de mármol seleccionada por el tallista resaltan las formas redondeadas del león.

añadido de una segunda taza que ocultaba en su base el surtidor medieval. Esta taza se encuentra actualmente en el jardín de los Adarves, donde quedó instalada en 1954.

En 1624 el escultor Alonso de Mena intervino en la fuente para su reparación y su limpieza en profundidad. En el primer tercio del siglo XIX se le añadió una red de surtidores y hacia 1837 se instaló el remate superior de un surtidor para «hermosear» la fuente de acuerdo con el gusto de la época.

Tras diversas tentativas y pruebas a partir de 1945, en julio de 1966 la fuente se devolvió a su hipotético estado originario, mediante el desmontaje de los añadidos y el surtidor original se trasladó al Museo de la Alhambra.

La pila de la fuente, tallada en un bloque con forma dodecagonal, tuvo un ingenioso sistema hidráulico que le permitía mantener un nivel constante de agua, que está bellamente descrito y exaltado mediante sugerentes metáforas en los doce versos de una *qasida* o poema árabe compuesto por el visir y poeta Ibn Zamrak, tallada en el borde exterior de la taza, y que aquí transcribimos su traducción completa

Bendito sea Aquél que otorgó al Imán Muhammad
bellas ideas para engalanar sus mansiones.
Pues, ¿acaso no hay en este jardín maravillas que Dios
ha hecho incomparables en su hermosura,
y una escultura de perlas de transparente claridad,
cuyos bordes se decoran con orla de aljófar?
Plata fundida corre entre las perlas, a las que semeja
en belleza alba y pura.
En apariencia, agua y mármol parecen confundirse, sin
que sepamos cuál de ambos se desliza.
¿No ves cómo el agua se derrama en la taza, pero sus
caños la esconden enseguida?
Es un amante cuyos párpados rebosan de lágrimas,
lágrimas que esconde por miedo a un delator.
¿No es, en realidad, cual blanca nube que vierte en los
leones sus acequias

Detalle de la fotografía de 1857 donde se aprecian los artilugios de la fuente. Fotografía de J. Pedrosa

Taza de la fuente
Llamada en árabe *manhuta min lú'lú*, escultura de perlas, la fuente de los Leones está labrada en una sola pieza de mármol blanco. La taza muestra en su borde exterior, en bella caligrafía árabe, un poema del visir Ibn Zamrak que alaba al sultán que mandó hacer esta fuente. Probablemente fue tallada *in situ* en un bloque especialmente escogido por los artesanos, igual que los doce leones, labrados en unas piezas con vetas buscadas con las que realzar sus formas geométricas o redondeadas. Toda la fuente recibió, además, una sutil policromía para resaltar sus elementos decorativos, desgraciadamente perdida, tras siglos de agresivas limpiezas mecánicas.

y parece la mano del califa que, de mañana, prodiga a los leones de la guerra sus favores?
Quien contempla los leones en actitud amenazante, [sabe que] sólo el respeto [al emir] contiene su enojo.
Oh! descendiente de los Ansares, y no por línea indirecta, herencia de nobleza, que a los fatuos desestima:
¡Que la paz de Dios sea contigo y pervivas incólume, renovando tus festines y afligiendo a tus enemigos!

Ibn Zamrak

Todo el espacio abierto del palacio se configura como un patio de crucero, subrayado por los cuatro andenes o brazos que parten de los ejes cardinales. Estos llevan unos canalillos con agua que, procedentes de varias fuentes circulares rehundidas en el pavimento, llamadas pilas esquemáticas, confluyen en la fuente central.

La disposición en crucero de este patio supuso una ruptura con sus precedentes en la propia Alhambra, que ha llevado a los historiadores a su análisis minucioso. Así, algunos ven influencia de los patios claustrales de la arquitectura monacal en la propia Península Ibérica, o de los palatinos como el normando de la Siza en Palermo, mientras otros consideran que deriva de una tradición norteafricana cuyo antecedente sería el palacio Zirí de Asir en Argelia. Los precedentes más inmediatos estarían en el patio del Castillejo de Murcia, de la segunda mitad del siglo XII, o en la ciudad marroquí de Fez, el de la mezquita Qarawiyin, entre otros. Recientemente se ha descubierto en el patio de las Doncellas del Alcázar de Sevilla su disposición original en crucero con jardines rebajados entre andenes, construido durante el reinado de Pedro I (1334-1369) y cubierto en

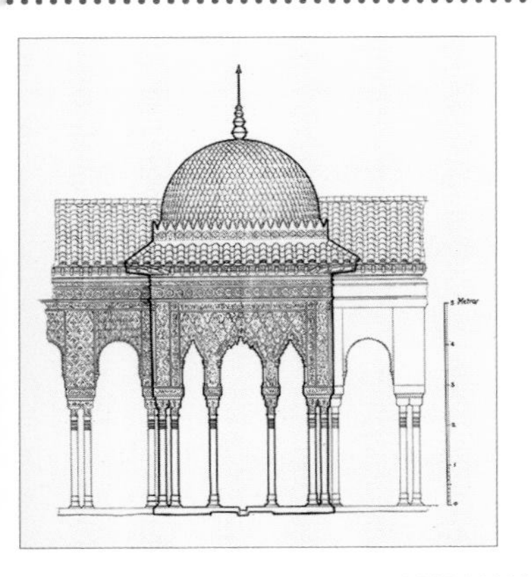

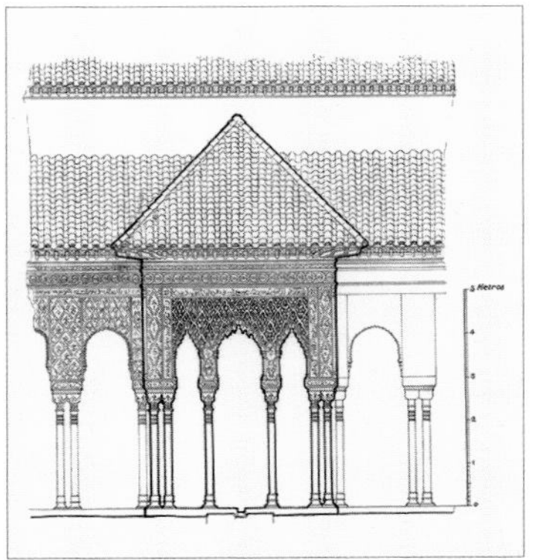

Pabellón oriental
Ha sido protagonista de una de las páginas más destacadas de la restauración arquitectónica europea: en 1859 se «restauró» su cubierta con una cúpula esférica de cerámica vidriada, acorde a lo que se entendía como «estilo árabe». En 1934 Leopoldo Torres Balbás la desmontó rehaciendo el tejado actual, como se ve en los alzados, con gran oposición de los sectores más conservadores del país. Archivo de la Alhambra

Patio de los Leones con la galería porticada en todo su entorno y la fuente en el centro, donde confluyen los brazos o canales que acentúan su estética de crucero

1584 por su mal estado de conservación. Aunque el patio alhambreño pudo correr semejante suerte, las investigaciones actuales apuntan a que debió de estar pavimentado con losas de mármol y tal vez arriates para árboles de pequeño porte. En todo caso el palacio dispuso de un jardín al norte, en la terraza inferior, ante la *qubba* mayor, espacio que hoy ocupa el patio de Lindaraja.

Respecto a su significación simbólica, se le considera representación antecedente del Paraíso, común a las religiones cristiana y musulmana, cuya ramificación en cuatro ríos vendría aquí representada por los canales del crucero.

Sala de los Abencerrajes

La llamada sala de los Abencerrajes se configura como vivienda independiente dentro del palacio. Toda su estructura gira en torno a la gran *qubba* dotada interiormente de una magnífica cúpula de mocárabes de composición tridimensional. Con ella el arquitecto trató de equilibrar el volumen de la *qubba* mayor, situada enfrente, en una tradición de dobles cúpulas presente en otros palacios; igualmente, los pabellones salientes en las plantas altas de ambas viviendas tenían como finalidad equilibrar el efecto de los pabellones cúbicos del patio, subrayando así el diseño del crucero y su división cuatripartita.

El espacio central de la sala es, a la vez, trasunto de un patio, con fuente dodecagonal central, trasladando lo inmaterial («la mejor bóveda que existe es la bóveda celeste») a lo material (la bellísima cúpula de mocárabes en forma de estrella de ocho puntas) en una genial transición tridimensional desde la planta cuadrada mediante pechinas, también de mocárabes.

Azulejos sevillanos del siglo XVI decoran hoy el zócalo de la sala, que se despliega tras un doble arco en dos alcobas laterales, ambas elevadas mediante ligeros peldaños. La vivienda no tiene más abertura al exterior que las ventanas altas que iluminan bellamente la cúpula y la

Cubierta estrellada de mocárabes de la sala de los Abencerrajes

Pila esquemática
En el centro de los suelos de los pabellones del palacio de los Leones, así como de las salas interiores, existen unos canalillos que transportan el agua al centro del patio, como arroyos que serpentean «entre los pies de los creyentes», según referencia coránica. Las pilas de las que surgen son llamadas esquemáticas al presentarse en su ubicación, en este caso un palacio, enrasadas con el pavimento del que el agua brota, a «borbotón», con suave susurro, sin salpicar, integrando una vez más la naturaleza en la arquitectura. Detalles tan sutiles como este hacen del palacio de los Leones un lugar único.

puerta, en origen cerrada con un gran portón de madera dotado de postigos. Un pequeño pasillo transversal tras la puerta conduce a una letrina y a la escalera del piso superior, donde existen varias estancias, una de ellas con una pequeña ventana sobre la puerta, para controlar la entrada.

Espacios complementarios: patio del Harén y puerta de la Rauda

Los espacios palatinos de la Alhambra, como espacios domésticos, disponen de otras estancias y lugares complementarios, habitaciones secundarias, corredores, letrinas, salas altas, etc.

Junto a la entrada original del palacio de los Leones, una escalera subía al patio del Harén, estancia independiente del resto de las habitaciones del palacio situada sobre la sala de los Abencerrajes

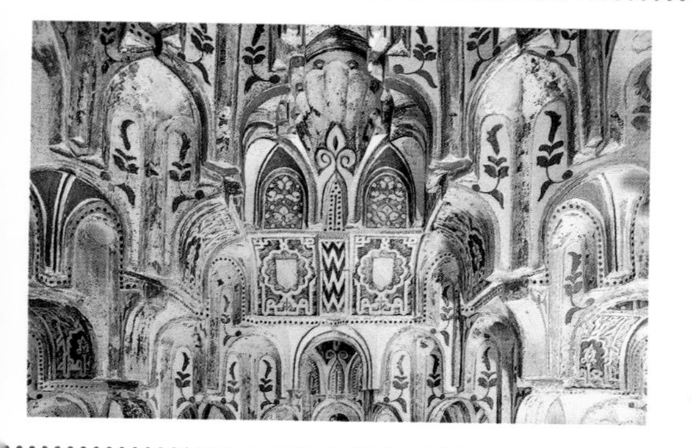

Mocárabes

En todo el palacio de los Leones se conservan los mejores ejemplos de techos, cubiertas y arcos de mocárabes, *muqarnas*, de la Alhambra y probablemente de todo el arte islámico occidental de la segunda mitad del siglo XIV. Se forman con prismas superpuestos combinados geométricamente. Su superficie se decora posteriormente con variados motivos y colores, que acentúan los juegos de la luz. Los techos de mocárabes son muy ligeros, «casi etéreos». Hoy sabemos que estos techos no son únicamente decorativos, sino que también tienen una función estructural.

Algunos de ellos, por sus propias características, la complejidad de su conservación, la dificultad de su acceso, o por la organización del recorrido, no permiten su inclusión en la visita general. No obstante, la mayoría son accesibles en horarios y condiciones especiales. Entre ellos está el llamado patio del Harén, que se encuentra en una planta superior sobre la sala de los Abencerrajes. Su nombre se debe al imaginario romántico del siglo XIX. Se trata en realidad de otra vivienda independiente, a la que se accedía desde la entrada del palacio, aprovechando la estructura del aljibe que controlaba y distribuía el abastecimiento de agua al palacio y su entorno.

En él se conservan zócalos originales pintados al fresco, así como dos pequeños capiteles reutilizados de serpentina verde, únicos en la Alhambra.

También forma parte del palacio la llamada puerta de la Rauda, que probablemente pertenecía a un palacio anterior. Edificio de ladrillo, de planta cuadrada, tiene en cada frente un arco de herradura y un cuerpo alto de ventanas, sobre el que apoya una espléndida cúpula de gallones sobre trompas que imita el consabido despiece de ladrillo rojo. Este esbelto edificio debió de servir de majestuosa portada al palacio de los Leones, en el que quedaría integrado tras las remodelaciones palatinas de la segunda mitad del siglo XIV. Se puede acceder a él desde los jardines del Partal.

Detalle de la puerta de la Rauda desde el exterior con el acceso al patio de los Leones al fondo

Sala de los Reyes

Se trata de un espacio integrado en el palacio, pero con una función propia, seguramente de carácter áulico y lúdico, como muestran las escenas pintadas que aparecen en los tres techos de levante. Volviendo a la imagen del oasis en torno al cual se asientan las jaimas de

Bóvedas de la sala de los Reyes

Las tres bóvedas de madera fueron fabricadas de forma autónoma en el suelo, como cascos de barcos, en una técnica llamada *bóveda encamonada*, en varias fases: primero se montaba el perímetro de la estructura como un falso anillo de largos peinazos de álamo blanco, a los que se acoplaban las vigas curvas de medio cilindro o *costillas* que, en los extremos forman cuartos de esfera; seguidamente, en el centro, se clavaban las gruesas tablas de pino –en los extremos semiesféricos, se cortaban en triángulo– a la cara interior de las vigas; finalmente, el exterior se cubría con alquitranado vegetal, de barrera biológica y contra la humedad, más un revestimiento de yeso para proteger el reverso. Los huecos de la curvatura se tapaban con piezas de madera en cuña y fibras vegetales.

un campamento, la sala de los Reyes muestra la agrupación de varias alcobas en torno a un espacio longitudinal, abierto al patio a oeste a través de la galería de columnas, de manera análoga a la sala de los Mocárabes. Aquí, sin embargo, en lugar de una única cubierta corrida, presenta una fórmula alternativa de tres techos de mocárabes, de planta cuadrada, que fraccionan la estancia en otros tantos espacios, a su vez separados perpendicularmente por altos arcos dobles de mocárabes, con lo que, además de profundidad, se consigue una armoniosa alternancia de luces y sombras. Una vez más el palacio nos muestra la perfecta distribución de espacios cúbicos, símbolo de perfección, que se agrupan como celdillas en un conjunto arquitectónico armonioso repleto de luces y colorido.

A la sala principal abren cinco alcobas rectangulares, todas elevadas del suelo mediante un peldaño y separadas entre sí por pequeños camarines o alacenas. Las tres de levante se cubren con bóvedas de tablazón revestidas con pinturas que representan escenas cortesanas; la central muestra una reunión de personajes notables en animada tertulia, sentados en cojines sobre una tarima, ataviados con las características vestimentas nazaríes, todos portando la singular espada «jineta», lo que llevó equívocamente a pensar que se tratara de una representación de los sultanes –los reyes–; de ahí el nombre que recibe la sala. También fue llamada sala de la Justicia al ser interpretado el grupo como un tribunal en deliberación. Las otras dos bóvedas describen diversas representaciones cortesanas, como por ejemplo, desafíos entre caballeros, cristiano y musulmán, por la mano de una doncella, de los que sale victorioso el musulmán, tras una justa de competiciones encadenadas.

Estas representaciones, cuyo origen decorativo hay que buscarlo en la pintura gótica miniada, son ejemplares únicos en el mundo, lo que les confiere carácter de auténticas joyas. En el *quattrocento* del norte de Italia e incluso en el círculo de Aviñón habría que situar su ascendente; no debe olvidarse que la Granada nazarí mantenía una importante colonia de comerciantes genoveses y venecianos, de gran influencia en la corte. Su técnica es igualmente destacable: pintadas al temple con huevo y barnizadas, eran previamente dibujadas punteando los perfiles sobre la superficie de pieles de carnero que habían sido imprimadas con varias capas de yeso y ensambladas con astillas de bambú, para cubrir por completo el intradós cóncavo de las bóvedas de tablazón, llamadas por los artesanos «barcas», en alusión a la forma de su trazado.

Este destacado espacio palatino debió de ser escenario de fiestas y celebraciones en la etapa nazarí. Los Reyes Católicos dispusieron una capilla que se mantuvo hasta el siglo XVII llegando a servir como sede parroquial de Santa María de la Alhambra mientras finalizaba la construcción del nuevo templo.

Las tres bóvedas pintadas de la sala de los Reyes: a) bóveda sur; b) bóveda central; c) bóveda norte

a)

b)

c)

La cubierta de la sala de los Reyes sufrió una importante modificación a partir de 1855: se hizo una cubierta individual para cada uno de los tres techos pintados, en lugar de la cubierta común original, quedando el trasdós de los techos sin aireación, lo que produjo el consiguiente deterioro.

A finales de 2006 se realizó un proyecto de restauración de las cubiertas con el fin de frenar su deterioro.

Todos los tejados del palacio de los Leones fueron modificados, especialmente a partir de la segunda mitad del siglo XIX, destacando la reforma llevada a cabo en el pabellón este, cuya restauración supuso un hito en España. En 1859, los llamados «restauradores adornistas», Juan Pugnaire y Rafael Contreras, reconstruyeron el pabellón con una cubierta de tejas vidriadas de colores. En 1934, el entonces arquitecto conservador de la Alhambra, Leopoldo Torres Balbás, desmontó la cubierta desencadenando una gran polémica en el ámbito de la restauración que trascendió a la prensa internacional. Detrás de ello subyacía la disputa intelectual del momento por la hegemonía entre «restauración estilística» y «restauración científica».

Sala de Dos Hermanas

La estancia principal del palacio, sobre la que gira todo él, es la *qubba* mayor, en cuyo interior se encuentra la sala de Dos Hermanas, denominación cristiana por la que se conoce en la actualidad en alusión a las dos grandes losas de mármol emplazadas en el suelo de la estancia. Disponía de habitaciones superiores, y de una planta baja abierta al huerto-jardín. La distribución de esta vivienda es semejante a la de los Abencerrajes, situada enfrente, pero con mayor amplitud y riqueza decorativa. A diferencia de aquella, está abierta al exterior y, en la planta alta, posee ventanas al interior de la *qubba*, cubiertas con delicadas celosías de madera. Sin duda debió de tener las mejores perspectivas de la Alhambra de su época.

La entrada se hacía desde la galería del patio, ascendiendo tres peldaños, por una magnífica puerta de madera con dos grandes hojas y postigo, una

Cubierta interior de mocárabes de la sala de Dos Hermanas, seguramente el cénit de la decoración arquitectónica en la Alhambra

de las grandes obras de la carpintería nazarí, hoy conservada en el Museo de la Alhambra. Tras ella, el corredor transversal comunica, a la izquierda, con las letrinas y, a la derecha, con la escalera de la planta alta. Un canalillo encauza el agua desde la habitual pila esquemática, dispuesta en el centro de la estancia, hasta la fuente de los Leones.

La sala de Dos Hermanas está cubierta por una de las más exquisitas cúpulas de mocárabes del arte islámico. A partir de una estrella central de ocho puntas desarrolla su trazado en una composición tridimensional que se despliega en dieciséis cupulines situados sobre otras tantas ventanas con celosías que matizan la luz cambiante a lo largo del día. Se trata del máximo desarrollo de la característica linterna de la arquitectura nazarí, que ilumina cenitalmente la estancia. El genial juego de ventanas dobles descansa sobre el tambor octogonal de la cúpula que, para pasar a la planta cuadrada de la sala, recurre a elegantes trompas de mocárabes en los ángulos.

Un sobrio pero vistoso zócalo de alicatado diseñado a base de cintas de colores reviste la parte inferior de la *qubba*. Sobre él corre una inscripción, alternando cartelas rectangulares y circulares, con un poema de veinticuatro versos compuesto expresamente por el visir Ibn Zamrak para la ceremonia de circuncisión del príncipe, hijo de Muhammad V, que probablemente tuvo lugar aquí (trad.: José M. Puerta, «La Alhambra de Granada o la caligrafía elevada al rango de arquitectura», en *7 Paseos por la Alhambra*, 2007, cap. VII, p. 374):

> Yo soy el jardín *(ana al-rawd)* que con la belleza ha sido adornado,
> contempla mi hermosura y mi rango te será explicado.
>
> Por mi señor el imán Muhammad rivalizo
> con lo más noble por venir o ya pasado.
>
> ¡Por Dios! Su hermoso edificio, en felicidad, sobrepasa
> a los demás que hayan sido construidos.
>
> ¡Cuántas amenidades otorga a las miradas!
> En él, el alma del benévolo renueva sus deseos.
>
> En él, las cinco pléyades encuentran por la noche refugio
> y la lánguida brisa se torna sublime.
>
> En él existe una espléndida cúpula, sin igual,
> cuya belleza es a la vez oculta y manifiesta.

Flanquean la estancia dos alcobas, ligeramente elevadas mediante un peldaño, en cuyo interior se encuentra el habitual alhamí o compartimento para el reposo, situado al extremo. Ambas presentan en su parte superior una elegante decoración de yesería y magníficos artesonados, así como ventanas al exterior; la de la izquierda fue transformada en puerta para comunicar con las habitaciones añadidas en época cristiana.

Tal vez en ningún otro lugar de la Alhambra, arte y naturaleza quedaron integrados de forma tan perfecta como en esta vivienda palatina, con la decoración vegetal de atauriques figurativos en el interior y los jardines que por todos su flancos envuelven la estancia desde el exterior.

Sala de los Ajimeces

La *qubba* mayor se prolonga hacia el norte por la sala transversal de los Ajimeces, así llamada por los dos amplios ventanales que centran los

Sala de los Ajimeces

Detalle del juego de la luz reflejada en el paramento oeste de la sala de Dos Hermanas

lados mayores y que tuvieron ese tipo de cierre, balcones volados de madera con celosías. Las hoy desnudas y encaladas paredes estuvieron tapizadas con ricas telas de seda, de las que apenas quedan algunas muestras en los museos. Una alargada bóveda de mocárabes con cupulines consecutivos cubre toda la sala.

Mirador de Lindaraja

En el extremo opuesto al hueco de acceso sobresale, avanzando sobre el jardín inferior del palacio, el exquisito mirador de Lindaraja, uno de los más bellos rincones de la Alhambra. Como revela su nombre, este mirador se encontraba originalmente abierto al paisaje, hacia el Albaicín, sobre un huerto-jardín bajo que se prolongaba hasta la muralla norte de la ciudad palatina. Su interior atesora las decoraciones más primorosas del palacio, con diversas composiciones geométricas y epigráficas y con unas delicadas yeserías que enmarcan la ventana frontal, bajo un arco ciego de mocárabes. Los zócalos de diminutos azulejos muestran una sencilla pero vistosa sucesión de ruedas de estrellas, rematados por inscripciones con caracteres recortados en piezas de cerámica negra sobre fondo blanco, dispuestas como un puzle. A modo de linterna cenital, cubre el mirador un techo con cristales de colores ensamblados en una estructura abovedada de madera, que indica cómo serían la mayoría de los ajimeces o cierres de la Alhambra palatina.

A partir de 1528 se edificó una residencia para el emperador Carlos V en torno al jardín bajo, que lo cercó en forma de claustro y modificó radicalmente su aspecto original. En la actualidad se denomina a este sector patio de Lindaraja.

Detalle de los «juegos» de zócalos en el umbral del acceso al mirador de Lindaraja. La epigrafía árabe está realizada con piezas de cerámica recortadas y ensambladas

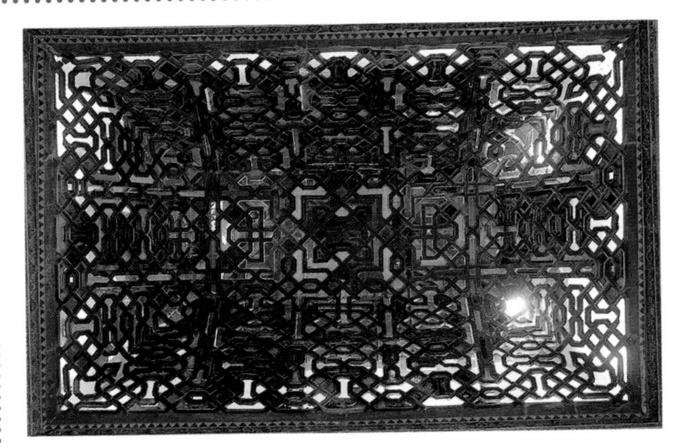

Techo del mirador de Lindaraja

Este techo, a modo de linterna cenital, está realizado a base de cristales de colores ensamblados en una estructura abovedada de madera. Es el único ejemplar de estas características que se conserva en la Alhambra. Su acabado formal nos recuerda cómo serían los cierres, las celosías, de la mayoría de las ventanas de los espacios palatinos de la Alhambra. El texto árabe del *Mawlid* de 1362 describe en el Mexuar un espectacular techo de cristal que debió ser semejante a este. A Muhammad V le debía gustar este tipo de techumbre, que probablemente tuvo también en su desaparecido palacio de los Alijares.

Al fondo de la sala de Dos Hermanas sobresale el mirador de Lindaraja

7.4 El palacio adaptado para Casa Real cristiana

Una vez Boabdil entregó la Alhambra a los Reyes Católicos tras un largo asedio, estos ocuparon gran parte de los ámbitos palatinos, y dedicaron fondos para evitar mayores deterioros. Su nieto, el emperador Carlos V, visitó la Alhambra en 1526 con su esposa Isabel, y ordenó la construcción de unos cuartos en torno a los palacios musulmanes, que hoy conocemos como las Habitaciones del Emperador.

Inmediatamente después de la conquista de Granada en 1492, los Reyes Católicos iniciaron un importante programa de obras y reformas en la Alhambra para intentar detener el avanzado estado de deterioro en que se encontraba, tras el largo periodo de asedio al que había sido sometido el recinto amurallado y poder garantizar su conservación. Para ello, los monarcas dispusieron que se hiciera una aportación periódica de fondos, de la que tenemos constancia por el morisco granadino Francisco Núñez Muley: «[...] esta intención y voluntad fue la de sus Altezas [...] para esto se sustentan los ricos alcázares de la Alhambra y otros menores en la misma forma que estaban en tiempos de los reyes moros [...]». En la misma línea, es significativa la petición que su nieto y heredero, el joven que luego sería emperador Carlos V, hizo desde Flandes en 1517 al alguacil mayor del reino la víspera de su viaje para tomar posesión del trono: «[...] para que ordenase la forma que mejor le pareciese del aposento de su casa y corte [...] y que los aposentadores hiziesen el aposento con suavidad y sin molestia». En junio de 1526 el emperador y su esposa Isabel de Portugal llegaron a Granada y se alojaron en la misma Alhambra. El monumento causó tan grata impresión a los ilustres huéspedes, que decidieron establecer aquí una importante sede imperial y el panteón de la dinastía. En 1528 se aprobó la construcción de seis «cuartos nuevos» en torno a los palacios musulmanes, que constituirían una especie de «suite imperial», en lo que hoy se conoce como las Habitaciones del Emperador.

Escudo sobre la chimenea del Despacho del Emperador

Cuando los reyes cristianos se hicieron cargo de la Alhambra, respetaron los palacios, decoración y símbolos de sus predecesores, los nazaríes, pero quisieron plasmar su estilo y simbología en las zonas que habitaron. Mientras se construía el palacio de Carlos V, se habilitó una zona de jardines entre los palacios musulmanes, como vivienda para el emperador. En estas estancias encontramos muchos elementos decorativos que hacen referencia a la cultura cristiana, como por ejemplo, este escudo de mármol sobre una gran chimenea, elemento arquitectónico que no existía en la Alhambra nazarí.
El escudo muestra todos los símbolos del emperador: las columnas de Hércules, de origen mitológico, que indican el límite del mundo conocido en la Antigüedad, en las que incluyó el lema «PLUS ULTRA» («más allá»); el águila de los Habsburgo con doble cabeza, símbolo del Sacro Imperio Romano Germánico; y la corona imperial.

Patio de Lindaraja, con su aspecto de claustro monacal cristiano

El palacio adaptado para Casa Real cristiana

Cuando el emperador Carlos V visitó Granada en 1526, quiso alojarse en la Alhambra. Por est razón, unos jardines situados entre el palacio de Comares y el de los Leones, que lindaban con la muralla norte, se habilitaron para adaptarlos como habitaciones del emperador y recibieron destacados elementos decorativos. Se accede a ellas por una puerta abierta en lo que anteriormente fue ventana, en la alcoba izquierda de la sala de Dos Hermanas.

❶ Habitaciones del Emperador

Tiene una gran chimenea renacentista. El diseño del techo, de cuarterones de madera, se debe a las trazas que realizó en 1532 Pedro Machuca, el arquitecto que proyectó el palacio de Carlos V.

❷ Salas de las Frutas

En ellas se realizó uno de los programas iconográficos más destacados del Renacimiento español. Los autores de las pinturas fueron Julio Aquiles y Alejandro Mayner.

❸ Peinador de la Reina

Ocupa la planta alta de la torre de Abu-l-Hayyay y constituye una habitación intimista, un *studiolo* o gabinete imperial completamente decorado con pinturas renacentistas.

❹ Patio de la Reja

Se trazó cuando se construyeron las habitaciones para el servicio del emperador. Toma su nombre del corredor enrejado y volad que comunica de unas estancias a otras.

❺ Patio de Lindaraja

Es un claustro con jardín, fuente central barroc y galerías porticadas en tres de sus lados. En el cuarto lado sobresale el mirador de Lindaraja.

❻ Sala de los Secretos

Situada bajo la sala de Dos Hermanas, se accede a ella desde el patio de Lindaraja. Su espacio interior, vacío, de planta cuadrada y cubierto con bóveda esférica, provoca una reverberación del sonido semejante a murmullos, a lo que debe su nombre.

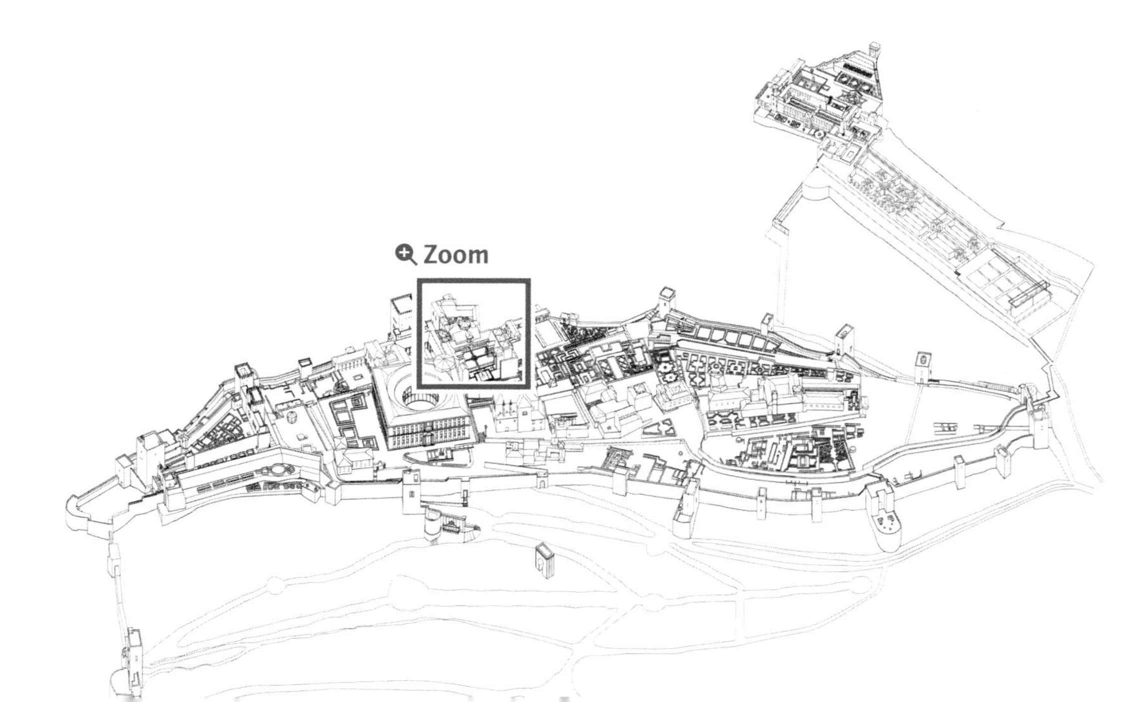

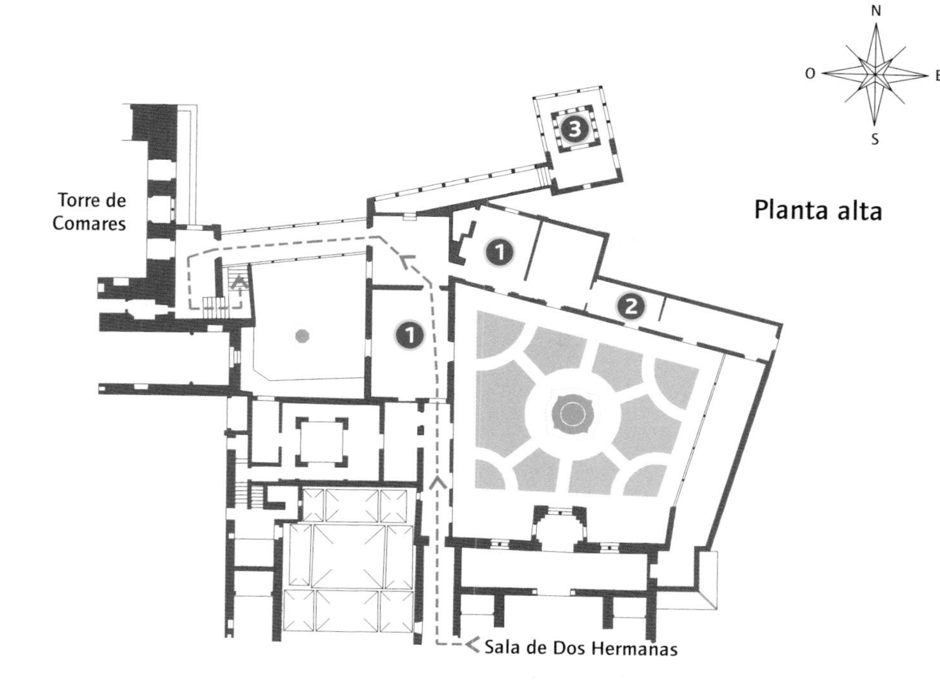

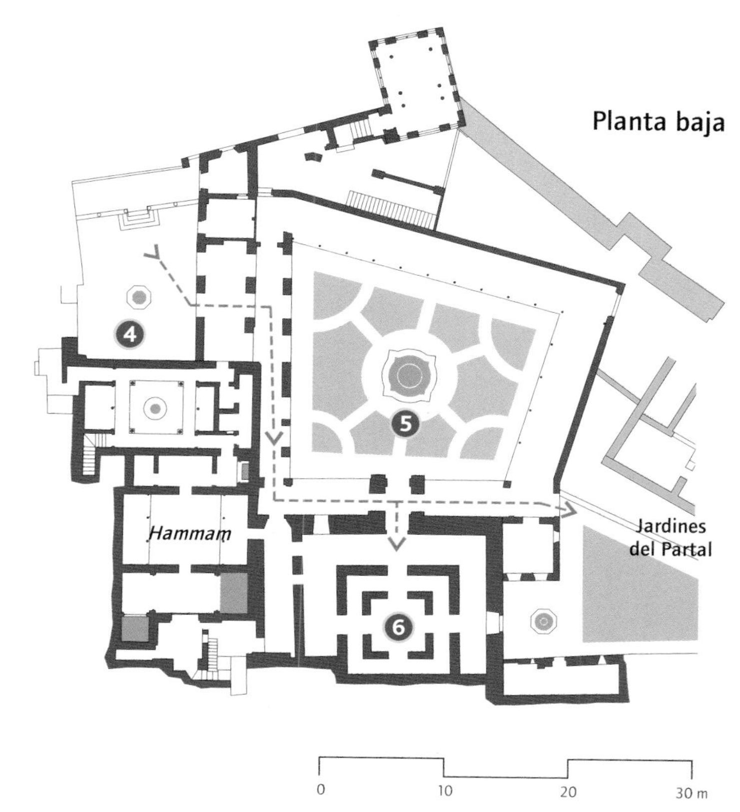

1 Habitaciones del Emperador
2 Salas de las Frutas
3 Peinador de la Reina
4 Patio de la Reja
5 Patio de Lindaraja
6 Sala de los Secretos

Sentido de la visita

Muralla
Arquitectura cristiana
Arquitectura nazarí
Jardines
Restos arqueológicos nazaríes
Elementos hidráulicos

Despacho del Emperador

Desde 1870 se accede a esta zona directamente, a través de la ventana de una de las alcobas del palacio de los Leones transformada en puerta. El corredor que facilita la comunicación entre el palacio musulmán y el cristiano discurre por la planta alta del claustro del siglo XVI, junto al baño de Comares. En el recorrido pueden verse las bóvedas del *hammam* con sus claraboyas, así como la habitación principal de su planta alta, adaptada desde entonces como entrada al mismo.

Tras el corredor se encuentra el Despacho del Emperador, dotado de una gran chimenea y artesonado de cuarterones, trazado hacia 1532 por el arquitecto Pedro Machuca, autor del proyecto del palacio de Carlos V. Seguidamente, una antecámara precede a los dormitorios imperiales, que ocupan todo el sector septentrional del claustro. En el siglo XVII se difundió la leyenda popular de que «en este quarto engendraron el Emperador Carlos y la Emperatriz doña Isabel, su mujer, al prudente Rey don Felipe II», en modo alguno cierta.

Habitaciones imperiales

Hoy se denomina también a estas estancias las habitaciones de Washington Irving, escritor norteamericano, autor de los famosos *Cuentos de la Alhambra*, que se hospedó en ellas en 1829; el primer Patronato de la Alhambra dispuso sobre la puerta una lápida en su recuerdo en 1914.

Detalle del techo de la sala de las Frutas donde se representó un bodegón

Salas de las Frutas

En estas habitaciones y sus dependencias contiguas se encuentra uno de los programas iconográficos más destacados del Renacimiento español. Entre las primeras, destacan las salas de las Frutas, cuyos techos fueron pintados hacia 1537 por Julio Aquiles y Alejandro Mayner,

Habitación del Emperador con la gran chimenea renacentista y, sobre ella, el escudo imperial

Bóvedas del baño de Comares vistas desde el acceso al Despacho

Sala de las Frutas

discípulos de Rafael Sanzio y de Giovanni de Udine. Esta representación pictórica con los productos de las huertas que rodean a la Alhambra enlaza con la tradición de los bodegones en las grandes residencias italianas contemporáneas. Desde aquí se pasaba a la habitación llamada en documentos del siglo XVI de la Estufa, adaptada al transformar la linterna de una torre nazarí en una galería de influencia italiana abierta al exterior. Esta integración de lo musulmán y lo cristiano con el paisaje circundante, tan habitual en la Alhambra, puede apreciarse desde uno de sus más bellos miradores hacia el Albaicín y el Sacromonte, situado en la galería abierta que sigue a la antecámara de las Habitaciones del Emperador.

Peinador de la Reina

La torre, edificada probablemente por Nasr Ibn al-Yuyyus (1309-1314) y luego adaptada por Abu-l-Hayyay –Yúsuf I– (1333-1354), de ahí que también reciba su nombre, es la única que rompe el esquema habitual de las torres de la Alhambra. En su interior se dispuso un intimista pabellón saliente de la muralla general, al que en su parte superior se añadió la referida galería renacentista, rodeando la linterna medieval, por lo que pasó a llamarse popularmente torre del Peinador de la Reina.

La adaptación arquitectónica se llevó a cabo hacia 1537, y fue decorada entre 1539 y 1546 por los mencionados Julio Aquiles y Alejandro Mayner con frescos con escenas mitológicas como la «Caída de Faetón» o escenas de la *Metamorfosis* de Ovidio que recuerdan las estancias vaticanas. En ella se encuentran, entre otros temas, representaciones pictóricas de la expedición de la Armada imperial con el desembarco en Túnez en 1535, realizadas a partir de los bocetos del pintor holandés Jan Cornelisz Vermeyen que acompañó al propio Carlos V, así como del puerto de Cagliari, Sicilia y Tripani, o de las ruinas de Cartago. En las pilastras pueden apreciarse motivos decorativos propios del vocabulario formal del clasicismo italiano, junto a otros más curiosos entre los que destaca una de la primeras representaciones pictóricas de mazorcas

Galería «Belvedere» añadida a la torre nazarí para configurar el llamado Peinador de la Reina

de maíz junto al águila bicéfala correspondiente al emblema del emperador.

Estas salas, por sus singulares características, no se incluyen en el itinerario oficial, y solo se pueden visitar, previa inscripción, en alguno de los programas especiales que ofrece el Conjunto Monumental.

La torre del Peinador quedó conectada a las estancias regias mediante una galería superpuesta

Pinturas del Peinador de la Reina

En el interior del Peinador se conserva una síntesis del repertorio pictórico más destacado del Renacimiento español. Sus autores son Julio Aquiles y Alejandro Mayner, discípulos de Rafael Sanzio. Además de las iconografías mitológicas, con detalles muy curiosos, como las mazorcas de maíz o el cangrejo que sujeta una coquina, se encuentran paisajes y escenas de la Armada imperial, como la batalla de la derecha, en la que se representa el desembarco de Túnez en 1536. En este detalle se muestra a la flota que navega rumbo a África. Es significativo que precisamente en la Alhambra, último baluarte de los musulmanes en España, se quisiera representar la conquista de Túnez por las tropas imperiales de Carlos V.

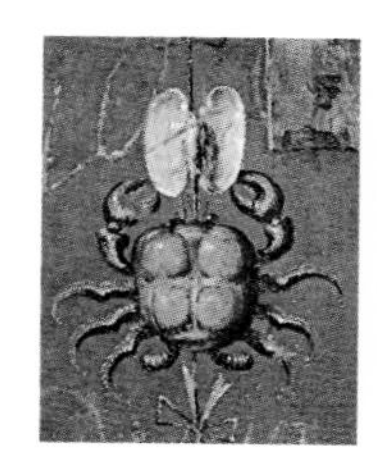

El interior del Peinador es representativo de la integración de elementos decorativos nazaríes, en planta baja, con las pinturas renacentistas de escenas históricas y mitológicas de la parte superior

a la muralla que constituye un magnífico mirador sobre el paisaje.

La adaptación cristiana del palacio supuso la comunicación directa con la gran torre de Comares en 1530 mediante una galería abierta de dos pisos, que adoptó su actual fisonomía en 1618, al aprovechar columnas y capiteles procedentes de las reformas de diversos lugares de la Alhambra, algunos de ellos considerados obras maestras, que han sido retirados del lugar y se conservan en el Museo de la Alhambra.

Patio de la Reja

Por la galería se desciende al pintoresco patio de la Reja, así llamado por el balcón corrido de rejería dispuesto en la parte superior del testero sur, realizado entre 1654 y 1655 para proteger las habitaciones inmediatas y servir de corredor abierto entre ellas. En el centro del patio, una pequeña fuente con taza de mármol blanco completa el aspecto, a la vez único y tradicional, de este curioso rincón. Desde el testero occidental del patio puede verse la estancia en el sótano del palacio de Comares, bajo la sala de la Barca, denominada desde el siglo XVII sala de las Ninfas debido a que allí se guardaban unas estatuas femeninas.

Patio de Lindaraja

Contiguo al patio de la Reja se encuentra el patio de Lindaraja, de características muy diferentes a las de los patios nazaríes por su disposición claustral. Adopta el nombre del mirador nazarí que lo preside en su cara meridional, pues hasta el siglo XVI era un jardín abierto al paisaje, pero desde entonces quedó cerrado por las tres crujías de las Habitaciones del Emperador. En planta baja estas conformaron galerías porticadas para las que se utilizaron columnas procedentes de otros lugares de la Alhambra. La sensación de claustro se acentúa por el diseño del jardín, centrado por una fuente barroca de piedra de Sierra Elvira, realizada hacia 1626. En esa fecha se le superpuso una taza nazarí de mármol con decoración de

Patio de la Reja, con un balcón de rejería que servía de corredor entre las habitaciones

El patio de Lindaraja es uno de los rincones de la Alhambra que más ha atraído a los pintores de todas las épocas, como demuestra esta pintura de Joaquín Sorolla de 1910. Madrid, Museo Sorolla

El patio de Lindaraja con la fuente central, el mirador de Lindaraja arriba a la derecha y, debajo, la puerta que da entrada a la sala de los Secretos

El baño de Comares desde la galería oeste del patio de Lindaraja

Desde la galería occidental del patio de Lindaraja se puede acceder al interior de un corredor situado bajo las Habitaciones del Emperador. Ambos, galería y corredor, fueron construidos en época cristiana sobre el callejón de los Leñadores, así llamado porque era el lugar por donde se abastecía el horno del *hammam* o baño de Comares. Desde aquí se puede observar la sala central, único espacio habilitado para acceder al interior del *hammam*. También se puede ver la puerta por la que se introducía el combustible para el horno del baño, la «leñera», ubicada junto al lugar donde estaba la caldera. Al fondo del corredor se encuentran unos vanos por los que discurren varias canalizaciones hidráulicas procedentes de los palacios de la Alhambra. Este espacio muestra una sorprendente simbiosis cultural, como sucede en otros lugares de la Alhambra.

gallones e inscripción epigráfica, probablemente destinada al mismo palacio de los Leones, que fue sustituida en marzo de 1995 por la réplica actual para su restauración y conservación en el Museo de la Alhambra, donde se expone con el nombre de este patio. Las referencias, a lo largo del siglo XIX, han consolidado este patio como uno de los rincones románticos de la Alhambra.

La galería oeste del patio permite acceder a un corredor cubierto que corresponde con el tramo final de una callecita medieval secundaria llamada de los Leñadores, por la que se abastecía de leña el baño del palacio de Comares. En este sector puede reconocerse, además del acceso a la zona de servicio del baño, los encuentros de varias canalizaciones subterráneas de desagües de los palacios del siglo XIV.

Sala de los Secretos

La llamada sala de los Secretos pertenece a la estructura del palacio de los Leones, aunque hoy sea independiente de él, y se integra como fachada norte en el patio de Lindaraja. La planta baja del mirador de Lindaraja, cuya estructura avanza sobre el patio, hace de pórtico de entrada, con arcos de herradura apuntada. La sala de los Secretos conforma un espacio interior de planta cuadrada, cubierto con bóveda esférica en la que el sonido produce cierta reverberación o refracción en los vértices de la estancia, acentuada por la ausencia de mobiliario, y produce la sensación de que se oyen murmullos, «supuestas» confidencias o secretos; de ahí su nombre. El espacio central está rodeado por corredores cubiertos con bóvedas de medio cañón y aberturas en eje; en el umbral del acceso principal tiene una pequeña pero elegante bóveda de crucero, de planta cuadrada.

La galería de salida del patio de Lindaraja era denominada hasta época reciente «de Chateaubriand», por haber dejado en ella su firma el famoso escritor y político francés. Las columnas que sirvieron para su edificación proceden del derribo de uno de los patios del Mexuar.

La sala de los Secretos situada bajo el mirador de Lindaraja

7.5 El Partal

La amplia zona aterrazada, conocida genéricamente como jardines del Partal, incluido su palacio al que debe su nombre, estuvo en manos de propietarios privados hasta fecha relativamente reciente, en que el Estado la ha ido adquiriendo para integrarla en el Conjunto Monumental. Es una de las zonas que más se ha modificado en el siglo XX mediante una planificación paisajística y arquitectónica que ha conseguido integrar muchas de sus estructuras arqueológicas recuperadas en este amplio espacio de gran interés paisajístico.

Siguiendo un estrecho paseo ajardinado, con la vista abierta hacia el Sacromonte, a la izquierda dejamos la muralla norte de la Alhambra junto a la que se pueden ver restos de muros y pavimentos que conforman lo que se denomina el patio de la Higuera. Una pequeña pérgola conduce a una explanada en la parata inferior del Partal, presidida por la estructura arquitectónica que da nombre a todo el área: el pórtico del palacio del Partal. Este amplio sector del Conjunto Monumental de la Alhambra, tal y como lo vemos en la actualidad, es consecuencia de una planificación paisajística y arquitectónica, iniciada en la década de los años treinta del siglo XX, que, debido a la afluencia turística, se ha convertido en un amplio espacio de expansión y descanso.

Las casas de esta zona de la Alhambra eran de distintos propietarios particulares, incluido el

Vista aérea de la zona aterrazada del Partal

Palacio del Partal o del Pórtico, uno de los más antiguos de la Alhambra, en el que destacan la gran alberca y la torre conocida como el «Observatorio»

El Partal

El amplio sector denominado el Partal está presidido por el palacio del Pórtico y la torre de las Damas. Es un extenso espacio organizado en paratas y ajardinado, donde la integración de edificios, restos arquitectónicos y vegetación permite un momento de sosiego durante la visita a la Alhambra. La torre de las Damas es un gran mirador desde el que se divisa una amplia panorámica del Albaicín, el Generalife y los espacios ajardinados del Partal que bordean la alberca en la que se refleja la bella imagen de su galería porticada.

❶ Casas moriscas

Adosadas a la muralla, a la izquierda del palacio del Partal, subsisten unas casas nazaríes de dos plantas y sin patio, transformadas en el siglo XVI, que conservan algunos importantes restos decorativos.

❷ Palacio del Pórtico

Ubicado en torno a la torre de las Damas, su estructura arquitectónica forma parte del palacio más antiguo de los conservados. Consta de un pórtico de cinco arcos que se abre a un jardín presidido por una gran alberca central.

❸ Oratorio

A la derecha del palacio, es un pequeño edificio de la época de Yúsuf I, cuya orientación hacia la Meca coincide con la alineación de la muralla. Tanto en el interior como en el exterior presenta decoración de yesería.

❹ Las paratas

El terreno de esta zona en declive se ha organizado en terrazas o paratas ajardinadas con elementos arquitectónicos y restos de edificios que han aparecido en sucesivas excavaciones arqueológicas.

❺ La Rauda, cementerio de sultanes

Fue un cementerio parcialmente cubierto y organizado como un jardín donde se han encontrado las losas sepulcrales de varios de lc sultanes que reinaron en la Alhambra.

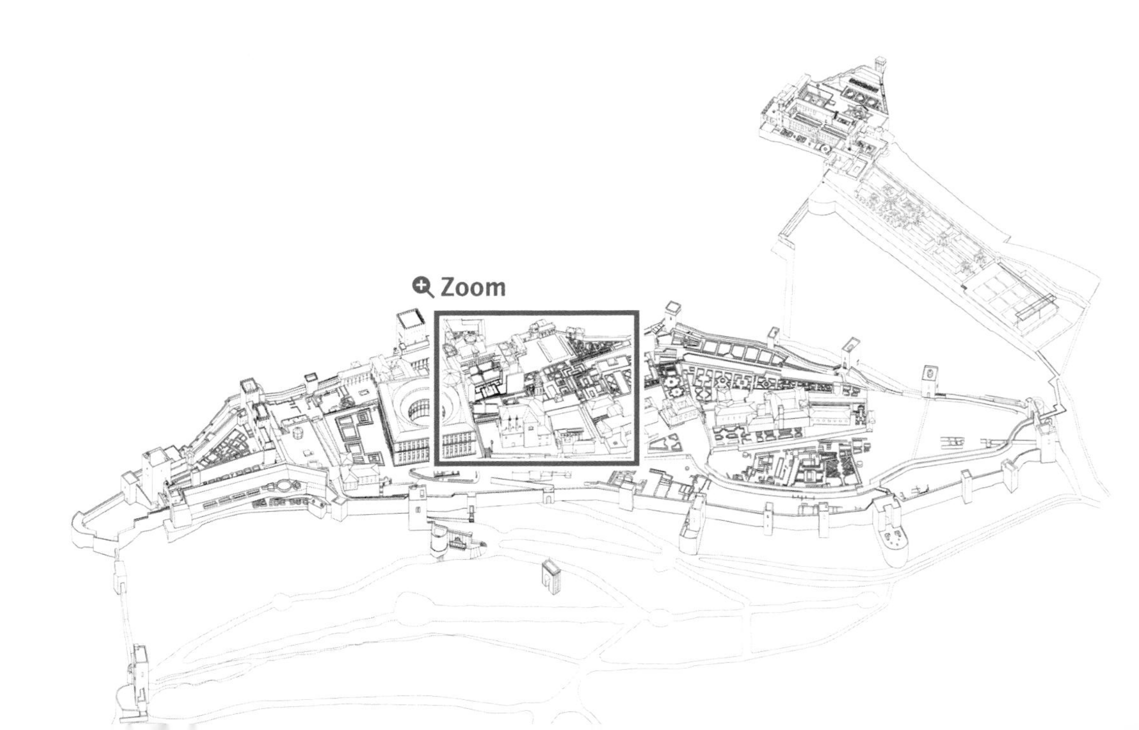

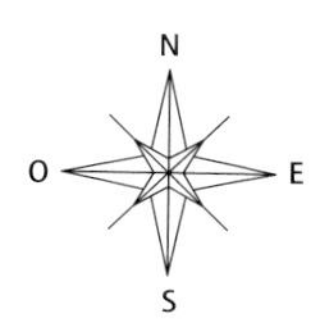

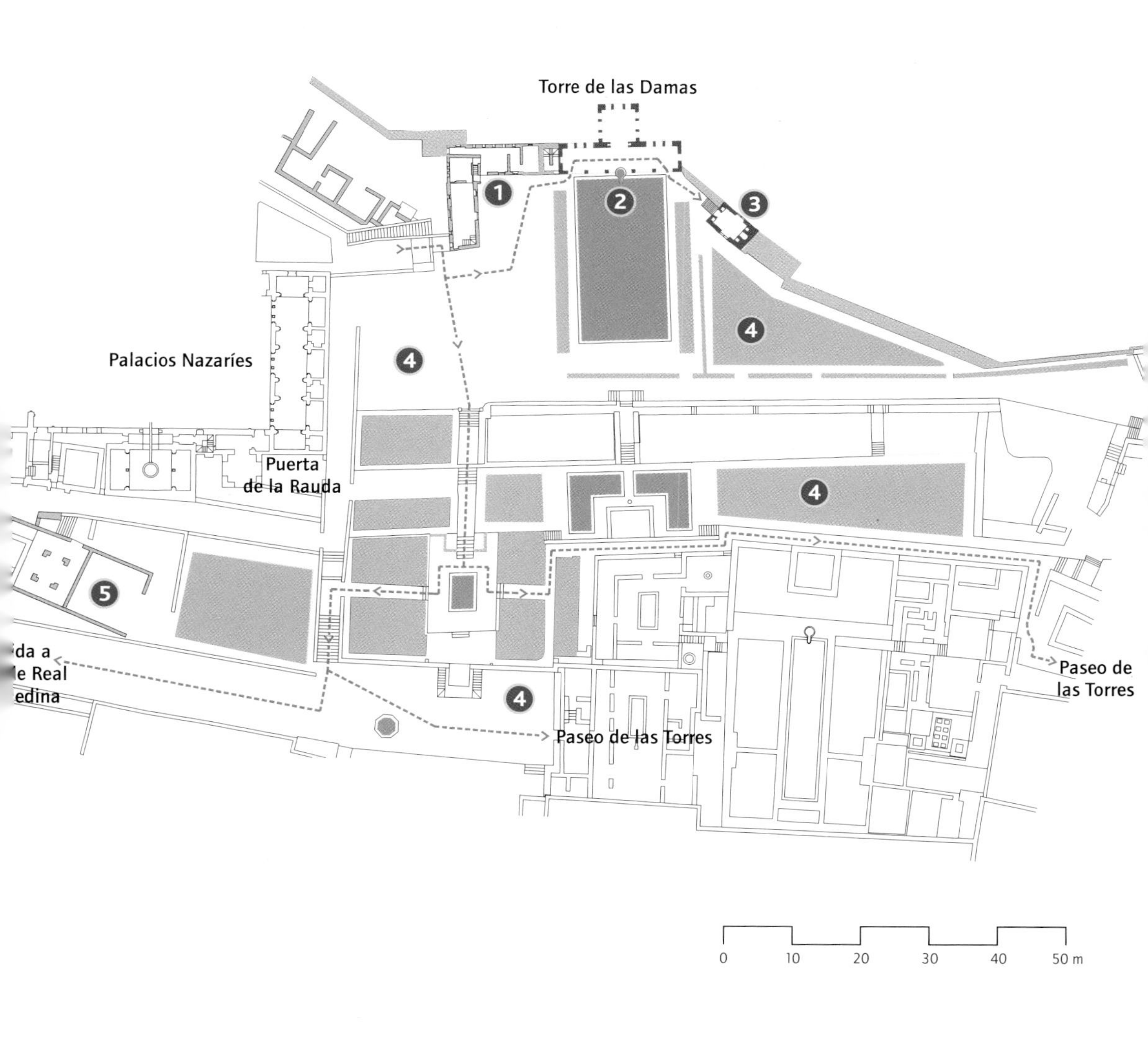

1 Casas moriscas

2 Palacio del Pórtico

3 Oratorio

4 Las paratas

5 La Rauda, cementerio de sultanes

Sentido de la visita

Muralla

Arquitectura nazarí

Restos arqueológicos nazaríes

Jardines

Elementos hidráulicos

palacio, y desde mediados del siglo XIX se han realizado adquisiciones y expropiaciones por las que se ha podido recuperar la zona y realizar sucesivas exploraciones arqueológicas. Se consolidaron muros, pavimentos y elementos arquitectónicos, especialmente a partir del primer tercio del siglo XX, completándolos con plantaciones, hasta lograr de la integración de restos arqueológicos, consolidación arquitectónica, vegetación y paisaje un afortunado modelo que ha tenido gran influencia en la imagen de la Alhambra y proporciona al visitante un gran espacio libre de vegetación con bancos para hacer un alto en el recorrido.

Los jardines del Partal se extienden desde la torre de las Damas hasta la Rauda. En este mismo lugar se encontraban los jardines que rodeaban los palacios reales, distribuidos también de forma escalonada.

Casas moriscas

A la izquierda de la torre de las Damas, que domina la zona del Partal, se conservan unas pequeñas casas moriscas de dos plantas con elementos de la etapa nazarí (denominadas desde el siglo XVII casa de González Pareja, casa de Villoslada, casa de los Balcones y casa de las Pinturas), una de ellas adosada a la muralla y a la torre de las Damas. Originalmente independientes entre ellas, probablemente daban a un patio común, que es como una plazoleta entre sus fachadas.

En el interior de la llamada casa de las Pinturas se descubrieron restos de una importante decoración mural realizada en la primera mitad del siglo XIV, único ejemplo conservado *in situ* de la pintura figurativa nazarí. Fue descubierta en 1908 por el arquitecto Modesto Cendoya al retirar unos enlucidos. Estas pinturas, realizadas al

Casa de las Pinturas, adosada al palacio del Pórtico del Partal

Casa de las Pinturas
En esta casa morisca se han encontrado los únicos restos de pinturas figurativas murales nazaríes que se conservan. Realizadas en la primera mitad del siglo XIV, presentan escenas cortesanas y ceremoniales. Sorprenden los detalles, a veces miniaturistas, de las escenas completamente naturalistas. Estas pinturas fueron superpuestas al adosar la casa al hasta entonces exento pabellón, por lo que, bajo ellas, se ha conservado la pintura exterior del mismo, a base de ladrillo rojo fingido con llagueado en blanco y una banda epigráfica.

temple sobre estuco, se organizan en tres registros horizontales con escenas cortesanas festivas y ceremoniales muy interesantes, pues informan sobre la vida de aquella época. Su delicado estado de conservación aconseja la restricción de su exposición al público.

Palacio del Pórtico

Situado sobre la muralla, con su estructura arquitectónica en torno a la torre de las Damas, este palacio es el más antiguo de los conservados en la Alhambra. Su disposición recuerda a la del palacio de Comares: una gran alberca central presidida por un pórtico de cinco arcos, tras el que se desarrolla la estancia principal, dispuesta en el interior de una torre. La decoración de sus paramentos, que acusa el deterioro ocasionado por los efectos del tiempo y la intemperie, presenta el habitual zócalo de alicatado, amplios paños de yeserías, originalmente policromados hasta el arrocabe, y una cubierta de armadura de ensamblar en madera. Su tipología decorativa permite atribuir su construcción a la época del sultán Muhammad III (1302-1309).

Sobre el pórtico del palacio sobresale la estancia alta, llamada el «Observatorio», típico pabellón de la arquitectura nazarí

Pequeña cúpula de mocárabes, la más antigua de la Alhambra, en el llamado «Observatorio» del Partal

Techo del torreón del palacio del Partal, actualmente en el Museo de Pérgamo de Berlín

En la torre de las Damas, por encima del pórtico sobresale un torreón que contiene en su interior un mirador con ventanas hacia los cuatro puntos cardinales, muy característico de la arquitectura nazarí, semejante a los que existieron en otros palacios del conjunto, como el de Comares o el del Generalife. Por sus extraordinarias vistas y la conocida afición a la astronomía del sultán, se le ha llamado modernamente el «Observatorio», y en su interior conserva la cupulita de mocárabes más antigua de la Alhambra.

Uno de los hechos por los que destaca el palacio del Partal, a diferencia de sus vecinos de Comares y Leones que han mantenido más o menos intacta su estructura general desde la etapa nazarí, es que este palacio ha tenido diferentes propietarios privados, por lo que ha sido muy modificado para adaptarlo como vivienda, como podemos apreciar en la fotografía de principios del siglo XX. Se ha incorporado al conjunto de la Alhambra hace apenas un siglo, concretamente el 12 de marzo de 1891, fecha en que su último propietario, Arthur von Gwinner, cedió su titularidad al Estado español. El edificio estaba convertido entonces en una sencilla casa de dos plantas, con sus paramentos interiores enfoscados, enmascarando gran parte de la estructura y la decoración original.

Desafortunadamente, el techo de madera del interior del mirador fue desmontado por Gwinner, y apareció a principios del siglo XX en Berlín, y en la actualidad es una de las piezas destacadas de la colección de Arte Islámico del Museo de Pérgamo, en la capital alemana.

El palacio del Pórtico del Partal, con la torre de las Damas a la izquierda

Por ser uno de los lugares más transformados de la Alhambra, se han experimentado aquí diversas técnicas de restauración.

Entre 1923 y 1924 el entonces arquitecto conservador de la Alhambra, Leopoldo Torres Balbás, liberó la fachada del pórtico de elementos añadidos y rehizo la arquería completa a partir de los restos conservados; el arco central apareció casi completo y los laterales fueron rehechos imitando la decoración romboidal con la típica decoración de *sebka* mediante «trozos de yeso agujereados que desde lejos dieran la impresión de la disposición antigua», según escribió el ilustre arquitecto. Esta solución, que ha tenido gran influencia posterior, es el equivalente arquitectónico del *rigattino* aplicado a la pintura.

Otra intervención posterior, debida al arquitecto Francisco Prieto Moreno, consistió en sustituir los pilares de ladrillo del pórtico por estilizadas columnas y capiteles de mármol. Durante la excavación de la galería en los años veinte apareció la cimentación de las columnas centrales que se habían perdido, mientras que en los extremos se evidenciaron pilastras. Debido a la rapidez de los trabajos y a la escasez de recursos, inicialmente se mantuvieron los pilares de ladrillo en toda la galería, pero se labraron unas columnas que se guardaron durante un tiempo y, finalmente, tras consultar la opinión de Torres Balbás, fueron colocadas en 1959.

En la última década del siglo XIX se colocaron en el Partal frente a la galería dos grandes leones de mármol, del siglo XIV,

El Oratorio del Partal junto a la casa del escudero Astasio de Bracamonte

originarios del antiguo Maristán en el Albaicín. En 1955 fueron trasladados para su restauración y hoy se conservan en el Museo de la Alhambra, pues ni por conservación, cronología, funcionalidad o contexto tenía sentido su presencia en el lugar.

Oratorio

El Oratorio del Partal se encuentra adosado a la muralla general del recinto, a la derecha del palacio del Pórtico. Sus elementos decorativos lo relacionan con el sultán Yúsuf I (1333-1354). La orientación preceptiva del edificio coincide precisamente con la alineación de la muralla. Es de planta rectangular, se accede a través de unas escaleritas por estar elevado sobre los jardines, y el muro lateral que da a la alberca está decorado con yeserías como una fachada, al igual que gran parte de los muros exteriores e interiores, y presenta doble ventana con columna central. La estructura es de ladrillo, con armadura apeinazada en el interior, bajo cubierta de teja. El paramento que monta sobre la muralla conserva huellas de las almenas anteriores a la construcción del Oratorio.

Enfrentado al acceso se encuentra el *mihrab*, cuyo muro de la *qibla* está adosado a la casa llamada de Astasio de Bracamonte, escudero del conde de Tendilla, alcaide de la Alhambra desde 1492. El edificio es posiblemente también de época nazarí, adaptado en el siglo XVI. La estructura de esta casa es más antigua que la del Oratorio, ya que conserva restos de pintura mural imitando ladrillo, igual a la del paramento exterior de la torre de las Damas, al que posteriormente se adosó la casa de las Pinturas.

Interior del Oratorio del Partal, con el *mihrab*

Las paratas

El terreno de esta zona se desarrolla en una serie de terrazas o paratas que siguen los desniveles, desde la muralla de la fortaleza sobre la margen izquierda de la cuenca del río Darro, y van ascendiendo hacia la zona alta de la Alhambra. Constituye el que probablemente fue primer asentamiento palaciego planificado por la dinastía nazarí.

El desarrollo del jardín en paratas ascendentes recuerda al diseño ejecutado por el califato de Córdoba en el siglo x para su palacio de Madinat al-Zahra', de gran influencia en el mundo hispanomusulmán. De hecho, en la parata inmediata se conserva, en perfecto eje con el pórtico del Partal, el suelo de un pequeño pabellón que perteneció a este palacio como cierre del mismo en su crujía meridional. A partir de la explanada situada en la parata inferior del Partal se puede continuar el itinerario de visita a la Alhambra ascendiendo por una escalinata que parte desde una frondosa portada vegetal.

La puerta de la Rauda desde el Partal (1986).
Archivo de la Alhambra

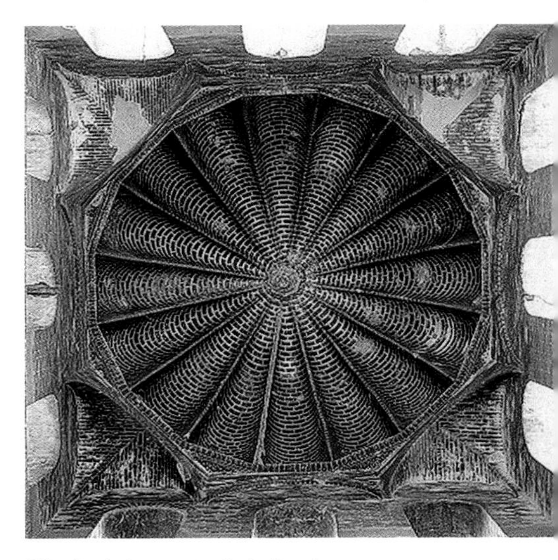

Cúpula de la puerta de la Rauda

Puerta de la Rauda

Desde aquí puede visitarse el edificio llamado, por su proximidad al cementerio de los sultanes, «puerta de la Rauda», de planta cuadrangular, que conserva en su interior una magnífica cúpula de gallones, con la tradicional decoración pintada de ladrillos rojos con llagas blancas en trampantojo. Se trata de una *qubba* o pabellón, abierto en tres de sus costados mediante grandes arcos de herradura; el cuarto sirvió de puerta de comunicación con el interior del palacio de los Leones, en cuya estructura quedó integrado el edificio, aunque la *qubba* de la Rauda es anterior, manifestando su papel de enlace entre los anteriores palacios que había en este sector.

Jardines del Partal

A través de los jardines del Partal, se franquea una nueva arcada vegetal escalonada que cobija un pequeño pilón y un amplio patio rodeado de jardines con una alberca central. Todos los restos de edificaciones corresponden a estructuras originarias que aparecieron en la excavación arqueológica del primer tercio del siglo xx, entre los que destaca un pilar empotrado en el paramento que cierra la parata superior, flanqueado por dos escaleras para acceder a esta, sobre el que se edificó un pequeño mirador que domina todo el espacio.

El Partal desde el pequeño pabellón situado frente al Pórtico

Este patio funciona en la actualidad como distribuidor de la visita a la Alhambra. Desde aquí puede continuarse en dirección al Generalife siguiendo la muralla en la que se intercalan varias de las torres del recinto. También se puede optar por visitar la parte alta donde se encuentran los restos del cementerio de la dinastía nazarí, conocido como la Rauda, y la salida hacia el palacio de Carlos V y la calle Real. Esta última opción permite continuar hacia la Alcazaba o salir del recinto monumental.

En la parata intermedia de los jardines del Partal es posible hacerse una idea aproximada del urbanismo originario de la zona, pues se recorre un tramo de calle angosta, pavimentado con el tradicional empedrado, que muy bien podría tratarse de la calle Real Baja, vía principal de comunicación entre los palacios de la Alhambra. En la zona superior se ven los restos del palacio de Yúsuf III y su entorno, mientras que en la parata inferior se aprecia la estructura general del palacio del Partal.

El tramo de calle se convierte así en un privilegiado mirador de los jardines del Partal. Junto al inicio de la calle hay otra vía perpendicular, secundaria pero más amplia, que probablemente conducía, atravesando la parata superior, a la zona alta de la Alhambra, donde se encuentra la medina o ciudad cortesana, estructurada en torno a la calle Real Alta.

En el ángulo recto que dibujan en planta ambas calles se desarrolla, enmascarada entre jardines, la estructura de una construcción doméstica en torno al tradicional patio, centrado por una alberquilla. Por detrás de ella, más elevada, se extiende otra estructura con igual distribución.

Ante el mirador creado en la calle por la que continúa el itinerario de la visita surge de forma espectacular la bella figura del pórtico del palacio del Partal recortado sobre el paisaje del Albaicín y el Sacromonte. El pretil que nos sirve de barrera es en realidad el muro que delimita el palacio del Partal, ante el que se extienden los restos de lo que debió ser un bellísimo pabellón, en eje con el pórtico, que ha conservado parte del pavimento cerámico original. Rodeado por dos curiosos estanques que forman una U y dominando el descenso escalonado de jardines, este bello espacio recuerda como ningún otro la disposición de Madinat al-Zahra', a la que tanto debe la arquitectura hispanomusulmana.

Dos opciones: las torres y la medina

Con los jardines del Partal se completa el recorrido por uno de los tres sectores en que se divide la visita al Conjunto Monumental de la Alhambra: los Palacios Nazaríes. Los otros dos ámbitos, la Alcazaba y el Generalife, pueden visitarse a continuación, en el caso de que no se haya hecho antes. Igualmente se puede acceder al palacio de Carlos V, o bien salir del recinto monumental.

Desde el Partal existen dos posibilidades para continuar la visita: seguir por el paseo de las torres o acceder a la medina.

Sin salir al exterior del recinto, desde el Partal se puede llegar al Generalife recorriendo la cara interior de la muralla de la Alhambra, a lo largo de la que se suceden varias torres representativas del Conjunto.

Es un paseo entre jardines y restos arquitectónicos, recuperados en parte gracias a las excavaciones y restauraciones realizadas a partir del siglo XX, con unas perspectivas muy favorables del entorno territorial de la Alhambra.

Tras su recorrido, se puede salir del recinto amurallado de la Alhambra para visitar la finca del Generalife y el entorno del Conjunto

Monumental. También se puede acceder desde él al aparcamiento de vehículos y a los servicios complementarios que ofrece el monumento, así como al bosque y a los accesos a Granada, si se da por concluida la visita.

Desde el Partal también se puede acceder a la medina alta de la Alhambra, su espacio urbano, muy transformado a lo largo del tiempo, pero en cuyo recorrido se pueden visitar varios lugares interesantes. Esta es la opción para quienes no hayan accedido anteriormente a la Alcazaba, al interior del palacio de Carlos V o a sus espacios expositivos (Museo de la Alhambra, Museo de Bellas Artes, Sala de Exposiciones, Librería, etc.).

La Rauda, cementerio de sultanes

Rauda significa jardín, lo que nos hace pensar que la elección del término indica la voluntad de su utilización como tal, en un espacio tan característico de la Alhambra, junto a la mezquita principal y al palacio, del que únicamente la separa la calle Real Baja. El término en árabe clásico designa, dentro de esa polivalencia de los espacios tan característica de lo musulmán, un jardín funerario; el Islam otorga a la relación del enterramiento con el medio ambiente una especial significación, como antesala del Paraíso. Algunas sepulturas, a pesar de ocupar el interior de un edificio, se dejaban sin techar o se cerraban con una cancela que asegurase el contacto con la naturaleza. La Rauda probablemente fue un cementerio parcialmente cubierto y tratado como jardín, con un edificio en el centro que recuerda en distribución y dimensiones al mausoleo de los príncipes Saadíes de Marrakech, aunque este sea más tardío. En 1574, como consecuencia de las obras del palacio de Carlos V, se encontraron las losas sepulcrales de Muhammad II, Isma'íl I, Yúsuf I y Yúsuf III, según testimonio del morisco intérprete de árabe, Alonso del Castillo. Es posible que la Rauda ocupase en parte los restos de un enterramiento anterior, como indican los muros de las tumbas contiguas al palacio de Carlos V, algunas de ellas encontradas alrededor del edificio.

Interior del cementerio de la Rauda con los restos de la *qubba* central y la puerta principal al fondo

Lápidas sepulcrales
Estas son dos de las lápidas sepulcrales que, junto a otros escasos restos, fueron recuperadas de la Rauda de los sultanes nazaríes de la Alhambra. Hoy se encuentran en el Museo de la Alhambra, en la sala del palacio de Carlos V más cercana a la Rauda o cementerio de los sultanes. Estas grandes losas de mármol eran colocadas en la cabecera de las tumbas de los más destacados personajes, como los sultanes, a los que se glosa metafóricamente. Sobre las tumbas de los sultanes se ponían también grandes losas y, sobre ellas, otras de sección piramidal, llamadas *maqabriyyas*. Probablemente estas lápidas estaban policromadas. Los textos escritos en ellas poseen un gran valor epigráfico e histórico.

La entrada al edificio de la Rauda se hacía desde la calle Real Baja, a través de un pequeño vestíbulo, por una puerta con arco de herradura que ha conservado en sus albanegas la huella de una decoración de rombos. La planta de los restos conservados del edificio es rectangular, y presenta la misma orientación que la mezquita. En el centro, los pilares en ángulo atestiguan que hubo un cuerpo de linterna, del que se conserva en el Museo de la Alhambra parte de una ventana alta con su celosía de madera. Durante el desescombro aparecieron, además, abundantes restos decorativos, zócalos de azulejos y fragmentos de yeserías.

La presencia de un cementerio en fecha tan temprana pudo contribuir a dinamizar este espacio del recinto que en esa época estaría casi sin edificar, y que a partir del primer tercio del siglo XIV sería el eje de las grandes construcciones palatinas nazaríes. En el urbanismo de la Alhambra, la Rauda no era un edificio aislado, ya que ocupaba un lugar intermedio en el camino desde los palacios hacia la mezquita y la medina. Se desconocen los límites originales del recinto, aunque seguramente debía extenderse más allá de la configuración actual del jardín.

La Rauda es la necrópolis interior de la Alhambra, aunque se conoce la existencia de otro cementerio fuera de las murallas. El primer emir que fue enterrado aquí, según el escritor y visir Ibn al-Jatib, fue Muhammad II, que murió en 1302. Isma'íl I, tras ser asesinado, fue enterrado junto a su abuelo el 9 de julio de 1325. Tenemos noticias del entierro de Yúsuf I, que también murió de forma trágica en 1354: «El sultán, que Dios se haya compadecido de él, fue enterrado la misma tarde de aquel día en el cementerio de su palacio, junto a su padre». Asimismo se conserva la lápida de Yúsuf III que murió en 1417, así como la del último enterrado, el príncipe Yúsuf, hermano de Muley Hacén.

Tras la conquista cristiana, y como parte de los acuerdos alcanzados, se permitió a los descendientes la exhumación de los restos mortales que había en la Rauda, que fueron trasladados a lomos de acémilas a un lugar desconocido de la Alpujarra.

Las lápidas sepulcrales, tanto las verticales como las horizontales, realizadas en mármol blanco y talladas, son auténticas joyas epigráficas. Es casi seguro que estuvieran policromadas, tal vez con las letras doradas sobre fondo azul. En el siglo XIX fueron expuestas en la sala de los Reyes del palacio de los Leones, junto a piezas procedentes de otros lugares, como primer espacio expositivo del Museo de la Alhambra. Las losas y los restos decorativos de la Rauda se conservan en el Museo de la Alhambra, que le dedica una sala completa.

7.6 Los otros palacios de la Alhambra

En la zona central y más elevada de la colina se produjeron los primeros asentamientos de la dinastía que, pasado el tiempo, quedaron sin uso o se les dio otro destino. Aquí se levantaron el palacio de los Abencerrajes, el que luego sería convento de San Francisco y el palacio de Yúsuf III. Del primero y del último solo quedan restos arqueológicos a ras de suelo. El segundo, en su mayor parte también derribado y muy transformado desde el final del siglo XV, hoy día es Parador Nacional.

La moderna investigación sobre la Alhambra ha desvelado que, junto a los palacios nazaríes conservados, como el de los Leones o Comares, para los que utilizaron en parte solares de edificios anteriores, existieron otras construcciones que, al parecer, fueron los asentamientos palatinos iniciales de la Alhambra que, con la consolidación de la dinastía, quedaron en desuso o tuvieron otro destino, tal vez complementario de las nuevas edificaciones. Son tres los recintos con esas características, y los tres se encuentran colindantes en una zona alta y central de la planicie, en suave desnivel, excelente lugar, por tanto, para recibir el agua de la acequia, con buena visibilidad hacia todos los puntos cardinales y en la confluencia de lo que sería el armazón urbano de la ciudad, las dos calles Reales, Alta y Baja.

No conocemos sus denominaciones originales y apenas podemos intuir su proceso evolutivo en la etapa nazarí, aunque los tres tuvieron tras la conquista, a partir del siglo XVI, un destino secundario, pues no fueron los elegidos por los nuevos reyes, aunque albergaron respectivamente a los poderes económico, religioso y militar: la Contaduría, el convento franciscano y la sede de la Alcaidía.

Palacio de los Abencerrajes

En la zona alta de la Alhambra, más o menos en el centro del eje urbano de la medina, donde confluyen algunas de sus calles más importantes, se encuentran los restos arqueológicos del tradicionalmente conocido como palacio de los Abencerrajes. En 1501 los Reyes Católicos lo

Baño del palacio de los Abencerrajes
Vista parcial de la estructura del *hammam*, recuperada parcialmente desde 1982, junto a los restos del palacio de los Abencerrajes. Las excavaciones han permitido desvelar varios de los elementos característicos de un baño, como la *bayt al-maslaj*. Aunque se conoce como baño del palacio de los Abencerrajes, es probable que se trate de un *hammam* público independiente de aquel, edificado junto al baño del palacio, que quedaría inutilizado o formaría parte del nuevo. Tendría su acceso independiente, seguramente de manera directa desde la calle Real, como puede suponerse por la escalera que ha sido recuperada. Las excavaciones arqueológicas puestas en marcha proporcionarán elementos todavía ocultos que desvelarán cada vez más su organización arquitectónica o decorativa.

Pabellón central del palacio nazarí convertido en convento de San Francisco a finales del siglo XV

Los otros palacios de la Alhambra

En la zona más elevada de la colina de la Sabika, en la confluencia de las calles Real Alta y Baja, es decir, en un punto importante del entramado urbano, se construyeron los edificios más antiguos de la dinastía nazarí. Se conoce la existencia de tres palacios importantes en esta zona: Abencerrajes, el de los Infantes, luego convento de San Francisco y el palacio de Yúsuf III. De los tres, solo se conserva parcialmente el que en época cristiana se transformó en convento franciscano y hoy día es Parador Nacional. En los restos de los otros dos se siguen haciendo estudios arqueológicos para determinar la configuración que tuvieron.

❶ Palacio de los Abencerrajes

Comenzado a excavar en los años treinta del siglo XX, sus restos indican que tuvo una estancia importante en una torre sobre la muralla sur, una gran alberca flanqueada de jardines y un *hammam*.

❷ Palacio de los Infantes (Convento de San Francisco, Parador Nacional)

Originalmente fue un palacio nazarí edificado en el siglo XIII. En 1494 los Reyes Católicos lo convirtieron en convento franciscano. Sufrió muchos daños durante la ocupación napoleónica y diversos avatares hasta que en 1954 se integró como edificio singular en la red de paradores nacionales.

❸ Palacio de Yúsuf III

También llamado palacio de Mondéjar o de Tendilla, pues fue la residencia de los alcaides de la Alhambra, fue demolido en el siglo XVIII cuando Felipe V les quitó el título.

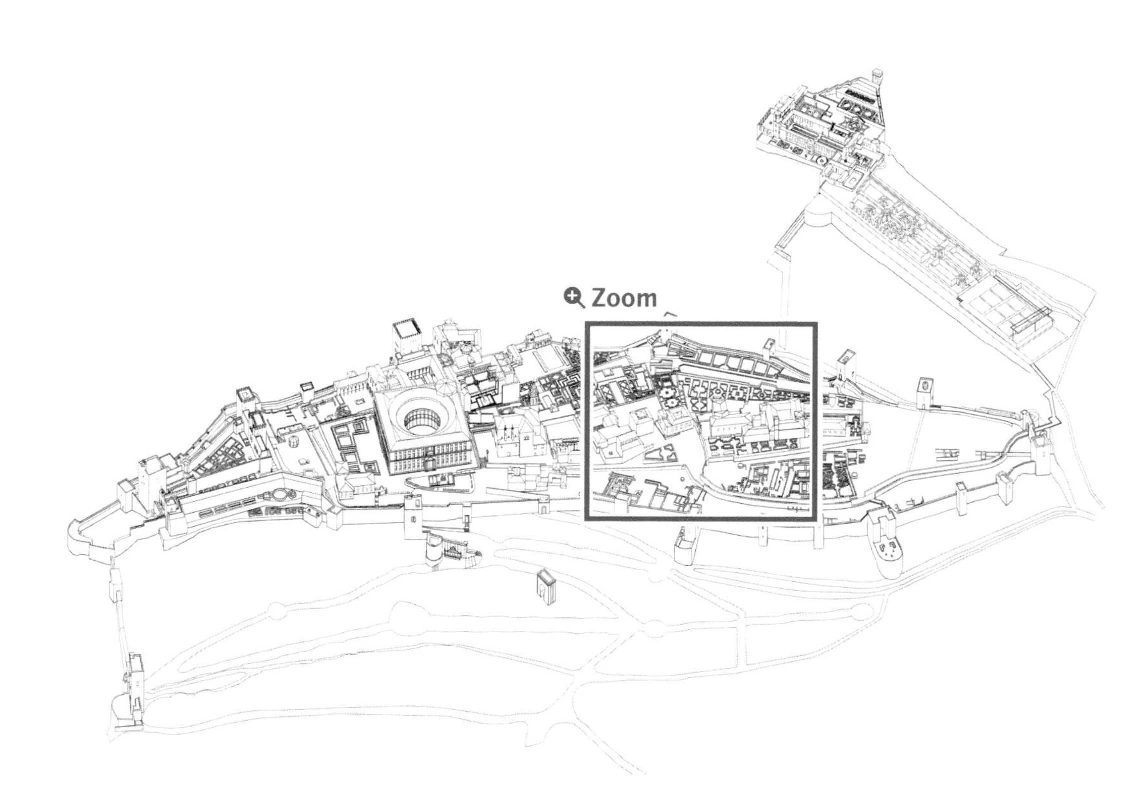

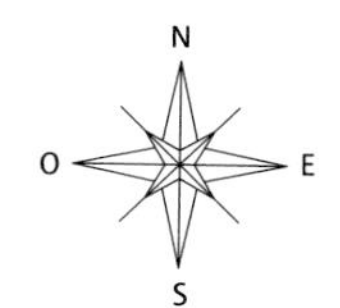

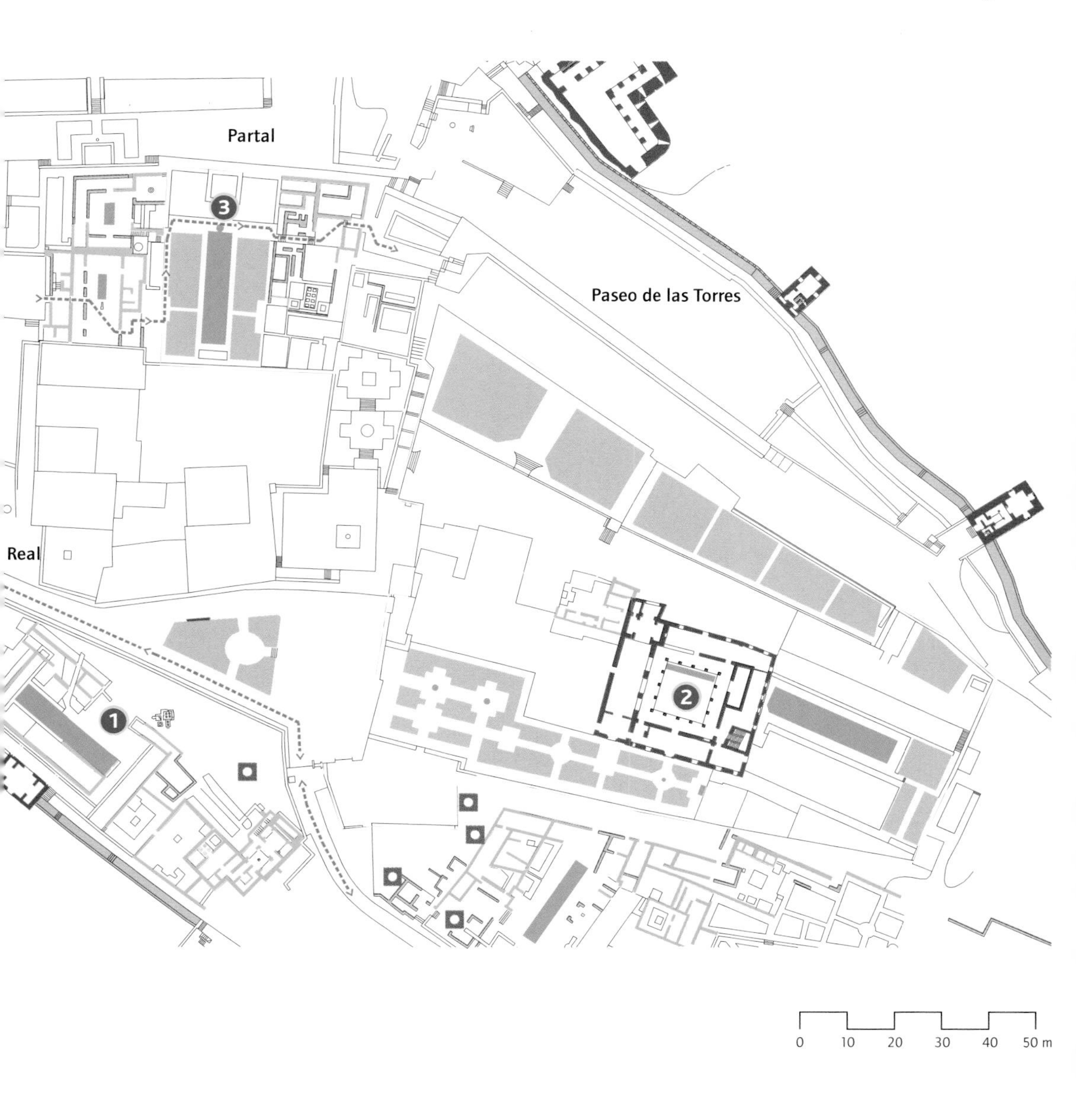

1 Palacio de los Abencerrajes
2 Palacio de los Infantes (Convento de San Francisco, Parador Nacional)
3 Palacio de Yúsuf III

Sentido de la visita

Muralla
Arquitectura nazarí
Restos arqueológicos nazaríes
Arquitectura cristiana

Jardines
Elementos hidráulicos
Mazmorra o silo

Vista general de los restos del palacio de los Abencerrajes. El núcleo central del palacio se encuentra al fondo de la imagen, mientras que lo que se ve en primer término sería el *hammam*

cedieron al contador mayor del Real Consejo, don Juan Chacón, y desde entonces recibió el nombre de casa o palacio de la Contaduría, denominación que aún perdura en la placeta donde supuestamente tuvo su entrada. Todo su solar presentaba en la segunda mitad del sigo XIX un estado de lamentable abandono, en parte como consecuencia de las voladuras que perpetraron las tropas napoleónicas en toda la zona alta de la Alhambra, que desde entonces se conoce con el significativo nombre de Secano. A finales del siglo XIX se iniciaron los desescombros, apareciendo numerosos restos de estructuras arquitectónicas y elementos urbanos. También se recogieron curiosos objetos, como la única moneda que lleva impresa la marca de su acuñación en la Alhambra, lo que ha llevado a suponer la existencia en la zona de una ceca nazarí.

Es a partir de los años treinta del siglo XX cuando comenzaron a realizarse diversas excavaciones que pusieron de manifiesto la importancia y extensión que tuvo este palacio. Por las estructuras que se conservan, su zona más importante estuvo centrada por una torre-salón que avanzaba sobre la muralla, al sur de la fortaleza, entre las actuales torres de los Carros y de las Cabezas. En 1958 se llevó a cabo un proyecto de reconstrucción de la planta principal de la torre, que en su interior disponía de tres alcobas, la central casi cuadrada, abierta al exterior mediante un amplio vano, a la que abren otras dos más pequeñas y alargadas en los costados. Por debajo de esta estancia, mediante un túnel abovedado, pasa la calle de Ronda o Foso que circunda el interior de la muralla de la Alhambra.

Del subsuelo de una de las alcobas parte un curioso túnel de reducidas dimensiones que desemboca por una brecha en el interior de la calle. Tal vez sea un desagüe o una salida de emergencia. Este aposento aparentemente principal de la torre abre a una estancia alargada, de la que únicamente quedan los cimientos, que pudo servir de base a una galería abierta o pórtico de tipo tradicional.

Ante la fachada de la torre reconstruida se extiende en sentido longitudinal el espacio central a cielo abierto del palacio. Este debió de ser el habitual patio rectangular, centrado por una alberca longitudinal, a cuyos lados mayores se

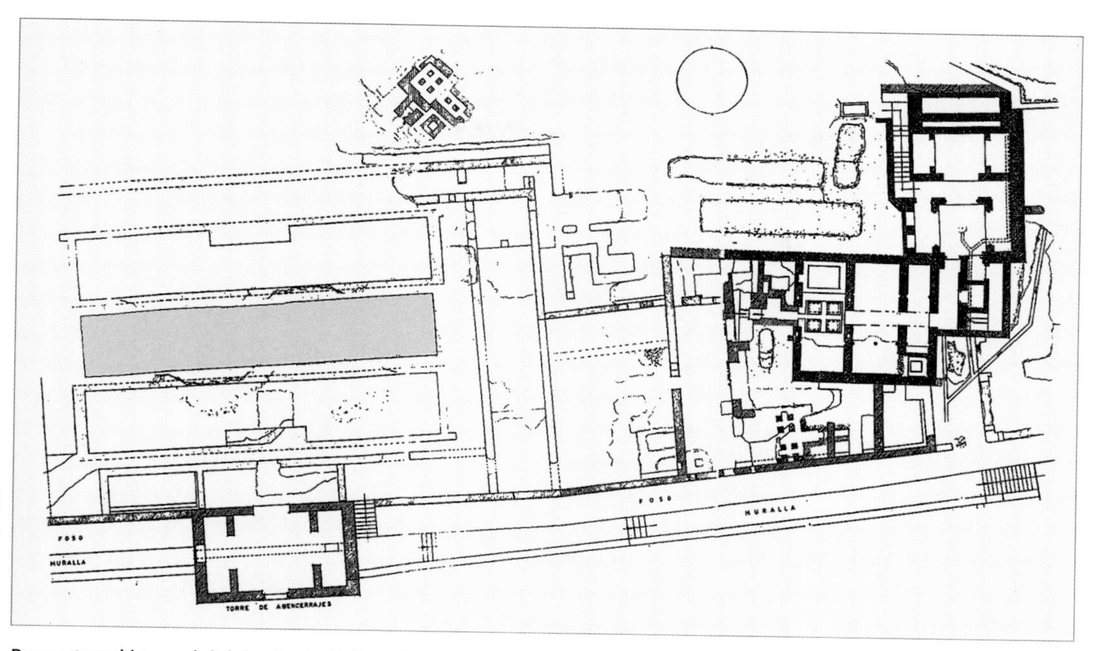

Reconstrucción parcial del palacio de los Abencerrajes a partir de los restos existentes, con el *hammam* a la derecha. Archivo de la Alhambra

desarrollaban jardines ligeramente rehundidos; se trataría de la tradicional composición tripartita del patio, con elemento de agua central (acequia o alberca) flanqueado por módulos de jardinería. La galería corrida ante la torre pudo prolongarse a modo de templete hasta el interior del espacio ajardinado, solución habitual en la arquitectura hispanomusulmana.

El muro del borde oriental parece que fue el de fachada al patio de la crujía, que se prolongaba hacia el norte tras un segundo muro paralelo al anterior; entre ambos debieron existir varias estancias o alcobas que marcarían el cierre del patio en este sector del palacio. El norte, paralelo a los lados mayores del patio, probablemente marcaba el ámbito rectangular del edificio.

Hacia poniente es difícil precisar la delimitación del palacio, pues aún no se ha excavado por completo, aunque es presumible que se prolongaría algunos metros en una crujía de cierre.

En el extremo oriental del patio han aparecido restos de cimentaciones y muros de estancias pertenecientes a dos baños. En 1982 se iniciaron las labores de limpieza y consolidación de una parte de las dependencias, aunque no se ha podido aclarar definitivamente si pertenecía al palacio o era una dependencia autónoma. Desde los años noventa del pasado siglo se han realizado sucesivas campañas arqueológicas que han ido descubriendo parte de las estructuras originarias, y se ha fijado la delimitación de los edificios: la crujía de levante del palacio, adaptada en parte como vivienda, reutilizada en época cristiana; un *hammam*, no muy grande, con acceso desde la calle de Ronda, parte de cuyas

Anverso y reverso de una moneda nazarí acuñada en la ceca de la Alhambra, hallada en las excavaciones del palacio de los Abencerrajes. Museo de la Alhambra

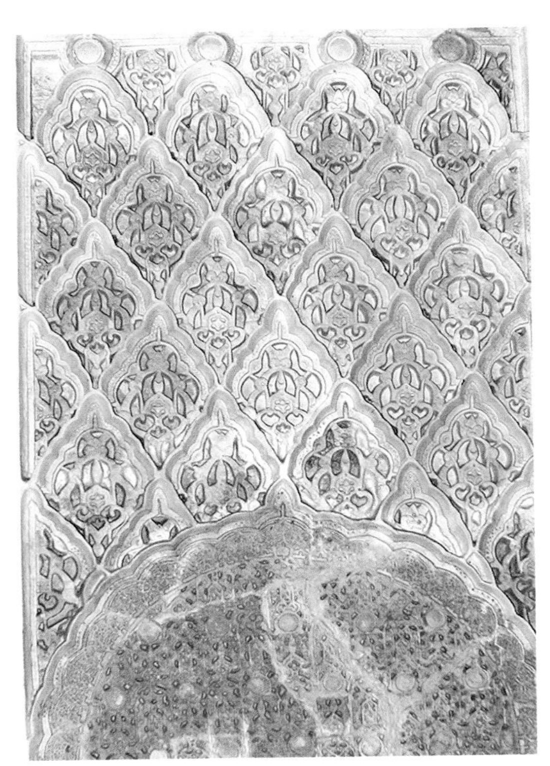

Una de las yeserías conservadas en el Museo de la Alhambra, procedente del palacio de los Abencerrajes

dependencias compartió o fueron ampliadas por un segundo baño, más extenso, al que se accedía desde la calle Real. El acceso a este baño se realiza por una escalera desde el nivel más alto, y desemboca en una estancia con linterna y sala de reposo con dos alcobas laterales; pasillos, letrina, etc., completan las estancias del baño, entre las que destacan una pequeña alcoba en cuyo suelo de mármol hay una gran pila, el característico hipocausto y las cajas de canalización de humos y vapores calientes al exterior. Al oeste estarían las calderas y demás elementos del baño. En todo el solar se han conservado restos de diversos tipos de solería, como ladrillos de barro cubiertos con mortero y losas sin vidriar o vidriadas, de varios tamaños, en blanco, verde y negro, además de restos de zócalos con tiras vidriadas en verde.

Hacia el sur también quedan testimonios de construcciones que daban a la calle de Ronda. Todo ello confirma la amplitud que tuvo el palacio de los Abencerrajes, que se extendía hacia el norte hasta el lateral de la calle Real Alta, hacia la que sin duda tendría el acceso principal. Los datos arqueológicos confirman la importancia de la consolidación llevada a cabo en el solar que, libre de otros usos, se ha convertido en una referencia para la recuperación patrimonial de la Alhambra. En el Museo de la Alhambra se conservan multitud de piezas procedentes de las exploraciones y excavaciones realizadas. Entre las piezas destacan las albanegas de un arco, paños decorados con *sebkas* talladas en yeso en los que se ven las huellas del compás y la escuadra utilizados, cartelas epigráficas y con decoración geométrica, y también piezas de cerámica, con colores verde, rojo y azul, procedentes de los zócalos alicatados de las estancias del palacio de los Abencerrajes. Las últimas exploraciones han permitido recuperar algunos restos que se pensaban perdidos, como parte de la fuente de piquera de la alberca o algunos pavimentos.

Palacio de los Infantes (Convento de San Francisco, Parador Nacional)

Integrado en la red nacional de paradores de España, el parador fue instalado en 1954 en el edificio que ocupó el convento franciscano en 1494, instituido por voluntad real, que a su vez se edificó sobre un palacio nazarí de finales del siglo XIII, con adaptaciones a mediados del XIV.

Se encuentra en la medina alta de la Alhambra, en lo que probablemente fue un importante sector urbano de la fortaleza nazarí donde confluían varias calles y la zona que ocuparon sus primeros asentamientos palatinos; este palacio nazarí se halla en un lugar intermedio entre los palacios de los Abencerrajes y de Yúsuf III y, de los tres, es el situado en la cota más alta del terreno: de ahí la importancia estratégica que debió de tener y la influencia que pudo ejercer sobre construcciones posteriores.

Se accede a él al final del recorrido actual de la calle Real. Casi todo el edificio que se conserva del convento pertenece a las obras de adaptación del siglo XVIII, aunque entre ellas han quedado interesantes vestigios de la etapa nazarí y del siglo XVI. También sufrió importantes daños durante

Convento de San Francisco, en cuyo interior se encuentran los restos de un palacio nazarí. El recinto está dedicado en la actualidad a parador nacional

la ocupación napoleónica, y en 1840 llegó a salir a subasta, aunque finalmente se incorporó al patrimonio real. A principios del siglo XX el edificio conventual se encontraba ya en un lamentable estado de ruina, y fue restaurado por Leopoldo Torres Balbás entre 1927 y 1928 para destinarlo a residencia de artistas y personajes ilustres.

Los restos conservados del palacio nazarí, entre tantas adaptaciones, configuran un espacio central con un patio alargado y estrecho, de gran parecido al patio de la Acequia del Generalife, aunque más reducido. Aquí también aparece el trazado tripartito característico con elemento central de agua y ajardinamientos laterales; y, como en el Generalife, existe una acequia central, identificada como la Acequia Real o del Sultán, de la que se surtía, aunque puede ser que el tramo palatino fuera una derivación de la principal, que correría unos metros más al sur a una altura más elevada. Probablemente la acequia del palacio partía de la gran alberca situada a levante, atravesando el patio de este a oeste, y daba servicio al edificio y surtía de agua para riego de las huertas y jardines que se extendían por debajo.

Los límites del solar del palacio nazarí son difíciles de determinar, aunque seguramente continuaría por las paratas inferiores, entre huertos y jardines, alcanzando las proximidades de la muralla norte. Al sur el límite podría estar en la calle Real. A poniente debió de llegar probablemente hasta donde está situada la puerta de entrada al convento franciscano, llamada del Compás por la forma que tenía su atrio de acceso; ante la puerta que hacía fachada a la calle Real pudo haber una plazoleta.

Probablemente el eje central del palacio lo marcaba el pabellón mirador, transformado durante las obras del convento en capilla mayor, donde estuvieron las tumbas preparadas para los Reyes Católicos hasta 1521 en que se terminó

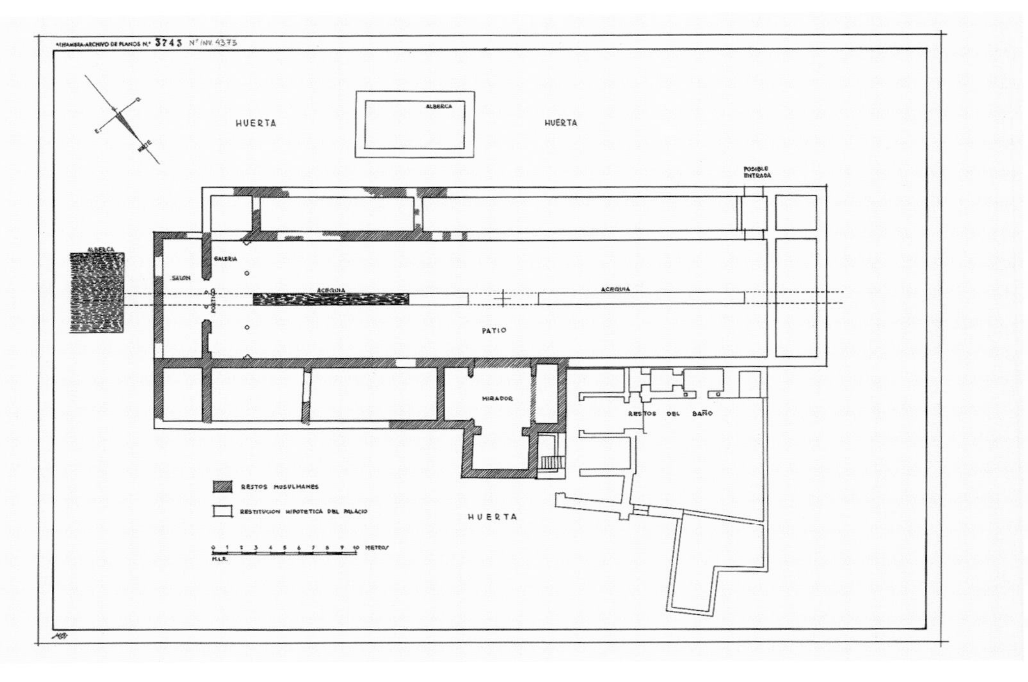

Palacio de San Francisco. Los restos conservados del palacio nazarí indican que tenía un patio central alargado y estrecho semejante al del Generalife, con jardines a los lados. Copia (1957) del plano original, Archivo de la Alhambra

la Capilla Real en la ciudad. Esta zona sufrió muchas transformaciones al convertirse en iglesia, quedando la estancia anterior al mirador como crucero, que conservó fragmentos de solería de mármol, seguramente pertenecientes al palacio. Al parecer, un zócalo de alicatado semejante al de la sala de los Reyes del palacio de los Leones desapareció poco antes de la restauración, aunque conservó la bóveda de mocárabes y el arco de ingreso, además de los arcos correspondientes a los tres lados restantes en los que quedaron inscripciones del lema nazarí y alabanzas a Muhammad V. Las yeserías se asemejan a las de las salas de Dos Hermanas y de Abencerrajes, por lo que probablemente datan de finales del último tercio del siglo XIV.

Baño del palacio de San Francisco

A mediados del pasado siglo se iniciaron los trabajos de desescombro del solar que ocupó el *hammam* del palacio nazarí. Recientemente han finalizado las campañas de excavación científica del edificio, que han sacado a luz importantes elementos de su estructura original, a pesar de que, en gran parte, fue demolido en época moderna. Hoy se encuentran integrados en los jardines del antiguo convento franciscano, a falta de una consolidación definitiva.

También se conserva una sala rectangular perteneciente al palacio original, hoy llamada «sala Árabe», situada en la planta baja del claustro. Debió de estar precedida por un pórtico adelantado sobre el patio. El interior, con alhamíes en los extremos ligeramente elevados, conserva parte del zócalo original y restos decorativos epigráficos con el lema de la dinastía. En su zona posterior se hallaron huecos de canecillos y restos de un alero, por lo que no debía tener planta alta, ni prolongarse más hacia el exterior, donde se encuentra en eje la gran alberca antes mencionada. Durante las obras de restauración del convento aparecieron también algunos restos de los dos arcos de entrada del patio. Se hallaron también cimientos de un muro paralelo a la acequia central que cerraba el patio al sur y, delante, restos de otras dependencias o alcobas. Tras el muro limítrofe de cierre aparecieron los restos de otra alberca.

Al norte del patio, entre la sala de levante y el mirador, existieron al menos otras dos estancias, bajo una de las cuales se encontraron restos de canalizaciones pertenecientes al *hammam* del palacio. Estas dependencias fueron arrasadas en época moderna porque su estado de deterioro afectaba al entorno de la cripta de la reina Isabel I, enterrada durante un breve espacio de tiempo junto al baño. El baño se fue cubriendo de tierra y pasó inadvertido hasta mediados del siglo XX, cuando se llevó a cabo una intervención que recuperó y consolidó esta instalación, pero poco después cayó en el olvido y quedó cubierto por la vegetación, hasta que en los primeros años de este siglo, los trabajos arqueológicos y de conservación han recuperado su lectura histórica en el entorno de la Alhambra.

Se accedía desde una de las salas más importantes del palacio, el mirador. A través de un vano, actualmente cegado, se descendía por unas escaleras a la instalación, que estaba situada por debajo del nivel de la Acequia Real de la que se surtía de agua. Se conserva la entrada, el vestíbulo con dos alcobas o camas y una fuente central. Desde aquí, por un pasillo en recodo se llega a la sala fría-templada, que contiene una pileta. En ella se aprecia el recorrido del agua, que procede de una tubería de plomo, llega a la pileta y evacúa por medio de un desagüe de atanores a una canalización que

Detalle de la llamada sala Árabe, perteneciente al palacio nazarí, integrada en el convento franciscano, hoy parador de turismo

recorre el baño y que va recogiendo el agua para conducirla al exterior de la instalación. A través de un pequeño vano se accedía a la sala caliente que se encuentra arrasada, salvo una pileta de inmersión y una sala lateral con un pequeño escalón. Se conserva buena parte de los pavimentos y revestimientos de los paramentos del baño realizados con alicatados y estuco. En los procesos de intervenciones arqueológicas se han encontrado piezas que demuestran su rica decoración.

Las inscripciones halladas en el recinto del palacio pertenecen a dos épocas. Las del mirador y de la sala de levante son de la segunda mitad del siglo XIV por su alusión a Muhammad V. En la sala oriental aparecieron otras muy semejantes a las del mirador alto de la torre de las Damas y del central del Generalife, de principios del siglo XIV. Su parecido con la parte del Generalife del último tercio del siglo XIII es evidente, por lo que, a falta de otros datos, el palacio inicial debió de construirse en torno a esa etapa. Existen indicios de que en el siglo XVI se emplearon diversos materiales, especialmente columnas, procedentes de este palacio en adaptaciones y reconstrucciones efectuadas en los patios de la Reja y de Lindaraja.

Palacio de Yúsuf III

Tradicionalmente conocido también como palacio de Mondéjar o de Tendilla, los Reyes Católicos lo cedieron para ser residencia de los alcaides de la Alhambra cristiana, hasta que en el año 1718 Felipe V les despojó del título y mandó su desalojo. En represalia, ordenaron su demolición, en 1795 se vendieron muchos de sus materiales constructivos, columnas, puertas, o se reutilizaron para reparaciones en otros lugares. Durante el siglo XX algunas piezas destacadas, procedentes del expolio del palacio, salieron a la luz en colecciones particulares. Tal vez de aquí proceda el conocido azulejo Fortuny, conservado en el Instituto Valencia de Don Juan de Madrid, en el que figura el nombre del sultán.

Ese triste final tuvo un palacio que debió de ser extraordinario, tanto en materiales como en decoración, como demuestran testimonios como el del embajador Jerónimo Münzer, que en 1494 fue recibido en él y lo calificó de suntuosísimo. Se atribuye su edificación al sultán Yúsuf III (1408-1417), aunque este pudo modificar o redecorar una construcción muy anterior, debida al sultán Muhammad II (1273-1302), el segundo de la dinastía. Aunque los primeros años del siglo XV son ya un momento tardío, aún no había comenzado de forma acusada la decadencia de la dinastía nazarí, pero sí en lo que se refiere a las formas decorativas se considera un momento recurrente o repetitivo. Los principales palacios de la Alhambra del siglo XIV ya existentes debieron de influir a la hora de su planificación y diseño. No es menos significativo que precisamente este sea el palacio escogido por los alcaides cristianos, pues en aquel primer momento tras la conquista habría mucho donde elegir.

La situación del palacio, en la cota más elevada del Partal, define su importancia estratégica. Su torre principal al norte debía de destacar sobre los jardines y el resto de edificios, y tendría unas magníficas vistas que permitían el control o vigilancia del entorno.

Despojado el palacio de sus testimonios decorativos y de las piezas más ricas de su decoración, poco debió atraer su solar, y quedó en un abandono casi total, a merced de las

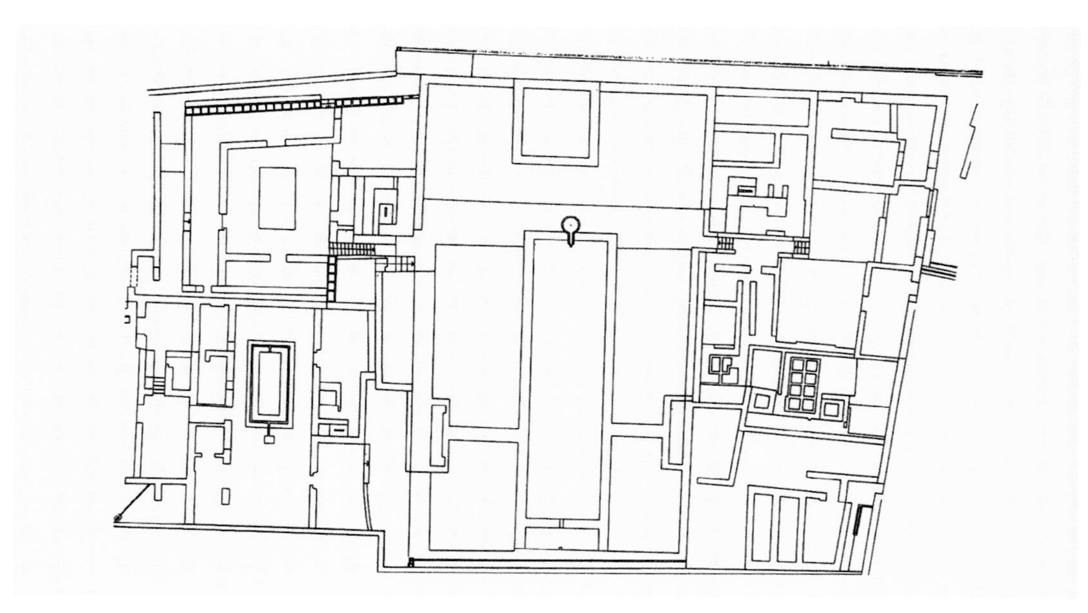

Palacio de Yúsuf III. Planta general de los restos excavados: en el centro, el núcleo principal del palacio; a la derecha, el *hammam;* a la izquierda, las dos viviendas anejas. Plan Especial Alhambra y Alijares, 1986

Azulejo Fortuny, cuya epigrafía cita a Yúsuf III.
Instituto de Valencia de Don Juan, Madrid

Planta y alzado de un edificio identificado con el Generalife, semejante al palacio de Yúsuf III.
Grabado de James C. Murphy, 1815

inclemencias del tiempo y a medio soterrar entre sus propios escombros. En el siglo XIX formaba parte de la Huerta de Santa María, que fue expropiada paulatinamente como la mayoría de las propiedades de la zona. La exploración de sus restos coincidió con el interés por la recuperación de todo el sector del Partal en el primer tercio del siglo XX. Hoy queda la anastilosis parcial de la parte principal de su estructura, pero permanece aún casi un tercio sin explorar. Sus muros emergentes ofrecen una idea bastante aproximada del conjunto que, a grandes rasgos, se puede identificar: un gran patio rectangular con alberca longitudinal en el centro debía de repetir, algo más reducido, el esquema tripartito del patio de los Arrayanes. En el lado norte se situaría la crujía principal, en torno a una torre ante la que probablemente había una galería a modo de pórtico. En el extremo sur existiría otra estructura similar, que tal vez conserve algunos restos detrás del muro de contención de un terreno más elevado que cierra el solar por esa zona.

A ambos lados del recinto que ocupa el patio han quedado, a nivel inferior, restos de muros de algunas estructuras pertenecientes al palacio. En el situado a levante, apareció el *hammam,* con la mayoría de sus dependencias bien delimitadas. Las canalizaciones, el hipocausto o las pilas de la sala caliente son fácilmente identificables. Repite el esquema habitual de este tipo de edificios y, en concreto, es muy similar a los encontrados en otros lugares de la Alhambra.

En el extremo septentrional se observan igualmente varias estructuras, entre las que destaca el probable acceso al palacio, en cuya fachada destacaría una amplia puerta de la que han subsistido sus mochetas. Tras la puerta, un zaguán seguido de un patio casi cuadrado pudo ser utilizado para desmontar de las caballerías, pues junto a él se aprecia una estancia semejante a una cuadra. Frente a la puerta coinciden las calzadas de varias calles, de las cuales la descendente enlazaba la calle Real Alta de la medina con la puerta de la torre de los Picos. Otra calle perpendicular parte hacia los actuales jardines, por los que antiguamente se extendían algunas huertas, hasta alcanzar la muralla. En este lugar confluía también la calle Real Baja, de la

que aún se pueden identificar restos de su calzada próximos al palacio, al que bordea por su parte septentrional.

La zona occidental del palacio es más problemática pues fue muy alterada para situar en ella la entrada a la residencia de los alcaides cristianos. Ante ella subsisten varias estructuras de muros en torno a dos patios medianos, a distinto nivel, que pueden identificarse como viviendas importantes. Ambas pudieron estar conectadas con el palacio, formando parte de sus dependencias, aunque es más probable que fueran independientes y en algún momento quedaran unidas a él, tal vez cuando este se destinó a residencia de los alcaides.

La vivienda situada en la terraza más alta dispone de una alberca central con estancias en sus lados, excepto al norte, con restos de pavimentos, y una letrina. La vivienda contigua en la terraza inferior, algo irregular, también dispone de una alberca en el centro del patio. A un nivel más elevado aparecieron restos de otra letrina y de pequeñas dependencias que seguramente pertenecían al palacio, con el que se comunicarían mediante una escalera. La habitación principal de esta casa era probablemente la que abría al patio y conserva en el interior restos de los tradicionales alhamíes laterales, algo elevados. En el lado septentrional conecta con un segundo patio, más reducido, tal vez de acceso a la vivienda, con una bella fuente poligonal de cerámica vidriada en el centro. A poniente la casa delimita con una calle empedrada, en suave pendiente, que pudo pertenecer al entramado urbano de la Alhambra, que serviría de enlace entre las dos calles reales.

Frente a la entrada del palacio del alcaide había un amplio camino arbolado que lo conectaba con los palacios reservados para los reyes y, tras su edificación, con el palacio de Carlos V. En el muro de cierre del palacio se encuentra una placa conmemorativa del escritor dominico fray Luis de Granada, que prestó sus servicios aquí como escudero del conde de Tendilla durante los primeros años del siglo XVI y, más tarde, como preceptor de los hijos del conde.

Restos de la portada de acceso al palacio de Yúsuf III

8 Paseo de las torres

Por una calzada empedrada que une el interior de la antigua medina con la puerta del Arrabal se llega al lienzo de muralla que protege la zona entre el Partal y el Generalife, salpicada de algunas de las torres más emblemáticas de la Alhambra: Picos, Qadí, Cautiva, Infantas, Cabo de la Carrera y Agua. Un paseo ajardinado sobre el adarve del muro de contención permite llegar a la parte este del recinto.

Frente a los restos de la portada que servía de acceso al derruido palacio de Yúsuf III se encuentra el empedrado de un tramo de la calle que unía el interior de la medina de la Alhambra con una de sus puertas exteriores, la del Arrabal. A partir de aquí se divisa el perfil de la muralla general de la Alhambra, salpicada por diversas torres, y se avanza por una extensa zona que comunica el Partal con la Alhambra alta y el Generalife. Como si de hitos se tratara, se suceden, una tras otra, la torre de los Picos, la del Qadí, la de la Cautiva, la de las Infantas, la del Cabo de la Carrera y la del Agua.

Están conectadas por una parata intermedia, hoy ampliamente ajardinada, sobre el adarve de su muro de contención, al que se ha provisto de una baranda corrida para proteger a los viandantes y permitir la contemplación del entorno. Por debajo se encuentra la parata inferior, también ajardinada y con variadas especies arbóreas.

Torre de los Picos

La torre de los Picos se enmarca dentro de la tipología de torres que, además de su evidente función defensiva, servía como vivienda, como

Vista aérea del sector de la torre de los Picos y el baluarte antepuesto

La torre de las Infantas, sobre la muralla general, y la calle de Ronda

Paseo de las torres

En la zona de la Alhambra existente entre el Partal y el extremo oriental de la muralla se ha habilitado un paseo ajardinado y con restos arqueológicos que conduce, a lo largo de la parte interior de la muralla, hacia el Generalife. En este lienzo se encuentran algunas de las torres más emblemáticas de la Alhambra, pues además de defensivas, son residenciales, y en su interior se encuentran algunos de los espacios más exquisitos de toda la arquitectura nazarí.

❶ Picos

Se trata de una de las torres con doble función, ya que, además de su evidente carácter defensivo, fue utilizada como vivienda. Defiende la puerta del Arrabal, en la cuesta del Rey Chico que comunica con el Albaicín y con el Generalife. El interior se divide en tres pisos con algunos restos decorativos.

❷ Qadí

Por su situación estratégica, pertenece al grupo de torres de control desde las que se se emitían o se recibían señales relativas a la vigilancia. A su paso, el adarve se interrumpía para obligar a los viandantes a pasar por la inspección de la guardia.

❸ Cautiva

El interior de esta torre residencial es uno de los espacios más exquisitos de toda la Alhambra. Se ingresa en la estancia principal a través de un acceso en recodo para conservar la intimidad. Consta de patio con arcos sobre pilares y tres alcobas con ventanas de doble arco.

❹ Infantas

Es otra torre con vivienda interior, cuyos elementos decorativos la han definido como torre palacio. Es algo posterior a la Cautiva. Su disposición es semejante pero su ejecución, tanto en las proporciones como en el programa decorativo, la vinculan a una etapa tardía.

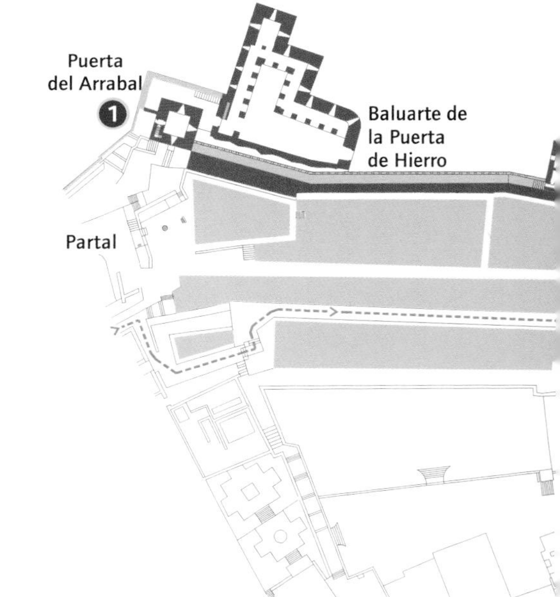

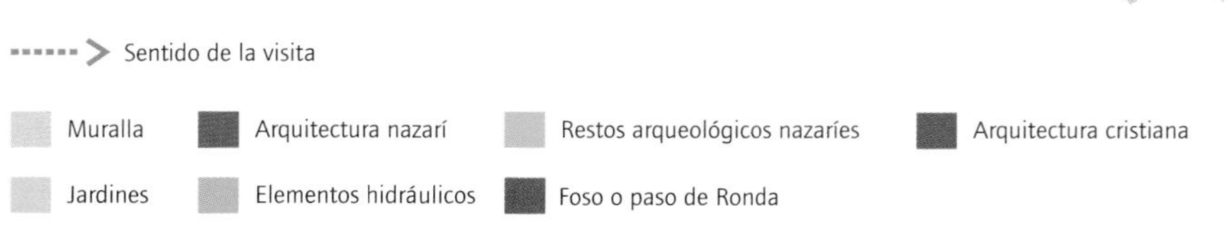

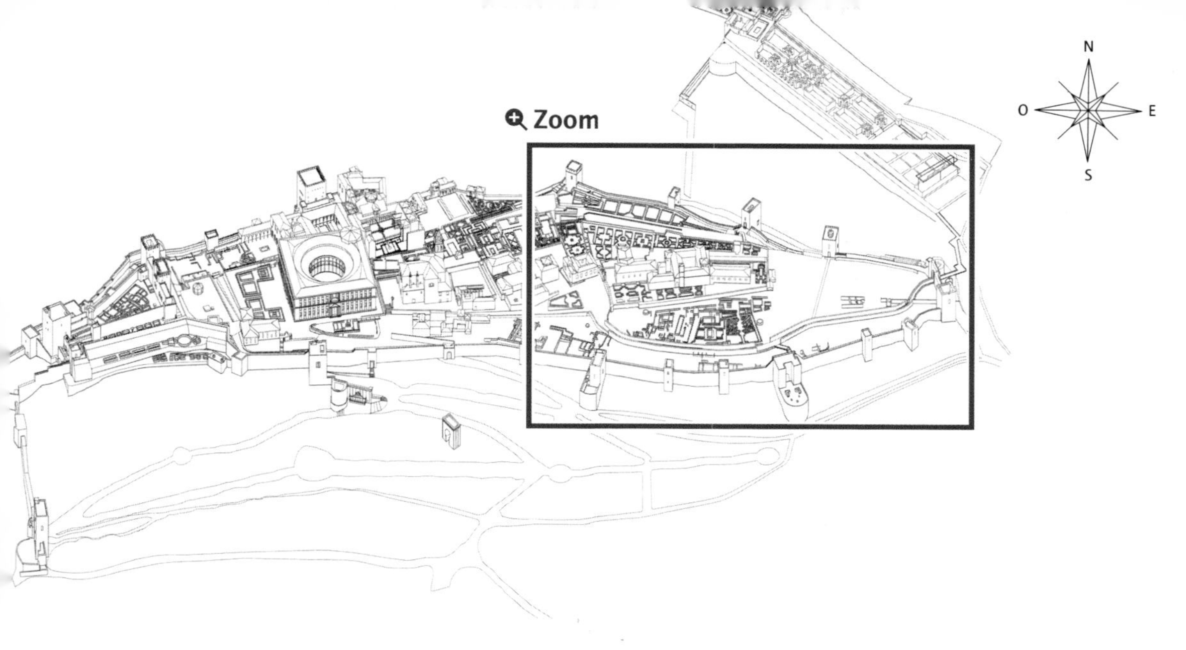

❺ Cabo de la Carrera

Es la torre más oriental de la parte norte de la Alhambra. En tiempos hubo una inscripción, hoy desaparecida, que atribuía la construcción de esta torre a los Reyes Católicos y la fechaba en 1502. Fue prácticamente derruida por las tropas napoleónicas en su retirada en 1812.

❻ Torre del Agua

Su función es completamente diferente a la del resto de las torres de la Alhambra, pues junto a ella se produce la entrada de la Acequia del Sultán al recinto amurallado y, por consiguiente, del agua tan necesaria. Fue volada por el ejército napoleónico y reconstruida en el siglo XX.

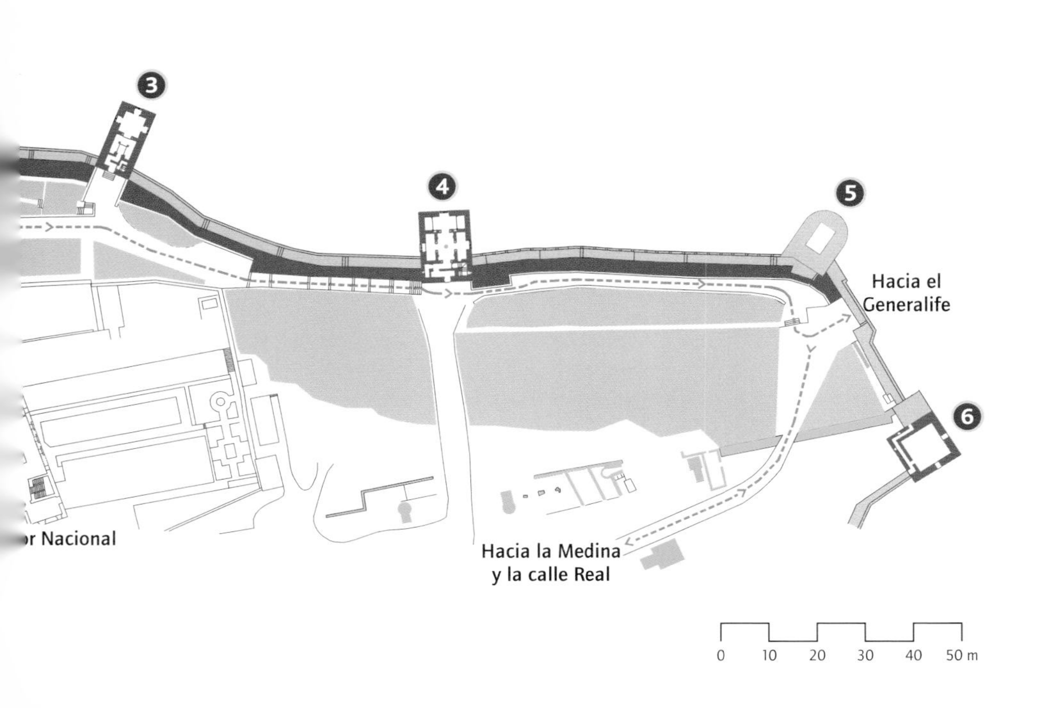

Vista de la torre de los Picos desde el Partal bajo

demuestra la ornamentación de su interior, fundamentalmente sus yeserías y pinturas. Destaca igualmente por su papel en el entramado urbano de la Alhambra. Defiende una de las puertas principales de acceso al recinto amurallado, la del Arrabal, que abre a la cuesta del Rey Chico y conecta el recinto de la Alhambra con el barrio del Albaicín y el antiguo acceso al Generalife.

Su nombre se debe a las ménsulas de que dispone en las esquinas superiores para soportar los matacanes y batir desde arriba los intentos de asalto. Fue edificada por el sultán Muhammad II, reformada por Muhammad III y, tal vez, por Yúsuf I; tras la conquista cristiana se le hicieron importantes adaptaciones constructivas y decorativas. Es una de las torres de mayor tamaño en planta de todo el recinto. En su interior destacan las bóvedas: esquifada en la segunda planta y con cuatro nervios en la tercera. Las ventanas de la planta principal, elaboradas en piedra, tienen arcos de herradura apuntada y capiteles de tipo mudéjar.

Desde diversos puntos del paseo se puede contemplar una perspectiva general de la finca del Generalife, con sus grandes huertas abancaladas, en cultivo, separadas por grandes muros de tapial y presididas por la blanca estructura del palacio.

Frente al paisaje, en el interior del recinto de la Alhambra se eleva la estructura del exconvento de San Francisco, hoy parador de turismo. Edificado sobre los restos de un palacio nazarí, destaca el

Bóveda de cuatro nervios de la torre de los Picos

En primer término la torre del Qadí; a la izquierda la torre de los Picos. Al fondo, el Albaicín y la muralla de Granada

mirador que sobresale del edificio, en cuyo interior fueron instalados los sepulcros de los Reyes Católicos mientras se construía en la ciudad la Capilla Real, donde hoy reposan sus restos mortales.

Torre del Qadí

La torre del Qadí pertenece al grupo que, desde un punto de vista estructural, conforman las torres de vigilancia defensiva del recinto. Son importantes tácticamente, pues servirían para la comprobación, la inspección y el repartimiento de la guardia que realizaba el control básico de la ciudad desde el adarve alto de la muralla, en turnos que peinaban los diferentes tramos en que aquella se dividía. En ellas se recibiría el parte desde los lugares concretos situados en puntos equidistantes del perímetro, desde donde se trasmitiría cualquier incidencia al puesto de mando central. Por eso las torres de vigilancia son pequeñas, sin aparente importancia, pero de su funcionamiento dependía la defensa primordial e inmediata de la ciudad.

La torre del Qadí controla también el flanco nordeste del importante sector de la torre de los Picos, con el acceso desde abajo al Generalife en ascenso entre las huertas, a través de una calle protegida por grandes muros. A mitad de recorrido se puede distinguir un patio con pórtico y pilar, desde el que se reparten los accesos a las huertas y el camino en pendiente hasta el palacio.

La muralla que encierra la ciudad palatina de la Alhambra es transitable en su parte alta por un pasaje parapetado hacia el exterior, en algunos tramos con almenas, al que se conoce como el adarve, que servía para el recorrido de la guardia en sus diferentes turnos. A la altura de las torres, para mantenerse independiente y no interferir en la vida doméstica del interior de estas, el paso del adarve transcurre por un túnel, como puede observarse, entre otras, en la torre de la Cautiva o en la siguiente, la de las Infantas. Otras torres, como ocurre en la del Qadí, que no tienen carácter doméstico sino castrense, interrumpen el paso obligando a la guardia a pasar el pertinente control.

Además del adarve, la cara interior de la muralla tiene a lo largo de su recorrido, de más de un kilómetro, una amplia calle a nivel inferior, a la que se denomina Foso o calle de Ronda, pues en realidad ofrece ambas funciones: pone en comunicación diversos sectores de la ciudad palatina y, en caso de

Detalle de uno de los azulejos de la torre de la Cautiva con sus excepcionales piezas de color púrpura

asedio, supone un compartimento estanco, un foso o cinturón de seguridad del recinto. Al igual que en el adarve, se han construido túneles para que las torres no interrumpan el paso. Abarca prácticamente todo el recinto urbano, con exclusión de la Alcazaba, aunque esta tuvo también su antemuro de alguna manera conectado con aquella. Esta calle, cuyo recorrido es identificable en gran parte del perímetro de la muralla, permanece aún oculta en algunos tramos.

Torre de la Cautiva

El acceso a la torre de la Cautiva, edificada sobre la muralla, se realiza desde la plataforma interior de la ciudad salvando la calle del Foso mediante un puente con bóveda de cañón, reconstruido durante los primeros años del siglo xx. Por ello este lugar es uno de los más indicados del recinto para comprender el funcionamiento de la estructura defensiva de la fortaleza. La torre de la Cautiva es llamada *qalahurra* en el poema epigráfico que figura en el interior de su estancia principal. De hecho, es uno de los edificios más destacados de todo el Conjunto Monumental de la Alhambra, y se puede considerar como una auténtica torre-palacio. Su edificación corresponde al sultán Yúsuf I (1333-1354), el mismo constructor

Vista exterior de la torre de la Cautiva, desde el Generalife

del palacio de Comares y de otros importantes edificios de la Alhambra, como las puertas de la Justicia y de los Siete Suelos. Puede considerarse, por su estructura arquitectónica y su composición decorativa, como el hito que subraya el momento de mayor pureza del arte nazarí.

Como corresponde a toda estructura doméstica, tras su ingreso en recodo, se desemboca en un pequeño patio con arcos sobre pilares. La estancia principal del interior de la torre presenta pequeñas alcobas en el eje de cada uno de sus costados exteriores, coincidentes con las respectivas ventanas de doble arco.

Uno de los elementos más destacados de este espacio es, sin duda, el alicatado de los zócalos que corren por la zona inferior de los paramentos; presenta bellísimas trazas, con piezas de variados colores, entre los que sobresale el púrpura, cuya utilización en la cerámica arquitectónica

Interior de la torre *qalahurra* de la Cautiva

Exterior de la torre de las Infantas

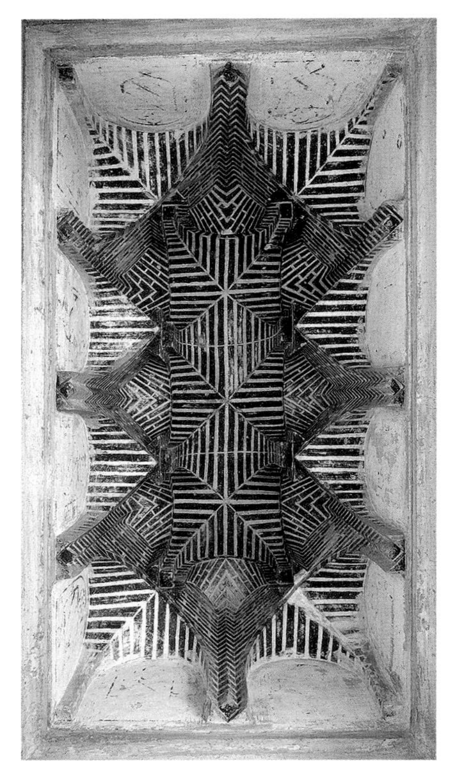

Bóveda en la entrada a la torre de las Infantas

ha ido considerada como única. Es igualmente destacable la cartela epigráfica alicatada que bordea la parte superior de los zócalos, pariente directa de las existentes en los umbrales del mirador de Lindaraja y con las que constituyen obras maestras en su tipología. El texto es un poema del gran visir Ibn al-Yayyab, maestro y predecesor del otro gran visir de la dinastía, Ibn al-Jatib.

Las yeserías de la sala, originalmente policromadas, se distribuyen a modo de entelado o tapizado por encima de los alicatados, característico de la decoración arquitectónica nazarí, presente en los espacios más destacados de los palacios de la Alhambra. El suelo de mármol y la actual techumbre de madera pertenecen a la restauración llevada a cabo en la torre a fines del siglo XIX.

A semejanza de las estructuras domésticas tradicionales, la torre tiene sus habitaciones y una terraza en la planta superior, a las que se accede por un portillo desde el recodo de la entrada.

Torre de las Infantas

La torre de las Infantas presenta una estructura arquitectónica semejante a la de su vecina, la Cautiva, y, al igual que aquella, puede considerarse como una torre-palacio. Sin embargo, por las características de su decoración, pertenece a una etapa más tardía; concretamente se ha atribuido al sultán Muhammad VII (1392-1408). Tal vez por esa cronología se ha estimado que esta torre marca el inicio de la decadencia del arte nazarí. No obstante, su programa estético continúa los esquemas de desarrollo tradicional, si bien tiene una mayor rudeza de ejecución y unas proporciones menos perfectas.

Interior de la torre de las Infantas

Exterior de la torre del Cabo de la Carrera. Estado actual

La torre del Agua y el acueducto en 1862.
Fotografía de Charles Clifford

El acceso responde al habitual en recodo, y destaca la bovedita de la entrada con grandes mocárabes que han conservado restos de su pintura original. El interior de la torre se distribuye según el esquema tradicional de la vivienda nazarí, y da la sensación de que se está en una casa de cualquier ámbito de la Alhambra, en lugar de en una torre de la muralla. El espacio cubierto que se corresponde con el patio, centrado por una fuentecilla poligonal de mármol, reparte en su entorno las estancias principales, tres núcleos de alcobas con ventanas al exterior, la más destacada al fondo con los habituales alhamíes en sus lados menores. Todas las puertas del patio tienen en sus umbrales las tradicionales *taqas*.

Su espacio central presenta, a la altura de la planta primera, galerías en dos de sus costados, y en los otros, ventanas. El techo se cubría originalmente con una bóveda de mocárabes, perdida y sustituida en el siglo pasado por la actual armadura de madera. Al igual que la torre de la Cautiva, el acceso a la planta superior y a la terraza se hace desde el recodo de la entrada. Esta torre es el escenario de la conocida leyenda de las tres princesas, Zayda, Zorayda y Zorahayda, recogida por Washington Irving en dos relatos de sus famosos *Cuentos de la Alhambra*.

Torre del Cabo de la Carrera

Tras recorrer el último tramo paralelo a la muralla, surge la llamada torre del Cabo de la Carrera, la más oriental de la muralla norte, cuya construcción se debió a los Reyes Católicos en 1502, según una inscripción desaparecida. La torre hoy está prácticamente derruida, al igual que todo este sector de la Alhambra, debido a las voladuras que perpetraron las tropas napoleónicas de ocupación cuando se retiraron en 1812.

Torre del Agua

La mayoría de las torres que componen el recinto amurallado de la Alhambra, dentro de su diferencia formal, pueden agruparse según las distintas funciones que desempeñan. Alguna presenta cierta singularidad que la hace completamente diferente del resto. Es el caso de la torre del Agua, situada al sureste, en el extremo del recinto, una de las mayores de la Alhambra en tamaño.

A pesar de que a mediados del siglo XX no quedaba de ella más que su base maciza al ser una de las que más sufrió las referidas voladuras, pudieron reconstruirse sus muros exteriores. Esta torre debió de desempeñar un papel esencial, pues en la base de su cara norte se produce la entrada de la Acequia del Sultán, que surtía de agua a toda la Alhambra.

Acequia Real o del Sultán

Junto a los jardines y paseos de la Alhambra alta, integrados entre restos arqueológicos por toda la zona del Secano, se encuentran diseminados diversos elementos pertenecientes a la infraestructura hidráulica de la Acequia del Sultán: anclajes para norias, depósitos de agua y un amplio acueducto, parcialmente reconstruido, son evidencia, en la cota más elevada de la ciudad palatina, de una pequeña pero seguramente muy activa industria al servicio de la corte. Al final del paseo se encuentra precisamente el lugar de entrada de la acequia a la Alhambra: un distribuidor que ha conservado parte de su fábrica original, a pesar de las voladuras napoleónicas, y que se encuentra custodiado por la torre del Agua en el extremo oriental del recinto amurallado de la Alhambra.

Este es un espacio muy modificado, que hoy comunica diferentes sectores del Conjunto Monumental. Por un gran portón, abierto en la muralla, ante el que se extiende un amplio puente, todo ello de los años setenta del pasado siglo, se accede de manera directa al Generalife. A través de él, también se puede salir de la Alhambra.

Por el interior del recinto se llega a la Alhambra alta y desde aquí se accede a la calle Real y se conecta con la Alcazaba y los palacios. Este paso se hace a través de una brecha en un importante elemento de la infraestructura medieval, aunque reconstruido, que es el acueducto por el que pasaba al interior de la ciudad, en este punto, el caudal de la Acequia Real o del Sultán.

Torre del Agua. En su base se encuentra la entrada de la Acequia Real o del Sultán, que proporcionaba el agua necesaria para la ciudad palatina

9 La medina

Medina en árabe significa ciudad. Ocupaba la parte alta de la colina de la Sabika y se configuraba mediante dos calles longitudinales principales, la calle Real Alta y la Real Baja, y otras secundarias que las cruzaban. En ella se edificaron viviendas, baños, industrias y todos aquellos elementos característicos y necesarios en cualquier ciudad. Pero la de la Alhambra era, además, una ciudad cortesana, una medina pensada y organizada para su funcionamiento al servicio del sultán.

:alle Real Alta

a calle Real Alta estructura el urbanismo ıterior de la Alhambra, un espacio que ha xperimentado múltiples transformaciones a lo ırgo del tiempo pero del que pueden visitarse arios lugares. Desde ella el visitante puede irigirse, dentro del recinto, tanto al palacio de :arlos V y sus espacios expositivos (los museos e la Alhambra y de Bellas Artes, la sala de xposiciones, la librería, etc.) como a la Alcazaba el Generalife. Igualmente permite salir del :onjunto y, a través del bosque, visitar el entorno xterior o descender a Granada.

Su nombre obedece evidentemente a la tapa cristiana, en la que la calle mantuvo u papel urbanístico predominante. Una real édula del año 1501 la denomina calle Mayor, término castellano que viene a determinar su jerarquía urbana.

En la actualidad permite organizar en parte la visita al Conjunto Monumental. Es el único lugar del recinto amurallado al que se puede acceder, de manera restringida, en vehículo a motor.

La calle Real Alta es, por tanto, la principal de la medina de la Alhambra. En el primer tercio del siglo XX las excavaciones arqueológicas comenzaron a clarificar el urbanismo medieval de la Alhambra, lo que permitió la recuperación de otra importante calle, con un recorrido similar, casi paralelo, pero a un nivel inferior, a la que se llamó calle Real Baja.

El núcleo inicial del espacio residencial palatino en la etapa nazarí estaba situado en la zona más elevada de la colina, rasgo característico

a calle Real Alta

e inicia en la puerta del Vino, que era la entrada principal a la nedina, y continúa su recorrido hacia el este hasta el parador le San Francisco y luego hacia el sureste en dirección a la uerta de los Siete Suelos. Probablemente su trazado estaba :ondicionado por el de la Acequia Real o del Sultán, descubierta ıracias a las excavaciones arqueológicas que se llevaron a cabo principios del siglo XX. La calle ascendía suavemente hasta ılcanzar la cota más alta de la colina de la Sabika donde se ısienta la Alhambra, donde estaba la medina. A su izquierda e encuentra el sector ocupado por los palacios del siglo XIV, algunos edificios públicos como la mezquita o su *hammam*, hoy ustituidos por el palacio de Carlos V y la iglesia de Santa María le la Alhambra.

ortada exterior de la puerta del Vino

La medina

En la parte alta de la colina de la Sabika se desarrolló a lo largo de los siglos XIII al XV, es decir, durante todo el periodo en que los nazaríes gobernaron la Alhambra, una ciudad con todos los elementos necesarios para el desenvolvimiento de la vida. Apenas quedan vestigios de los edificios allí construidos pero se van descubriendo en sucesivas actuaciones arqueológicas.

❶ Calle Real Alta

Era la calle principal que atravesaba la Alhambra en sentido longitudinal y facilitaba la comunicación dentro de la ciudad palatina. Partía de la puerta del Vino y, pasando por la mezquita, el *hammam* y otros elementos como este cobertizo, llegaba a la parte alta de la medina.

❷ Medina alta

En la zona más elevada se consolidó en época nazarí un barrio popular artesanal con un entramado de casas, talleres y callejas semejante al de cualquier ciudad del norte de África. En la actualidad no quedan sino restos arqueológicos que van descubriendo parte de su pasado.

❸ Secano

En el siglo XIX, la zona alta de la Alhambra pas a llamarse Secano, después de que el ejército d Napoleón, en su retirada, causara estragos en e recinto. A lo largo del siglo XX se ha rehabilitad el sector mediante la excavación y consolidació de restos arquitectónicos y la creación de jardines y un paseo para acceder al Generalife.

❹ Tenería

En la década de 1930 se descubrieron los restos arqueológicos de una fábrica dedicada curtido de pieles o tenería. Se situó al lado de la Acequia Real para poder utilizar el caudal d agua que proporcionaba.

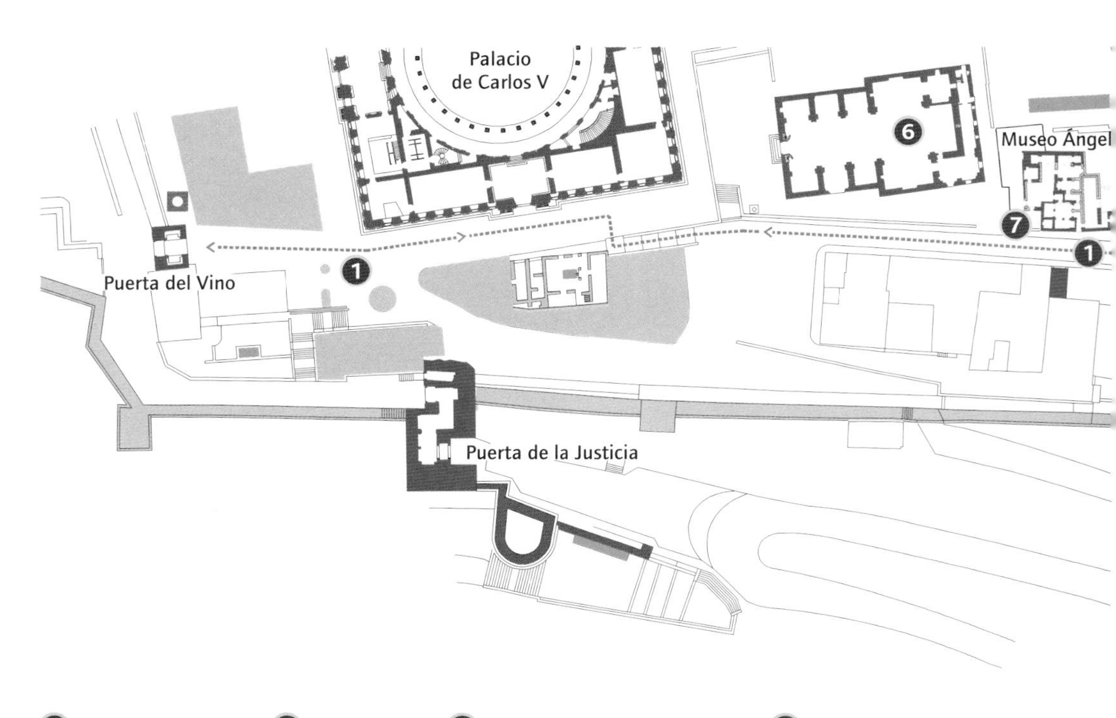

❶ Calle Real Alta
❷ Medina Alta
❸ Secano
❹ Tenería
❺ Dos casas nazaríes
❻ Santa María de la Alhambra
❼ Baño de la mezquita
❽ Casa nazarí

------> Sentido de la visita

Muralla — Arquitectura nazarí — Restos arqueológicos nazaríes — Arquitectura cristiana — Jardin

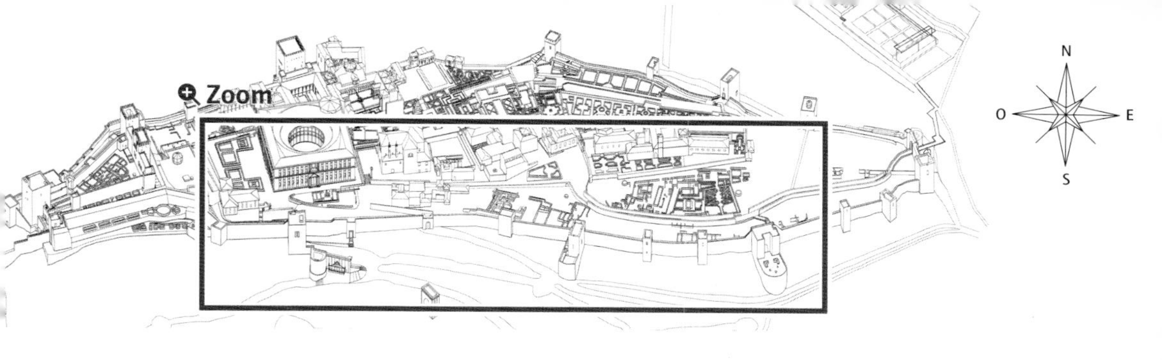

❺ Dos casas nazaríes

En la misma época en que se descubrió la tenería y muy próximas a ella, aparecieron los restos de dos casas nazaríes cuya planta es semejante a la de los palacios, una de ellas con patio y alberca central y habitaciones abiertas al patio.

❻ Santa María de la Alhambra

Edificada entre 1581 y 1618 en el solar que había acogido la mezquita de época nazarí, es una iglesia de nave central con capillas laterales y un retablo mayor barroco presidido por la imagen de la Virgen de las Angustias.

❼ Baño de la mezquita

Como todas las mezquitas del mundo islámico, esta de la Alhambra también disponía de un *hammam* propio con las instalaciones necesarias. Aunque fue derribado en el siglo XVI, se ha podido reconstruir en parte gracias a los vestigios conservados.

❽ Casa nazarí

Junto al baño de la mezquita se conserva, en bastante buen estado, una casa noble nazarí dotada de patio interior con alberca y decoración de yeserías en sus muros.

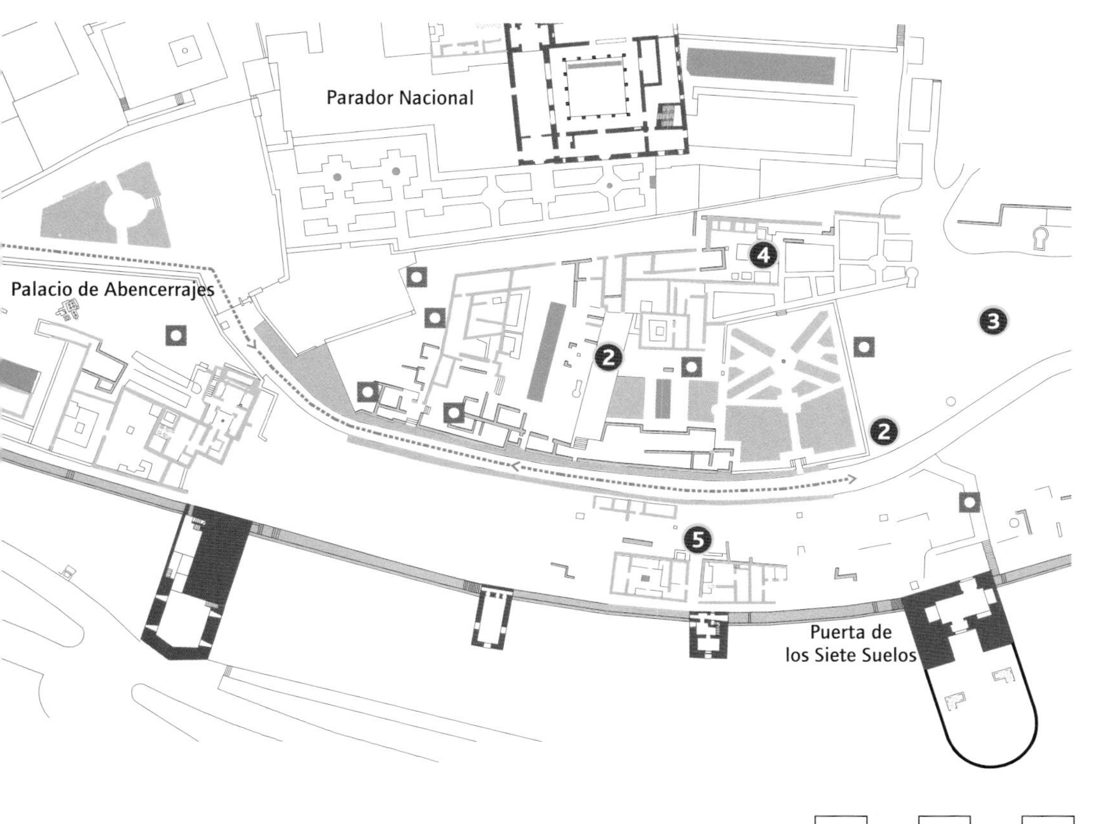

Elementos hidráulicos

Mazmorra o silo

0 10 20 30 40 50 m

Fotografía aérea con la Alhambra alta, el ámbito principal de la medina

de las ciudades acrópolis, en las que el poder utiliza esa posición de altura que le brinda el terreno para dominar mejor la ciudad. La conexión de la *Dar al-Sultán* con su recinto castrense de protección y la tradicional comunicación con Granada seguramente se hacían a través del primitivo trazado de la calle Real Baja, al menos hasta los primeros años del siglo XIV en que el sultán Muhammad III estableció los primeros elementos de la configuración urbana de la Alhambra. Levantó la puerta del Vino, al menos su fachada de poniente, y la convirtió en entrada principal a la medina, en la que se inicia la calle Real Alta. Al mismo sultán se le atribuye, unos 100 metros más arriba, la mezquita y el *hammam* contiguo, con los que perfila el trazado de la calle y su ocupación territorial.

Es probable que el trazado de la calle estuviera condicionado por la Acequia Real o del Sultán que, tras entrar desde el este por la zona alta en el recinto amurallado, va descendiendo hasta la puerta del Vino. La calle Real Alta continúa hoy aproximadamente por su trazado original, suponiéndose que prolongaría su recorrido hacia el este. Por las exploraciones arqueológicas realizadas, puede apreciarse una cierta jerarquización en su recorrido. En el margen septentrional presenta una serie de instalaciones sucesivas de carácter semipúblico: la mezquita, un *hammam* para su servicio, con una vivienda asociada, y restos de edificios integrados en otros modernos, actualmente usados como servicios del monumento —hospedaje y restauración o pequeños comercios—, donde se han instalado las oficinas del Patronato de la Alhambra.

En el lado meridional de la calle, a partir de la puerta del Vino, aparecen edificios de carácter residencial integrados en otros modernos o dispersos entre la reconstrucción urbana del sector. Se conservan los restos arqueológicos de una casa nazarí descubierta en 1922 frente a

A mitad de la calle Real Alta se conserva un cobertizo de época nazarí

Fachada reconstruida de una casa nazarí junto al *hammam* de la mezquita

la fachada sur del palacio de Carlos V, dotada de varias habitaciones en torno a un patio con alberca. Esta zona ha sufrido numerosas transformaciones desde el primer tercio del siglo XVI, cuando se explanó para facilitar el acarreo de materiales para la construcción del palacio imperial.

A continuación, frente a la mezquita, hoy iglesia de Santa María de la Alhambra, encontramos varias importantes construcciones que han ido recuperándose en sucesivas campañas de trabajo desde mediados del siglo XX. Entre el caserío, cuyos cimientos podrían coincidir con los medievales, pueden observarse también algunos elementos urbanos, perpendiculares a la calle Real, como otras calles secundarias que aún ofrecen parte de su recorrido, o un curioso cobertizo que conserva un pequeño arco apuntado con fábrica de ladrillo en su interior.

Al final del recorrido actual de la calle se llega a la portada del convento de San Francisco, hoy sede del parador nacional de turismo, ante una plaza ajardinada bajo la que en 1963 aparecieron los restos de una casa nazarí, con un pequeño *hammam* propio, alberca, arriates ajardinados y ricas solerías que daban continuidad a la trama urbana de la calle. En el solar contiguo quedan los restos del palacio de los Abencerrajes, objeto de varias excavaciones arqueológicas desde principios del siglo XX. Junto con el convento franciscano, construido sobre un palacio nazarí, forman una encrucijada urbana que planteó la posibilidad de que la calle continuara hacia el sureste en dirección a la puerta de los Siete Suelos, en un recorrido que hoy supone un paseo arqueológico por la Alhambra alta. En este punto elevado se divisa una excelente panorámica de Sierra Nevada, entre cipreses recortados formando arquerías, diseñados en los años treinta del pasado siglo sobre la muralla del sector para simular con vegetación las fachadas a la calle

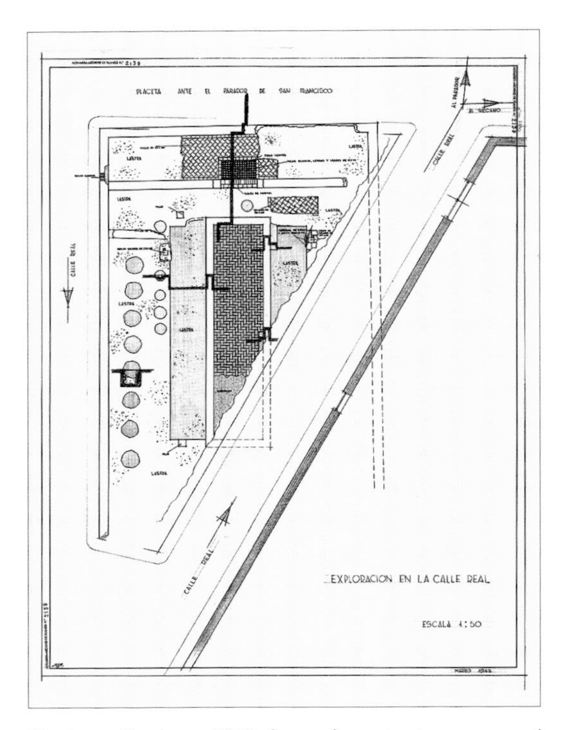

Planta realizada en 1963 de una importante casa nazarí de la calle Real cuyos restos se encuentran hoy bajo el jardín situado frente al Parador. Archivo de la Alhambra

El arquitecto Leopoldo Torres Balbás recuperó parte del viario de la medina y plantó en las márgenes de la calle hiladas de cipreses que simulan fachadas. Al fondo detalle de Sierra Nevada

de los edificios perdidos y poder acceder a los restos arqueológicos de la zona y a sus jardines colindantes.

Medina alta

La medina alta, situada en la zona conocida como Secano, debió de constituir en época nazarí el ámbito de población artesanal más importante de la ciudad palatina, un barrio más popular en comparación con otras zonas de construcciones más amplias y ricas por sus restos decorativos.

Del entramado de casas, talleres y callejas medievales, cuya tipología es la misma que la de los barrios de muchas ciudades del norte de África, se conserva en la Alhambra un pequeño número de construcciones a las que las adaptaciones cristianas fueron transformando hasta hacerlas desaparecer, enmascaradas en edificios con usos muy diferentes y para una población que respondía a una cultura distinta, que fue progresivamente eliminando por completo su aspecto medieval.

Además de la tenería, es posible identificar en el barrio varias industrias alfareras entre restos de muflas, de hornos y de amplias naves sin elementos decorativos, que testimonian un uso de almacenes o talleres. Entre ellos cabría recordar la importancia que tuvo la artesanía de la seda en la Granada nazarí, que pudo disponer de algún taller dedicado en exclusiva a las necesidades de la corte. En ese sentido, se puede mencionar también la posible existencia de una ceca nazarí que perviviría en época cristiana en este sector: junto a los restos del palacio de los Abencerrajes se encontró una moneda, probablemente de la última etapa nazarí, de baja ley por la época de inestabilidad en que fue acuñada, en cuya orla se lee «bi-hamrá' Garnata», es decir, «en la Alhambra de Granada». Esta moneda se encuentra en el Museo de la Alhambra.

La medina alta de la Alhambra ofrece un paseo en el que se integra la vegetación con diversos restos de edificios, principalmente de las industrias y artesanías palatinas

El Secano

Prácticamente toda la Alhambra alta entró en la segunda mitad del siglo XIX en un avanzado estado de abandono a consecuencia de las voladuras que le infringieron las tropas napoleónicas durante su retirada en 1812, por lo que recibió el nombre de «Secano». En el primer tercio del siglo XX comenzaron las exploraciones arqueológicas, la consolidación de restos y la plantación de jardines, hasta los años sesenta, en que se estableció la conexión entre la Alhambra y el Generalife por esta zona, procediéndose a su

El Secano

La medina de la Alhambra en su parte alta fue muy transformada por sus nuevos pobladores cristianos después de la conquista. Varios siglos después, tras la retirada de las tropas napoleónicas de ocupación en 1812 y sus bombardeos artilleros, todo este sector quedó abandonado y convertido en un erial que fue llamado modernamente «el Secano». A mediados del siglo XX se inició un programa arqueológico de desescombro y consolidación de toda la zona que culminó en los años sesenta con el diseño de un paseo entre jardines que, en la actualidad, sirve de enlace con la finca del Generalife. Archivo de la Alhambra

Entre los restos descubiertos en la medina apareció una tenería, es decir, una industria dedicada al curtido de pieles, para abastecimiento de la corte nazarí

urbanización. Se identificaron varias estructuras entre fragmentos de pavimentos, canalizaciones y muros.

En la zona más elevada se detectó un edificio, que por su extensión se ha considerado una casa importante o tal vez un palacio; ocupa el solar entre el palacio de San Francisco y el paseo de cipreses recortados en forma de arquería. El núcleo esencial lo constituye la gran alberca que centra un patio alargado, en torno al que se distribuyen las habitaciones. La actual pérgola, elevada sobre el nivel donde se sitúan los restos murarios, marca la posibilidad de un corredor o calle perpendicular, donde estaría el acceso. Ante ella aparecieron las bases para un pórtico o pabellón avanzado sobre el patio. Al otro extremo de la alberca distintos restos murarios parecen señalar la presencia de un *hammam* privado. Todos los restos identificados de la etapa nazarí aparecen enmascarados entre muros semejantes pero de época posterior, que evidencian su reutilización en tiempos cristianos; una parte de los hornos y de otras estructuras hidráulicas que se ven entre los jardines pueden pertenecer a la etapa posterior a la conquista o ser reutilizados entonces.

Tenería

Hacia el este, a un nivel algo inferior, en los años treinta del siglo XX fue sacada a la luz la estructura de una tenería o curtiduría medieval, es decir, una zona de industrias dedicadas al curtido de pieles para usos diversos, labor artesana muy difundida en al-Andalus. Los restos del edificio conservado en la Alhambra son de dimensiones reducidas en comparación con las tenerías existentes en el norte de África; las industrias artesanales, ubicadas en esta zona de la medina alta, abastecían exclusivamente a la corte del sultanato. La tenería se ubicó junto a la Acequia Real para aprovechar su gran caudal de agua, indispensable en este tipo de actividad. Un patio

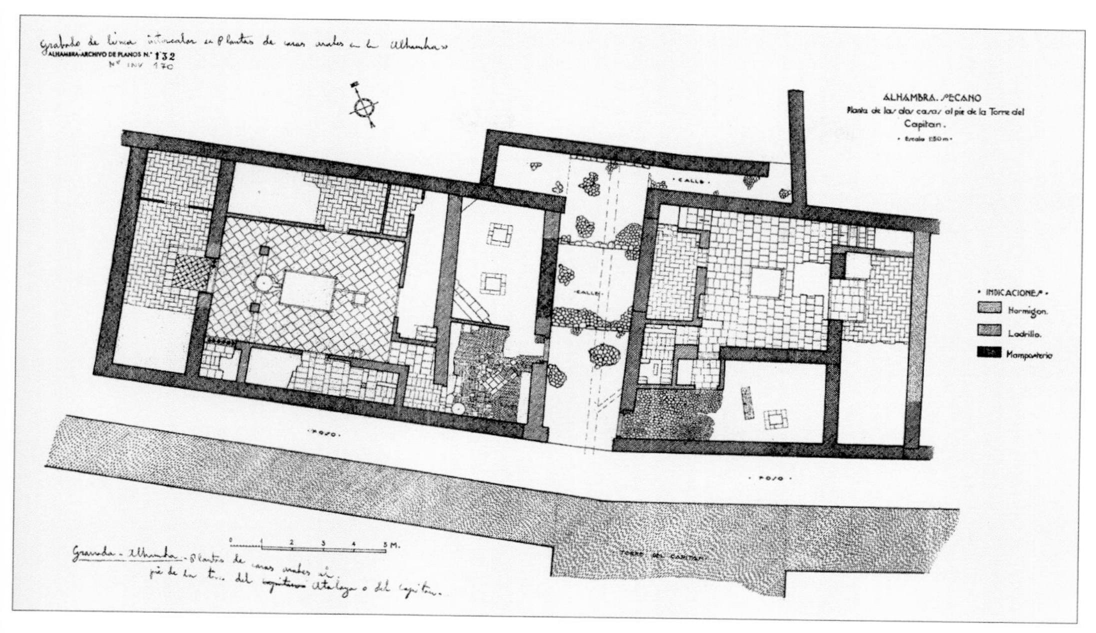

Planta de dos casas nazaríes situadas frente a la torre del Capitán, por debajo del paseo de los Cipreses, y calle central dibujadas por Leopoldo Torres Balbás durante su etapa al frente de la Alhambra, entre 1923 y 1936. Archivo de la Alhambra

a cielo abierto centra el edificio, al que abrían varias habitaciones con dos galerías sobre pilares de ladrillo. Varias albercas, de diferente tamaño y profundidad, y dos tinajas constituyen los elementos necesarios para sumergir y trabajar el cuero. En el suelo pueden verse distintos orificios de registro para distribuir el agua a las albercas, que conservan sus canalizaciones y desagües. A su alrededor se encuentran otras habitaciones de servicio, entre ellas una letrina y otras construcciones tal vez de fecha posterior.

Dos casas nazaríes

Próximos a la tenería, pero a nivel inferior, junto al tramo de muralla meridional del recinto, pueden identificarse los restos de dos casas nazaríes, desescombradas entre 1932 y 1933. Tienen su entrada desde una calle perpendicular, con fuerte pendiente, que parte desde la cara interna del camino de Ronda, a la altura de la torre del Capitán.

La situada a poniente presenta una serie de estancias en torno al habitual patio rectangular, en cuyo centro se dispone una pequeña alberca con borde de cenefa vidriada en verde. Se accede a la casa por una puerta con mochetas y quicialera de piedra, y un repartidor solado con ladrillos puestos de canto. En la entrada, independiente de las habitaciones, hay una pequeña cuadra con restos de dos pesebres. A través de un pasillo en recodo se pasa al patio, al que abren las alcobas y sobre el que avanza un pórtico sobre pilastras, que debe señalar la estancia principal, en cuyo umbral central hay una fuentecilla que surtiría de agua la alberca. Conserva parte de las losetas originales de barro, algunas con pequeñas piezas vidriadas en blanco, verde y negro. Entre los restos de muros de la casa, se encontró una letrina muy deteriorada y lo que parece el inicio de una escalera hacia la planta alta.

La otra casa, situada a levante de la calle, es más pequeña y de materiales más pobres. Su puerta de entrada, situada en el extremo inferior de la calle, conserva las mochetas originales. Da paso a un zaguán empedrado, a cuyo fondo abre, igual que la casa vecina, una pequeña cuadra con un pesebre, que ha perdido el cierre que la aislaba de la entrada.

Casa nazarí desescombrada entre 1932 y 1933 en una de las calles secundarias. Como es costumbre las habitaciones se abren en torno a un patio central

Se ingresa a un patio cuadrado a través de una pequeña cámara contigua al zaguán y a la entrada de una letrina. En el centro del patio, los restos de un cuadrado marcan el lugar donde habría una alberca que, por sus reducidas dimensiones, pudo ser sustituida por una pila o tal vez una fuente. Del patio parten dos escaleras a una planta superior que han conservado sus losetas originales; los demás aposentos, muy irregulares, tienen parte de sus pavimentos de losetas de barro. La estancia principal de la casa parece estar en el lado oriental del patio, pues conserva en el pavimento la almatraya, sin solería vidriada. Estas dos casas prueban la importancia del lugar en la Alhambra medieval. A lo largo de la calle de Ronda o del Foso, otras edificaciones de este tipo permanecen aún sin explorar. Son en su mayoría construcciones domésticas y elementos de la estructura urbana de la Alhambra, que no por haberse construido con materiales más humildes o por estar conservados en peor estado que el resto, son menos importantes para conocer su pasado.

La mezquita de la Alhambra

Su principal descripción se debe a la gran labor que entre los años 1923 y 1936 realizó el entonces arquitecto de la Alhambra Leopoldo Torres Balbás, aunque la exploración del solar la llevó a cabo antes su antecesor Modesto Cendoya. Sus trabajos partieron de las investigaciones llevadas a cabo a finales del siglo XIX por Manuel Gómez-Moreno. Situado su eje central bajo el costado sur de la actual iglesia de Santa María de la Alhambra, tiene su orientación debidamente establecida hacia el sureste. Entonces solo pudieron explorarse con mayor detenimiento los restos que quedaban en el subsuelo hacia el exterior de la iglesia. No obstante, gracias a un plano antiguo de Juan de Orea se pudo puntear el posible perímetro original de la mezquita: hacia el exterior de la iglesia, en el subsuelo, sobresaldría un tercio de lo que debió ser el edificio, en el que estaría el muro de la *qibla* y

Calle de la medina

De las principales calles de la Alhambra partían multitud de callecitas, callejones, pasos, cobertizos, en general secundarios, pero que conformaban su entramado urbano. El desescombro de las dos casas nazaríes junto a la torre del Capitán (en la imagen) permitió recuperar parte del trazado de una de ellas, que comunicaba la calle de Ronda con la medina. Todavía quedan sin descubrir muchos restos que las sucesivas exploraciones arqueológicas irán sacando a la luz para dar una idea cada vez más precisa de lo que fue la Alhambra.

la base del *mihrab*. Según ese documento, el lado meridional de la desaparecida mezquita corría casi paralelo al lateral de la calle Real, hoy perfilado por un parapeto que salva la diferencia de altura entre la calle y el solar de la iglesia. Siguiendo esa descripción, la mezquita tendría tres naves, separadas por tres arcos de la *qibla*, sobre columnas de casi dos metros de altura, «seis de ellas de jaspe y dos de mármol blanco, además de bases y capiteles semejantes en su decoración a los califales». La nave central, más ancha que las laterales, destacaría en altura y se cubriría con techo horizontal de tableros de lazo cubierto por una falsa armadura con tirantes. Las naves laterales se cubrirían, según Torres Balbás, con armaduras de colgadizo, mientras que en la cubierta habría grandes tejas vidriadas. El alminar de la mezquita, alto y ceñido, estaría situado en el extremo occidental. Según esta descripción, el edificio pudo asemejarse al del oratorio de la Madraza almohade de Tremecén. El polígrafo del siglo XIV Ibn al-Jatib señala que Muhammad III (1302-1309) mandó edificar la mezquita de la Alhambra al final de su mandato. En 1492, con la conquista cristiana, fue trasformada en iglesia, y fue sede episcopal mientras se levantaba el vecino convento de San Francisco. Reducida su importancia a simple parroquia, a fines del siglo XVI se encontraba prácticamente en ruinas, y se realizaron algunas obras de consolidación para detener su desplome. El inevitable derribo se produjo en octubre de 1576, y a continuación se inició la construcción de una nueva iglesia.

Se han conservado escasos restos decorativos del edificio musulmán. El más significativo es una lámpara de bronce que perteneció al cardenal Cisneros, cuya decoración epigráfica fecha la terminación de la mezquita en 1305. Se encuentra

Son escasos los restos conservados de la mezquita de la Alhambra. Uno de ellos es la lámpara del Museo Arqueológico Nacional de Madrid cuya réplica está en el Museo de la Alhambra

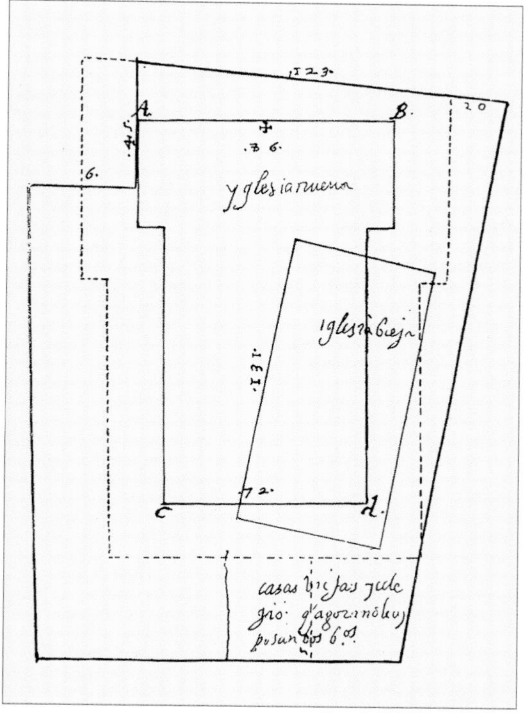

Fragmento de un plano dibujado por Juan de Orea hacia 1580 con el emplazamiento de la iglesia nueva de la Alhambra y la situación de la mezquita, dibujada esta última por Juan de Herrera. Archivo de la Capilla Real de Granada

AÑO
1617

Detalle de la *Plataforma* de Ambrosio Vico con la representación de la mezquita, hacia 1614. Biblioteca de la Alhambra

actualmente en el Museo Arqueológico Nacional en Madrid y existe una réplica en el Museo de la Alhambra.

Santa María de la Alhambra

El templo cristiano fue edificado entre 1581 y 1618, con adaptaciones del arquitecto Ambrosio Vico a partir de bocetos de Juan de Herrera y Juan de Orea. Su nave está flanqueada por capillas laterales que resaltan el retablo mayor barroco de grandes columnas salomónicas que data de 1671 y acoge la imagen titular, la Virgen de las Angustias, de Torcuato Ruiz del Peral, tallada entre 1750 y 1760. También destaca el Crucificado y las grandes imágenes de las santas Úrsula y Susana, del escultor Alonso de Mena. La popular imagen de la Virgen es sacada en procesión cada año en Semana Santa sobre uno de los más bellos tronos granadinos, que reproduce en plata repujada las arquerías del patio de los Leones. A su cofradía perteneció Federico García Lorca.

Baño de la mezquita

El baño de vapor o *hammam* es uno de los elementos característicos de la cultura islámica. Su uso purificador supone la ablución mayor, previa a la oración, por lo que es frecuente encontrar baños en las proximidades, o incluso formando parte de las mezquitas; muchos baños públicos están incorporados a ellas para su sostenimiento.

Pero el uso del baño no cumple solo una función purificadora de carácter religioso; es también un espacio para la higiene y, con frecuencia, un lugar de encuentro social. Al establecimiento del baño se le atribuyen propiedades saludables por su atmósfera cálida que permite la transpiración mediante el sudor y el aseo con la alternancia de agua fría y caliente.

Este baño, que tenía su entrada original en la calle Real, fue edificado para los usuarios de la mezquita que ocupaba el solar contiguo, donde hoy se encuentra la iglesia de Santa María de la

Altar mayor de la iglesia de Santa María de la Alhambra

Dos imágenes del interior del *hammam* situado junto a la mezquita

Alhambra. Enmascarado entre los muros de una casa construida entre los siglos XVII y XVIII, fue restaurado a partir de 1934. Aunque constaba su derribo hacia 1534, se encontraron suficientes testimonios para reconstruirlo, como el arranque de las bóvedas, la linterna, fragmentos de azulejos, yeserías y parte de la solería de mármol.

En la estructura conservada del baño pueden distinguirse varias de sus estancias: la sala de reposo o *bayt al-maslaj*, con linterna central y disposición semejante a la del baño de Comares, también con mastabas o bancales elevados y separados por dobles arcos de herradura; la sala fría, o *bayt al-barid*, de transición, presenta una

Museo de Ángel Barrios

Dedicado al compositor y guitarrista granadino Ángel Barrios (1882-1964), fue creado en 1975 por iniciativa del Patronato de la Alhambra y gracias a la donación de su hija, Ángela Barrios. Está situado junto a la iglesia de Santa María de la Alhambra, en el pequeño edificio también conocido como «el baño del Polinario». Consta de tres reducidas salas en las que se exponen pinturas de la colección particular del músico, firmadas y dedicadas por sus amigos y miembros de las tertulias que allí se celebraban, así como objetos personales, como correspondencia con escritores como Antonio Machado, Federico García Lorca, varias partituras musicales originales y otros documentos de intelectuales de la época, que pasaban por la Alhambra y hacían un alto en la taberna que regentaba el padre del músico, conocido como el «Polinario». En la imagen, retrato de Ángel Barrios por Manuel Ángeles Ortiz.

Patio de la casa nazarí de la calle Real situada junto al baño de la mezquita

bóveda baída; la sala caliente o *bayt al-sajun*, de planta rectangular, con alcobas laterales, que en la actualidad conserva una única pila aunque probablemente tendría otra, donde se encuentra un moderno pilar de agua; finalmente, el espacio de la caldera, *al-burma*, estaría en una zona paralela, trasdosada a la sala caliente, probablemente junto a una leñera, con entrada independiente del resto del baño.

Fechado, igual que la desaparecida mezquita, en época del sultán Muhammad III (1302-1309), fue muy transformado a partir del siglo XVI.

Museo de Ángel Barrios

En el siglo XIX el baño formaba parte de la estructura de una de las tabernas del barrio, conocida como «Casa del Polinario», lugar de encuentro de intelectuales y artistas de la época que, tras visitar la Alhambra, descansaban allí. Su propietario Antonio Barrios, llamado popularmente «Polinario», polifacético guitarrista y gran aficionado al flamenco, fue padre del músico y compositor Ángel Barrios. Por ello hoy comparte el lugar con un pequeño espacio museográfico dedicado al músico y su época.

Casa junto al baño

Junto al baño de la mezquita, integrada con él por el muro de fachada a la calle Real, se encuentra parte de una casa noble nazarí, con patio interior dotado de alberca, cuya fachada conserva gran parte de la decoración original de yesería. Al sur se abre una estancia al patio. La entrada al edificio no se conserva, aunque en la actualidad comparte el pasillo de ingreso al baño, por lo que la historiografía la consideró parte de su estructura.

Tras el patio de la casa se encuentran algunos restos imprecisos de cimentaciones de lo que debió ser prolongación del edificio. Junto al solar que ocupan ambos edificios, en la llamada Huerta de Santa María, existe una gran alberca con orientación semejante a la del baño y la mezquita, por lo que tal vez formara parte de su conjunto.

Plano arqueológico de la Alhambra nazarí

Este plano, elaborado en el Servicio de Conservación del PAG, se ha realizado a partir de la documentación obtenida en las últimas décadas de investigación arqueológica en la Alhambra. Para su elaboración se han eliminado los edificios y elementos urbanos posteriores al siglo XV, lo que permite hacerse una idea más próxima de lo que pudo ser la ciudad palatina nazarí, tal como la arqueología documenta.

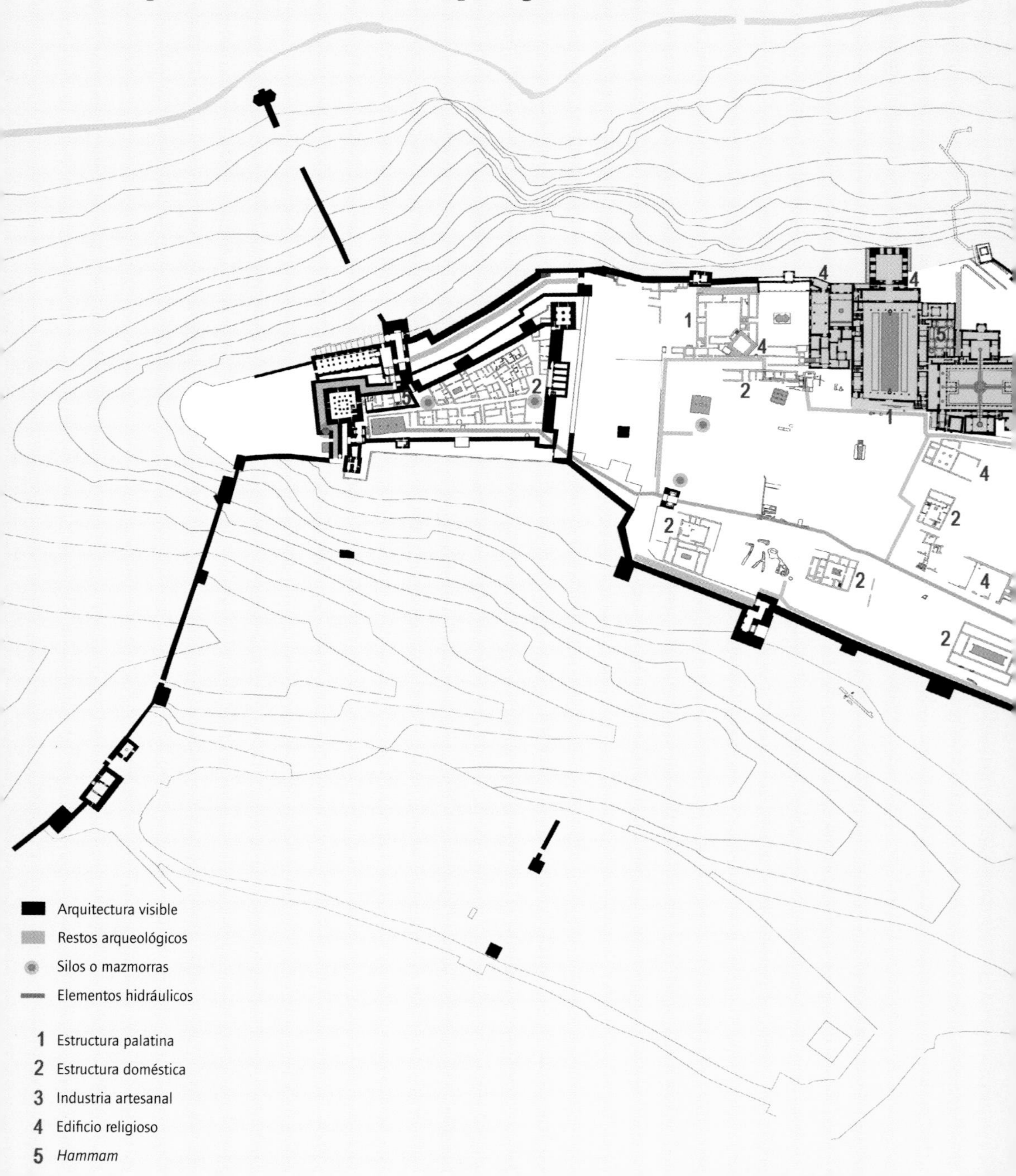

0
10
50
100 m.
1
2
3
4
5

10 El Generalife

Fuera de las murallas de la Alhambra, al este, en la ladera del Cerro del Sol, está el Generalife, una finca de recreo de los sultanes nazaríes, también utilizada para su explotación agrícola. En el periodo medieval tenía al menos cuatro huertas y la residencia es un palacio al que el visir Ibn al-Yayyab llamó la Casa Real de la Felicidad. La relación entre la Alhambra y esta almunia ha sido siempre estrecha, de tal manera que no se entiende la evolución de una sin el complemento de la otra.

Los sultanes nazaríes disponían de grandes fincas o almunias dispersas por su territorio. Una almunia era una finca de carácter rústico, cuya finalidad era básicamente la explotación agrícola y, por extensión, la ganadera, en la que siempre había una vivienda, casa solariega o pabellón de descanso. Cuando la finca era muy importante y extensa, disponía además de un cobertizo para los colonos o braceros; este modelo ha derivado en Andalucía en múltiples variantes, como las alquerías, cortijos y caserías. La almunia del Generalife es la más próxima a la ciudad palatina de la Alhambra, y por ello tal vez la más importante. En el periodo medieval disponía de al menos cuatro grandes huertas y de un amplio edificio que, más que una residencia, es un palacio, al que el poeta visir Ibn al-Yayyab menciona en sus decoraciones epigráficas en árabe como *Dar al-Mamlaka al-Sa'ída,* la Casa Real de la Felicidad. Toda la finca está irrigada por la Acequia del Rey o del Sultán que es la misma que dota de agua a la Alhambra.

La relación entre ambos recintos ha sido siempre estrecha, de tal manera que no se entiende la evolución de uno sin el complemento del otro. Incluso en la actualidad, el organismo responsable de su conservación se denomina precisamente Patronato de la Alhambra y Generalife.

El *Yannat al-Arif* o «jardín del arquitecto», igual que los espacios palatinos de la Alhambra, es fruto de las reformas y añadidos que le aportaron los diferentes sultanes. Por sus elementos decorativos más antiguos, el palacio debió de construirse a finales del siglo XIII, por el segundo sultán de la dinastía nazarí, Muhammad II (1273-1302), y fue reformado por Isma'íl I después de 1319, y, como en toda la Alhambra, pueden rastrearse intervenciones debidas a Muhammad V, el gran constructor, que precisamente se encontraba en el Generalife en el momento en que le avisaron de que existía un complot para asesinarlo, por lo que pudo escapar; por último, ya en el siglo XV, Yúsuf III realizaría las últimas reformas en el sector sur del palacio.

Situado al pie de una elevación montañosa conocida como Cerro del Sol, está separado de la Alhambra por un barranco y es un recinto independiente, pero su visita es conjunta con la de la Alhambra.

Litigio judicial por la titularidad de la finca

Cuando en 1492 los Reyes Católicos tomaron posesión de la ciudad, se reservaron los espacios más destacados de la Alhambra y distribuyeron el resto entre nobles de la corte, mandos del ejército, miembros del clero y soldados, en general. Algo parecido ocurrió con la almunia del Generalife. Tras su cesión a varios comendadores del reino, en 1539 pasó por dote matrimonial a don Pedro de Granada Venegas, miembro de una ilustre familia de moriscos conversos, vinculada desde antiguo a la propia dinastía nazarí. Por reales cédulas de Felipe II se concedía en diciembre de 1555 a sus herederos la alcaidía perpetua del Generalife y la tenencia de la finca. La Corona

Patio de la Acequia en el palacio del Generalife

El Generalife

Se trata de una casa de campo o finca rústica palatina que mandó construir Muhammad II a finales del siglo XIII, fuera del recinto amurallado, pero tan cerca que se puede ir caminando. Situada en una zona más elevada que la Alhambra, está rodeada de huertas en las que se sigue cultivando con los métodos agrícolas tradicionales que se han transmitido de generación en generación. Su palacio, construido a distintos niveles para adaptarse al terreno, y rodeado de jardines y acequias, era el lugar donde los sultanes nazaríes se retiraban a descansar.

❶ Jardines Nuevos

En la zona que conecta la Alhambra con el Generalife, desde 1930 se han planificado unos jardines para facilitar el tránsito a través de las huertas entre un recinto y otro. Aquí también está ubicado el teatro al aire libre en el que, a partir de 1952, se celebra el Festival Internacional de Música y Danza de Granada.

❷ Las huertas

Además de ser una finca de recreo, el Generalife estaba destinado a la producción agrícola para consumo de la corte. Se cultivaban productos de huerta, árboles frutales y se cuidaban los pastos para el ganado. Es interesante el estudio de las especies que se siguen cultivando.

❸ Palacio del Generalife

Denominado por el visir Ibn al-Yayyab la Casa Real de la Felicidad, su estructura es semejante a la de otros palacios nazaríes de la Alhambra. Consta de un gran patio rectangular con acequia flanqueada por jardines, en cuyos lados menores se levantan unos pórticos con arquerías que dan paso a las estancias palatinas.

❹ Patio de la Acequia

Es un patio de crucero con parterres ajardinados a los lados, presidido por un canal longitudinal por el que transcurre la Acequia Real, y con surtidores cruzados que le confieren una imagen singular. Inicialmente era un patio cerrado, pero se le abrió un corredor-mirador en su muro oeste con vistas a la Alhambra.

❺ Pabellón Sur

Situado en uno de los lados menores del patio, es un edificio de dos plantas que ha sido muy transformado desde su primera disposición. La planta baja presenta una fachada con siete vanos. La parte central de la planta superior se ha transformado en un mirador abierto al patio

❻ Patio del Ciprés de la Sultana

De su disposición inicial solo queda el salto de agua de la Acequia Real y un tramo de su recorrido hacia el palacio. Sus primeros propietarios moriscos intentaron eliminar el aspecto nazarí del patio y realizaron un estanque en forma de U con más de treinta surtidores y jardines recortados.

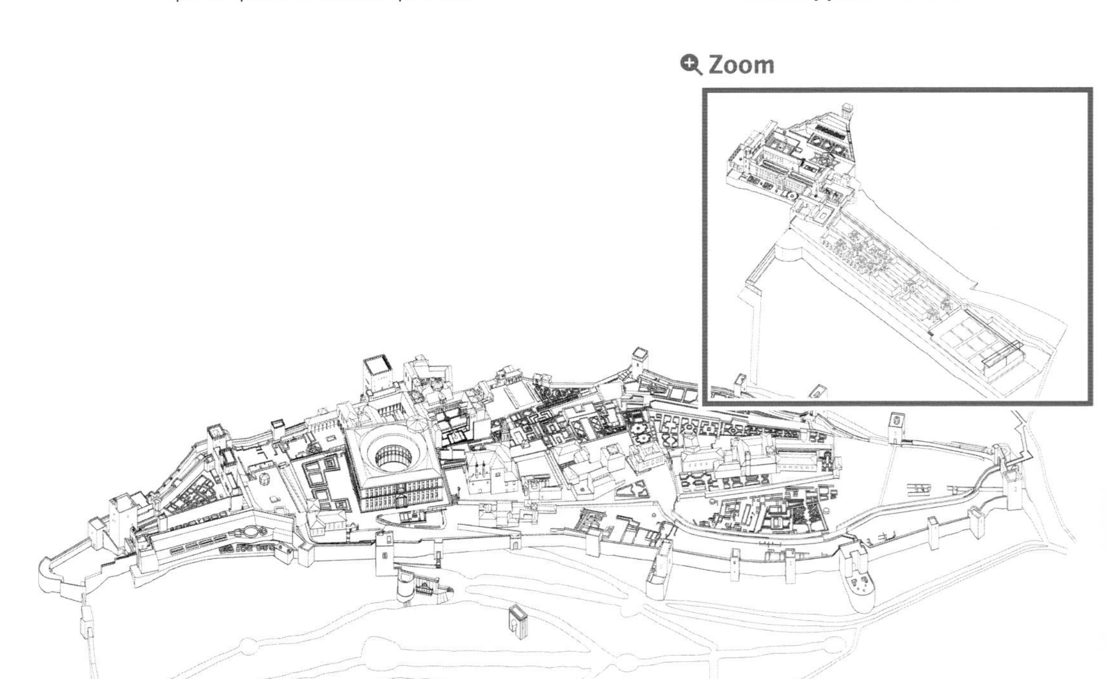

❼ Jardines Altos

Frente a la galería que cierra el lado norte del patio del Ciprés de la Sultana, en el siglo XIX se acondicionó y distribuyó en paratas una amplia zona escarpada que constituye el límite del Generalife. Sus jardines de estilo romántico gozan de unas panorámicas privilegiadas.

❽ Escalera del Agua

Es uno de los elementos más especiales del recinto. Se trata de una escalera de cuatro tramos con tres mesetas intermedias, con bóveda de laurel, cuya baranda consiste en un murete con canales en su parte superior por los que fluye el agua de la Acequia Real.

❾ Casa de los Amigos

Los restos contiguos al palacio y comunicados con el pabellón Sur eran una vivienda distribuida en torno a dos patios a diferente nivel. Se llama así por su parecido con la descripción de un texto del siglo XIV en el que se sugiere que se debe construir una casa para amigos.

❿ Paseo de las Adelfas

En este camino bordeado que discurre por la zona alta del Generalife encontramos cipreses centenarios, las adelfas que le dan nombre y, sobre todo, el arrayán morisco, considerado como una especie patrimonial de la Alhambra, cultivada en el Generalife desde época medieval.

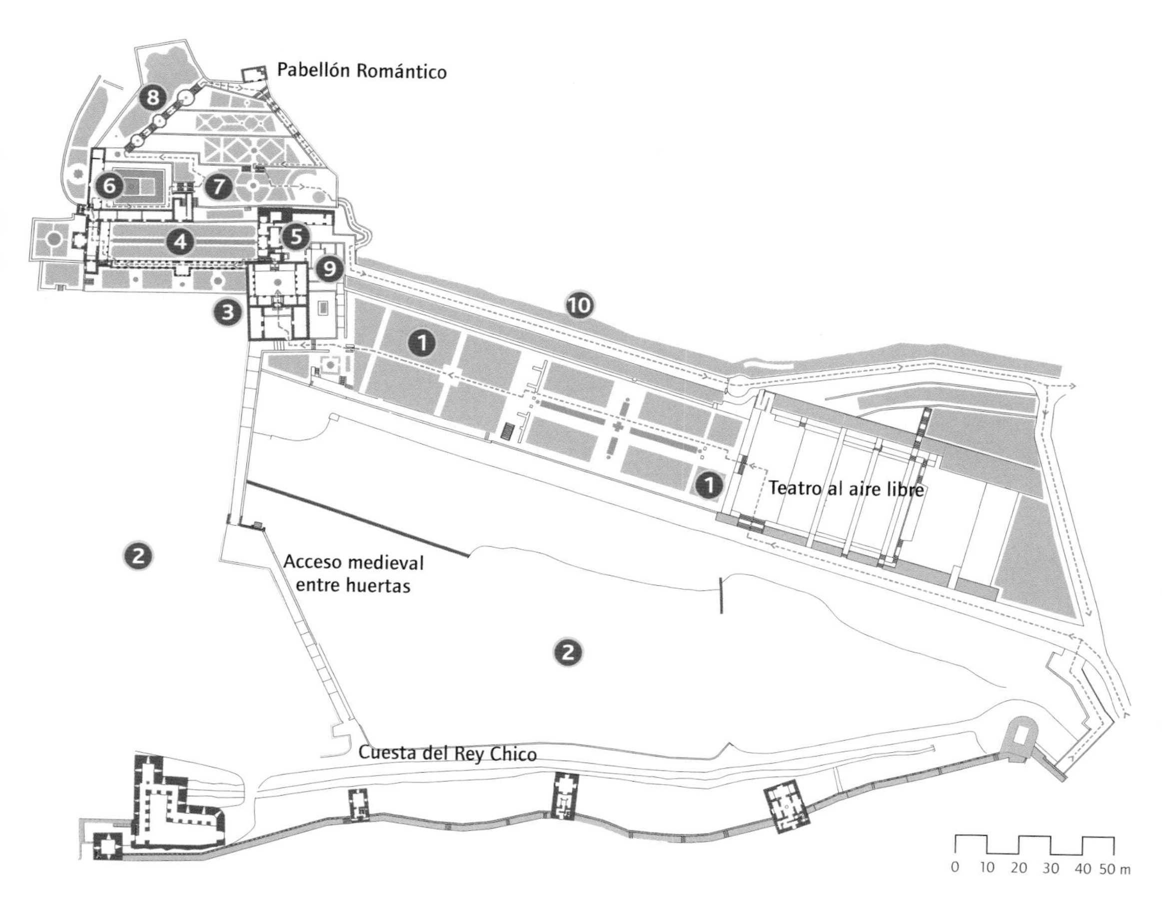

1 Jardines Nuevos
2 Las huertas
3 Palacio del Generalife
4 Patio de la Acequia
5 Pabellón Sur
6 Patio del Ciprés de la Sultana
7 Jardines Altos
8 Escalera del Agua
9 Casa de los Amigos
10 Paseo de las Adelfas

 Sentido de la visita

 Muralla / Arquitectura nazarí

 Arquitectura cristiana

 Jardines

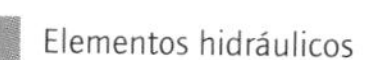 Elementos hidráulicos

Vista de la finca del Generalife desde la Alhambra

nunca ejerció sus derechos de propiedad, entendiendo que únicamente había cedido el uso del palacio y sus anexos como parte de la jurisdicción de la alcaidía, hasta que en 1826 el fiscal del patrimonio privado del rey Fernando VII inició un proceso legal conocido como Pleito del Generalife. Fue un litigio que duró casi un siglo, y que enfrentó al Estado español con los herederos del linaje Granada-Venegas, los marqueses de Campotéjar, a quienes correspondía la tenencia del Generalife y su alcaidía, como consecuencia de los matrimonios y sucesiones de las casas italianas de los Durazzo y Pallavicini, a los que pertenecía el título, que también estaba ligado, al iniciarse el proceso y durante todo el tiempo del mismo, a la estirpe de los Grimaldi. Después de noventa y cinco años de numerosos procedimientos y recursos, el pleito finalizó el 2 de octubre de 1921 mediante un acuerdo extrajudicial, que establecía su incorporación al patrimonio nacional, unificando su gestión con la de la Alhambra a través de un patronato.

Por esta finca a lo largo de la historia han ido pasando autoridades y personajes destacados que han contribuido a forjar su leyenda morisca: el embajador veneciano Andrea Navaggero en 1526, el botánico Carolus Clusius en 1564, el fabulista Ginés Pérez de Hita en 1595, el diplomático y escritor François Bertaut en 1659, el arquitecto inglés James C. Murphy a principios del XIX, os escritores románticos franceses Théophile Gautier y Alejandro Dumas, o el pintor valenciano Joaquín Sorolla a principios del XX, o el poeta Juan Ramón Jiménez, Premio Nóbel de Literatura en 1956, que escribió una de las páginas más líricas del Generalife, incluida en su obra «Olvidos de Granada», donde dejó patente la fascinación que le produjo cuando a principios de verano de 1924 la visitó, junto a su mujer Zenobia Camprubí, teniendo como anfitriones a miembros de las familias de Federico García Lorca y de Manuel de Falla.

La visita a este sector del Conjunto Monumental comienza en los denominados Jardines Nuevos del Generalife.

Jardines Nuevos

Desde la incorporación del Generalife a la Alhambra os conservadores del monumento planificaron una estrategia de conexión entre ambos recintos, mediante unos jardines que mantuvieran la relación formal entre ellos y suavizaran el tránsito a través de las huertas de una manera integradora con la naturaleza. Así, en una parte de la huerta más cercana, que ocupaba un viejo olivar, se dispusieron unos jardines en los años treinta y cincuenta del pasado siglo, que aumentan el patrimonio paisajístico del conjunto. La secuencia que se contempla al visitar el Generalife es la siguiente: el teatro al aire libre, el jardín de la acequia y el laberinto de la rosaleda, cuyo recorrido hasta alcanzar la residencia palatina nazarí permite observar, desde arriba y con diversas perspectivas, parte de las huertas medievales de la finca, con el panorama de la Alhambra y Granada de fondo.

El teatro al aire libre se ubicó entre los jardines en 1952 para el Festival Internacional de Música y Danza de Granada que se celebra cada año al comienzo del verano. Recientemente ha sido reformado para acoger otros espectáculos teatrales y representaciones escénicas, reinaugurándose en julio de 2005 con ocasión de la 54 edición del Festival.

eatro al aire libre en los Jardines Nuevos del Generalife

El jardín inmediato fue realizado en 1951 por el arquitecto Francisco Prieto Moreno, basado en los jardines de crucero, de inspiración neoislámica, entre muros vegetales de cipreses, con una acequia central, fuentes y una pérgola abierta al paisaje hacia la Alhambra, con otros árboles y arbustos ornamentales. El laberinto de la rosaleda, que se desarrolla a continuación entre parterres con flores de estación, fue proyectado en 1931 por el arquitecto Leopoldo Torres Balbás como antesala de acceso a los edificios palatinos del Generalife.

Para una mejor comprensión del contexto en que se inscriben estos jardines y su relación inteligente entre la arquitectura y el paisaje que aquí se daba, es interesante acercarse al «Manifiesto de la Alhambra», documento teórico elaborado en 1953 por un selecto grupo de arquitectos y expertos en el patrimonio.

Las huertas

Desde el siglo XIV hasta hoy, el Generalife ha mantenido en sus huertas la explotación agrícola mediante técnicas tradicionales aplicadas y transmitidas de forma ininterrumpida a lo largo del tiempo, dotándolo de un valor antropológico añadido al histórico y artístico, que hace del Generalife un recinto excepcional con un patrimonio cultural prácticamente intacto durante siglos, algo realmente insólito en nuestra época.

El propio nombre de Generalife, huerta o jardín del arquitecto, indica el objetivo al que los nazaríes querían destinar su almunia: una explotación agrícola, que abarcara tanto el cultivo de productos hortícolas y de árboles frutales, como de pastizales para los rebaños escogidos. Por eso daban a la residencia de recreo o descanso el nombre de Casa de la Felicidad, a la que rodean también de jardines, con el empleo del mismo término para toda la finca, en esa dualidad tan característica de la cultura islámica. La almunia, extramuros de la ciudad alhambreña, era recorrida longitudinalmente por la Acequia Real que, junto con una serie de albercas y otros dispositivos hidráulicos, permitía el mantenimiento de las amplias huertas, los numerosos árboles frutales y ornamentales en torno al palacio, así como los jardines íntimos de su interior. Probablemente a finales del siglo XIII, varios kilómetros antes de su entrada en el Generalife, la acequia se desdobló en un ramal de menor caudal, la llamada acequia del Tercio, para conseguir irrigar mayor superficie de cultivo. Cercada la finca en buena parte de su perímetro y debido a su ubicación en un terreno en pendiente, se encuentra organizada en paratas mediante grandes muros de contención que aún perduran tras más de siete siglos desde su

Las huertas del Generalife

Aunque era una finca de recreo, su carácter rústico, la posibilidad de ser regada y la necesidad de productos para el consumo dieron lugar a que en las laderas existentes entre la muralla de la Alhambra y el palacio del Generalife se cultivaran las tierras para su explotación agrícola. Estas huertas han sido labradas con el mismo sistema de cultivo desde el siglo XIV hasta la actualidad, pues de generación en generación se han ido transmitiendo de padres a hijos las técnicas tradicionales que se empleaban en la época de los sultanes. También es muy interesante el estudio de las especies que se cultivan y su origen. Asimismo se han conservado, prácticamente sin alteraciones, los muros de tapial originales de las paratas escalonadas.

Fuente central y acequia de los Jardines Nuevos

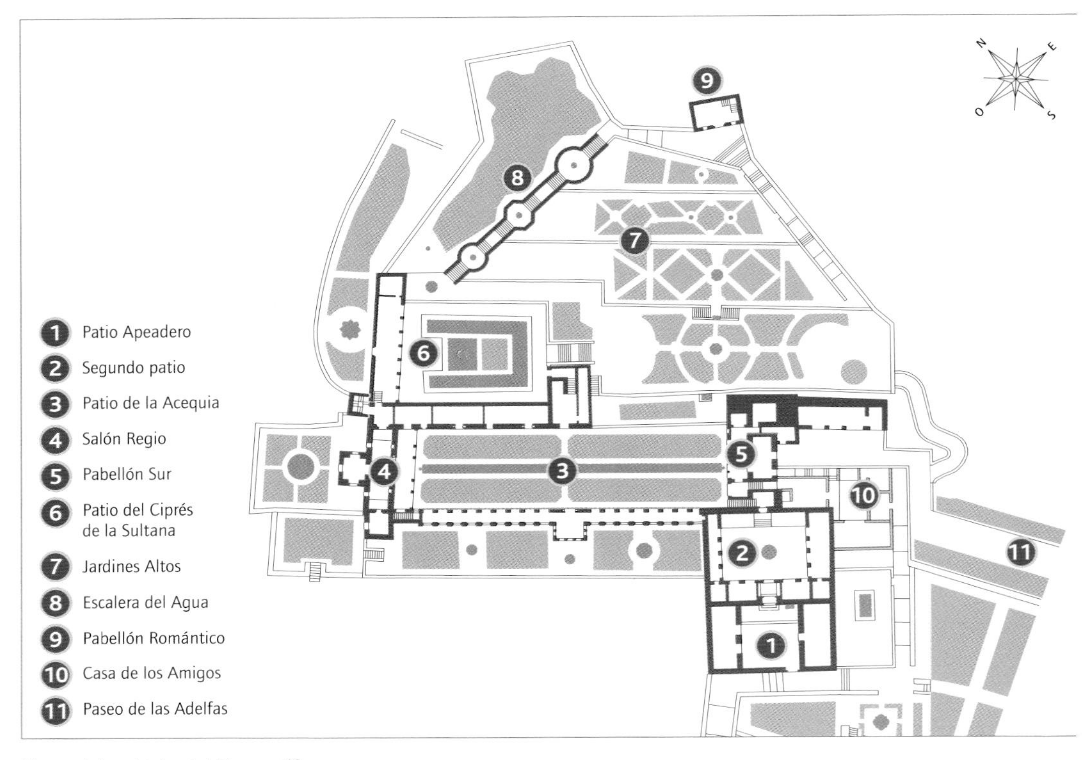

Plano del palacio del Generalife

construcción. Las edificaciones se sitúan en la parte alta de la propiedad, al borde de la ladera que desciende escarpada hasta el río Darro. La acequia irrigaba una amplia superficie de más de siete hectáreas de huertas, de las que nos han llegado los nombres de Grande, Colorada, Mercería y Fuente Peña, las cuales, con mayor o menor intensidad, no han dejado de cultivarse desde época medieval. En ellas, y en los demás terrenos del entorno, para abastecimiento de la corte sin una dependencia importante de otros mercados, a lo largo del año se cultivaban especies hortícolas y frutales, que se relacionan a continuación. Las variedades introducidas o extendidas de forma importante por el Islam en al-Andalus se indican con *:

Hortalizas y legumbres: acelgas, espinacas*, puerros, zanahorias, coles, coliflores, alcachofas*, habas, lechugas, rábanos, berenjenas, calabazas, calabacines, pepinos, cebollas, habichuelas, sandías*, melones*, etc.

Frutales carnosos: granado*, higuera, vid, olivo, manzano, peral, membrillero, caqui, morera*, níspero, acerolo, azufaifo, madroño, albaricoquero, melocotonero*, cerezo, ciruelo, limonero*, etc.

Frutales secos: avellano, nogal, almendro*, pino piñonero, etc.

Aromáticas y condimentarias: albahaca, orégano, hinojo, poleo, hierbabuena, tomillo, comino, cilantro, toronjil, ajenjo, etc.

Acceso

La almunia del Generalife tuvo en la Edad Media varias entradas exteriores. Una de ellas destaca sobre las demás, pues suponía la comunicación directa con la Alhambra a través del barranco que las separa: se trata de la cuesta del Rey Chico. Este empinado camino ha conservado su recorrido original en dos tramos, al que abren distintas puertas para acceder a las huertas, con un patio intermedio dotado de pilar abrevadero. Se inicia frente al baluarte de la puerta de Hierro, al pie de la torre de los Picos y asciende entre las huertas,

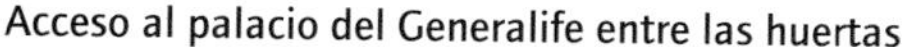

Acceso al palacio del Generalife entre las huertas

Portada de separación entre los dos patios de acceso

protegido por altos muros, hasta alcanzar el portón de entrada al edificio, el mismo por el que hoy comienza la visita al palacio.

Palacio del Generalife

Se accede a su interior a través de dos patios sucesivos, a distinto nivel, lo que recuerda al área palatina de la Alhambra, con sus dos patios previos al Mexuar. El primero de ellos es conocido, por su uso, con el nombre de patio Apeadero o de las Caballerizas. Dispone en su perímetro de bancos que serían usados para descender del caballo, tras el acceso por las huertas; por ello, las crujías que cierran el patio a norte y a sur servirían de establos en su planta baja y de vivienda o pajar en la superior. Documentos de 1580 ya citan obras en los edificios, que debieron llegar al siglo XIX en estado ruinoso, acentuado al quedar en desuso este acceso en detrimento del nuevo por el paseo de la parte alta. Con la incorporación de la finca al Estado, a partir del primer tercio del siglo XX se hicieron exploraciones y consolidaciones que permitieron recuperar, entre otros, el pilar y gran parte de la portada principal. Esta se encuentra en el centro de la fachada, resaltada por la grada previa y por el rebaje que encuadra el arco en cuya clave se conservan los restos cerámicos de la tradicional llave, y de pintura mural original, imitando despiece de ladrillo rojo con llagueado en blanco. La puerta, que posee en el interior bancos para la guardia y, sobre ella una cámara con ventana, seguramente para control y defensa de la entrada, salva el desnivel a un segundo patio. Este presenta galerías porticadas y fuente central, y conduce por una empinada escalinata a una portada enmarcada con piezas de mármol y dintel cerámico, que repite el motivo de la llave, y señala la entrada principal a la residencia. Tras ella, un reducido y oscuro zaguán con banco para la guardia sirve de inicio a una angosta y empinada escalera hacia el interior del palacio; esta disposición recuerda también al acceso en

Galería y pórtico norte del patio de la Acequia
En origen, el patio de la Acequia del Generalife se encontraba cerrado mediante un muro para preservar la intimidad de este singular ámbito, considerado como un «paraíso cerrado». No obstante, en el muro oeste se construyó hacia el exterior un pabellón abierto sobre las huertas con excepcionales vistas. Hacia el interior, se conserva un pequeño tramo de la fachada original, de mayor altura que el resto, con una portada que conserva gran parte de sus yeserías medievales. La modificación más radical de este lado del patio se produjo a finales del siglo XV, cuando todo este muro lateral fue rebajado, añadiéndole por el exterior un corredor abierto en toda su longitud que transfiguró el cerrado jardín medieval en un belvedere abierto al paisaje. En la imagen puede observarse el pequeño tramo conservado de la disposición medieval del muro, en su unión con el pórtico norte del patio.

recodo del palacio nazarí de Comares, poniendo de manifiesto el más que probable arraigo de un ritual preestablecido: vestíbulo sin más aberturas que la propia puerta, con asientos para un cuerpo de guardia, pasaje en ángulo y ascendente, desembocadura a cielo abierto en patio o jardín, como exactamente es la entrada al Generalife.

Patio de la Acequia

Se llega al patio de la Acequia o de la Ría, como se le llamaba en el siglo XIX, por un lateral. Se trata de un espacio alargado, cruzado en su eje mayor por la Acequia Real o del Sultán, que lo configura como un patio de crucero, con cuatro parterres ortogonales, a nivel inferior de los andenes perimetrales que lo bordean. Su original disposición fue descubierta y recuperada a consecuencia de un incendio fortuito ocurrido en 1958, que afectó a las viviendas situadas al norte. Tras el inmediato desescombro del patio apareció una glorieta en el eje de los cuatro jardines originales, que eran irrigados mediante caños de

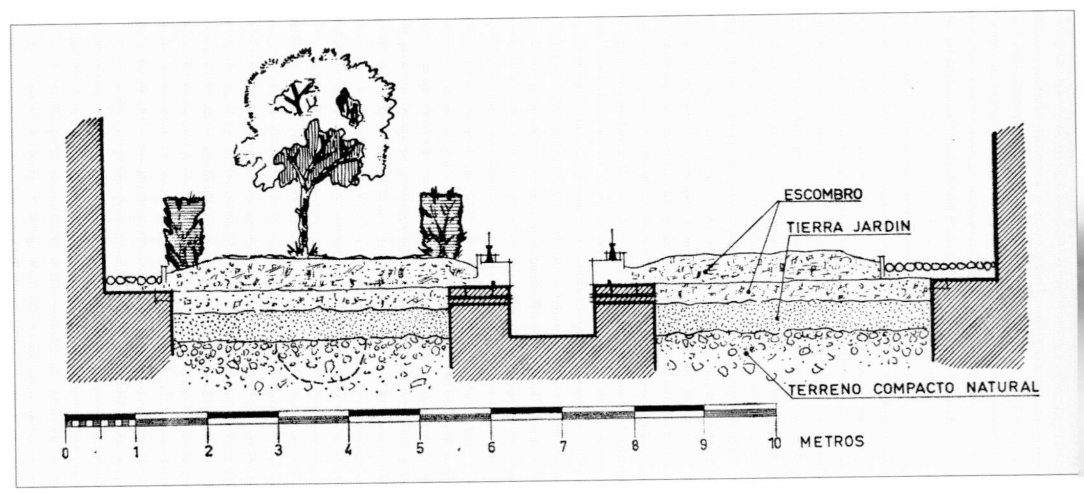

Sección del jardín del patio de la Acequia, que permite identificar los niveles de relleno hallados en las excavaciones realizadas tras el incendio de 1958. Archivo de la Alhambra

Patio de la Acequia y pabellón norte del palacio

Pabellón central del palacio con vistas sobre las huertas

barro y plomo embutidos en los muros que ciñen el canal, por los que entraba el agua al hacer subir de nivel la acequia para inundar los parterres. Recientemente se han restaurado los jardines, se han efectuado análisis de pólenes y del sustrato vegetal, así como estudios comparativos sobre agronomía medieval que han determinado la actual disposición: seto de arrayán en los márgenes, sobre un prado florido de fondo con especies de pequeño porte (rosales y aromáticas), plantas ornamentales (laurel, hiedra y jazmines) así como árboles frutales (granados y naranjos).

El sistema hidráulico medieval fue modernizado en fecha imprecisa, mediante los surtidores cruzados que tanto han popularizado al patio, cuya imagen ha quedado consolidada en los grabados románticos y con la generalización de la fotografía a partir del siglo XIX.

El patio de la Acequia nazarí estaba cerrado al paisaje, al que solo podía asomarse desde el pequeño pabellón mirador situado en el eje. En este pabellón las ventanas tienen el alféizar muy bajo para poder divisar el panorama sentado en el suelo, como era costumbre en la cultura islámica de aquel momento. Su decoración interior muestra una curiosa superposición de yeserías, testimonio de una renovación efectuada ya en el primer tercio del siglo XIV, y descubierta durante el desmontaje de la capilla que había aquí cuando el Generalife se incorporó a la titularidad pública.

Cerraba todo este frente lateral del patio un elevado muro rematado por un alero corrido, todo él rebajado salvo en los extremos, dejando ver parte de su decoración original. El estrecho corredor que le antecede se incorporó en época cristiana, como se deduce por los emblemas de los Reyes Católicos pintados en el intradós de los arcos que se abrieron en el muro, transformando lo que fue oasis interior en un jardín mirador. Bajo la galería del patio se dispone el Jardín

Corredor abierto a lo largo del patio de la Acequia que da hacia la Alhambra

Bajo, aterrazado, con fuentes hexagonales y setos de arrayán, que fue descrito por Andrea Navaggero «como un igualísimo prado», corroborando su antigüedad. Tuvo adaptaciones en los siglos XVI y XIX.

En el otro lado mayor del patio se pueden ver dos viviendas y un jardín en alto, con un paso intermedio entre ambos, en eje con el crucero. Las primeras, muy afectadas por el incendio de 1958, disponían de sala baja y planta superior, en una distribución semejante a las existentes en el palacio de Comares de la Alhambra; durante los trabajos de restauración tras el incendio se encontró una escalera de bajada a un nivel inferior que, en analogía con otros recintos similares, hizo pensar que se tratara del acceso a un *hammam* o baño de vapor.

El aspecto de este patio ha cambiado a lo largo de la historia, adaptándose a los usos y costumbres del *ars topiaria* o arte jardinero, conservándose numerosos dibujos, grabados y fotografías que ilustran dicha evolución, en la que destaca el desarrollo del trabajo arquitectónico con plantas de ciprés.

Salón Regio

En la cabecera del patio, como es característico de la arquitectura nazarí, se encuentra la estructura principal de la residencia en torno al salón Regio que está precedido de un pórtico de cinco arcos, mayor el central. Esta galería, cubierta mediante taujel repleto de cupulines octogonales simétricos, tiene en sus extremos los también tradicionales alhamíes, ligeramente elevados del suelo y, por su tamaño, más parecidos a alacenas. El pórtico y el salón se comunican por un triple arco con columnas y capiteles de mocárabes realizados en escayola, y en el grueso de los muros laterales están las habituales *taqas*, en este caso de configuración rectangular. La parte superior de la *taqa* de la izquierda incluye esta inscripción epigráfica en escritura cúfica: «Entra con cordura, expresa saber, sé parco en palabras y sal en paz». El eje de la crujía se encuentra descentrado

Miradores y pabellones

A la derecha, detalle de la superposición de yeserías de dos etapas diferentes en el pabellón central del patio de la Acequia. En el lado norte del patio, como en otros palacios de la Alhambra, domina un pabellón porticado con cinco arcos y alcobas a los lados, que precede a la sala Regia y al mirador de Isma'íl I. Al igual que en muchos otros lugares de la Alhambra, aquí se impone la decoración de yesería, los mocárabes y las *taqas*, y como fue habitual, cada sultán remodelaba los palacios para restaurarlos o para adaptarlos a sus gustos o necesidades.

Pabellón interior en la torre de Isma'íl

Pabellón Sur del palacio del Generalife

respecto al del patio, probablemente a consecuencia de las remodelaciones introducidas en la segunda mitad del siglo XIV, aunque la principal reforma de este sector –el añadido de una torre mirador en el centro, prolongando el gran salón al modo tradicional de T invertida en planta– la llevó a cabo el sultán Isma'íl I, tras la victoria de las tropas nazaríes sobre las castellanas el 26 de junio de 1319. Esa batalla, conocida como de la Vega o de Sierra Elvira, trascendental para la supervivencia del Estado nazarí, fue considerada por los historiadores árabes como un gran triunfo del Islam sobre la cristiandad, a pesar de la diferencia numérica entre las tropas musulmanas y las cristianas, a favor de estas; en ella murieron los infantes don Juan y don Pedro, tutores del rey Alfonso XI.

El salón Regio se cubre con una magnífica armadura apeinazada que aparenta sustentarse en una volada cornisa de mocárabes alrededor de todo su perímetro. Como es habitual, las alcobas laterales amplían la estancia por los extremos, con la particularidad de que sus arcos divisorios sobre pilares y semicolumnas no alcanzan el suelo, tal vez para señalar la altura de la tarima correspondiente. Al edificio medieval se le agregó la estructura de una planta superior, ampliada por los Reyes Católicos en 1494, y una extensa galería abierta que modificó todo el conjunto confiriéndole su imagen arquitectónica actual. Esta transformación supuso la anulación del pabellón mirador que sobresalía destacado en el extremo oeste por encima de las demás cubiertas, solución que se repite con frecuencia en la arquitectura nazarí, como se ve, entre otros, en el pórtico del Partal en la Alhambra.

Pabellón Sur

El frente contrario del patio, conocido como pabellón Sur, se encuentra muy transformado por diferentes adaptaciones. Su fachada presenta

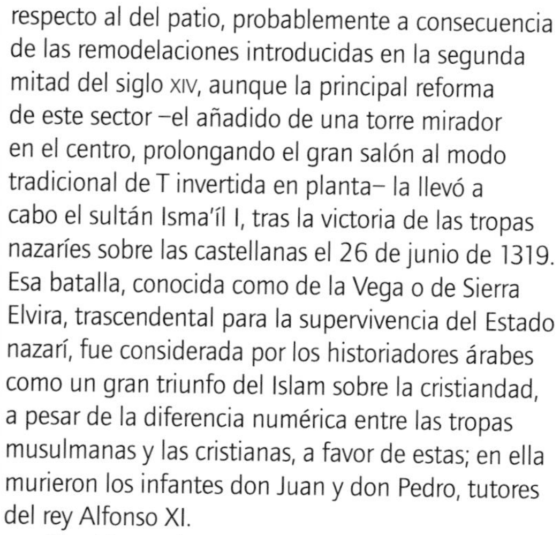

Interior del llamado salón Regio del palacio

en planta baja una composición simétrica con siete vanos, centrada por un pórtico o pabellón, que pudo tener originalmente un único arco en simetría con el pabellón frontero, hoy fragmentado en tres, mediante columnas reutilizadas con capiteles desproporcionados que podrían proceder del desaparecido *hammam* del palacio. Los vanos que lo flanquean conducían a las edificaciones de la parte posterior, mientras que los extremos corresponden a las puertas que daban acceso a las escaleras, una de subida a las plantas altas y la otra bajaba a los patios de entrada por los que hoy se accede al palacio. El pabellón central debió de tener sobre él un cuerpo de edificio, semejante a los dos del palacio de los Leones en la Alhambra. Fue transformado durante el primer tercio del siglo XX en un mirador abierto sobre el patio, prolongando la amplia sala de la planta superior, resultado de la remodelación añadida a principios del siglo XV bajo la etapa del sultán Yúsuf III.

Patio del Ciprés de la Sultana a finales del siglo XIX.
Fotografía de Ayola, 1863-1900

Patio del Ciprés de la Sultana

Las demás dependencias del palacio están muy transformadas. Desde el siglo XVI se fueron realizando adaptaciones en la propiedad según los gustos de sus titulares, que fueron desde moriscos conversos hasta señores renacentistas. Esto puede percibirse especialmente en el siguiente espacio, el patio del Ciprés de la Sultana, al que se accede por una escalera recientemente recuperada que había permanecido oculta por las últimas obras del siglo XIX.

Escenario de imaginarias leyendas amorosas noveladas a finales del siglo XVI por Ginés Pérez de Hita, el patio tiene una apariencia muy diferente a la que debió de ofrecer en época medieval, de la que únicamente subsiste el salto de agua de la Acequia Real y un tramo de su cauce en dirección al palacio. Tan significativo

Detalle de los restos de pintura mural del patio del Ciprés de la Sultana

El patio del Ciprés de la Sultana es la zona más transformada del palacio original del Generalife. Actualmente se encuentra elevado más de tres metros sobre su nivel registrado más antiguo, para ubicar en él un jardín tan diferente de su vecino nazarí, como diferente es la arquitectura que lo encierra.

El muro de la nave oriental del patio de la Acequia fue renovado a principios del siglo XVII. Tras el incendio de 1958 fue restaurado y aparecieron en su fábrica dos monedas de Felipe III, de 1604, y quedaron a la vista algunos restos de pintura mural con imágenes costumbristas de jardines.

caudal de agua en este punto, junto a otros testimonios, favoreció la hipótesis de que en este lugar estuviera el *hammam* del palacio, que habría sido demolido por sus nuevos propietarios moriscos para ocultar este signo de su pasado islámico. Tal vez por ello adornaron el patio con un jardín y una alberca en U, con más de treinta surtidores, escenario del encuentro en 1526 del poeta y traductor catalán Juan Boscán con el embajador veneciano Andrea Navaggero. Cierra el patio al norte una amplia galería, con planta alta, a modo de cenador, construida entre 1584 y 1586. El lateral del patio que linda con el palacio nazarí fue el más afectado por el incendio de 1958, sacando a la luz tras su reparación restos de decoración mural, tal vez testimonio de una reforma realizada hacia 1604.

Jardines Altos

Frente a la galería, en el siglo XIX se diseñó una portada con una empinada escalinata para subir a los llamados Jardines Altos del Generalife, una amplia zona escarpada y distribuida en paratas, que fue ajardinada al modo decimonónico. Su terraza inferior, tal vez cultivada con árboles frutales, pudo asomar originalmente sobre el mismo patio de la Acequia. Estos jardines completan el área residencial del Generalife al que sirven de límite en su parte más elevada, disponiendo de una orientación y de una de las panorámicas más destacadas de la finca.

Escalera del Agua

A pesar de las transformaciones, entre las terrazas se ha conservado uno de los elementos más singulares y celebrados del Generalife: la escalera del Agua. Distribuida en cuatro tramos con tres mesetas intermedias, la escalera va ascendiendo pausadamente bajo una bóveda de laureles, entre muros sobre los que fluyen sendos canales con agua procedente de la Acequia Real, creando con su rumor un ambiente de sosiego y de meditación. Finaliza la escalera en el punto más elevado de la finca, donde en 1836 su administrador erigió un mirador romántico probablemente sobre un oratorio musulmán; de esta forma, el recorrido ascendente de escalera facilitaría al creyente, tal vez al propio sultán, a la vez, la ablución ritual y simbólica.

La zona inferior de los jardines está separada del edificio palatino del Generalife por un angosto callejón, casi un foso, que quizá sirvió de acceso para el abastecimiento de combustible del *hammam*. La separación entre la zona residencial y la huerta adyacente se encuentra delimitada en estos jardines mediante una

Escalera del Agua, de época nazarí, que conduciría probablemente a un oratorio

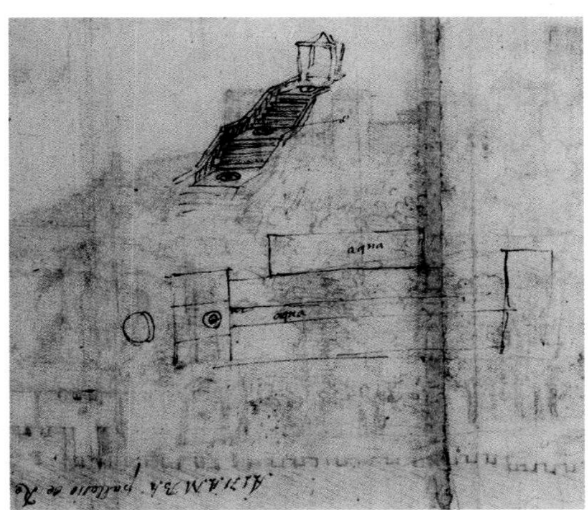

Detalle del dibujo de Anton van der Wyngaerde con la representación de la planta del palacio del Generalife y la escalera del Agua, 1571. Biblioteca Nacional de Viena

Patio de la Casa de los Amigos en el Generalife

simple tapia adaptada a la ladera descendente del terreno, en cuyo límite se encuentra la puerta de la Mercería, también llamada en documentos antiguos puerta de los Carneros. En la actualidad conduce a una explanada contigua al edificio residencial, que fue realizada en época posterior para facilitar la llegada de carruajes a la parte posterior del palacio.

Casa de los Amigos

Ante ella, a un nivel inferior, encontramos los restos de la casa de los Amigos, edificio contiguo al palacio. Se le llamó así al conocerse un texto original del geópono almeriense del siglo XIV Ibn Luyún quien, en su obra *Kitab al-Filaha* (*Libro de la Agricultura*), establece la manera en que deben construirse las casas de labor. Describe, en un parecido sorprendente con el Generalife, las diferentes estructuras que esos recintos deben contemplar, entre ellas: «[...] en la parte baja se construirá un aposento para huéspedes y amigos con puerta independiente, y una alberquilla oculta por árboles a las miradas de los de arriba [...]». Ibn Luyún frecuentaba la corte nazarí en una etapa en la que el Generalife ya había arraigado como finca agrícola, y en cuyas reformas pudo influir, pues probablemente la casa de los Amigos debió edificarse o modificarse a la vez que el pabellón Sur del palacio, con el que comunica directamente, y que fue remodelado en el último tercio del siglo XIV. La casa de los Amigos se distribuye en torno a dos patios a diferente nivel, en una estructura de vivienda semejante a las casas nazaríes de la Alhambra. La entrada se encuentra en el muro meridional, desde una calle empedrada en pendiente que, además, comunicaba el callejón del *hammam* con las huertas intermedias del Generalife.

Paseo de las Adelfas

El paseo de las Adelfas, así llamado por la bóveda ornamental que forma esta planta trepadora que lo cubre, fue planificado como acceso directo a la zona alta del palacio. Discur por el ámbito resultante entre la parte superior

Patio de la Acequia del Generalife

Se ha dicho que el patio de la Acequia es el más antigu jardín de Occidente. Aunque son pocos los jardines que nunca han dejado de ser tales, lo cierto es que los gusto cambiantes de cada momento han ido modelando tan efímera naturaleza: arcos de ciprés, topiarias de recorte, trepadoras, cenadores, setos, trazados y especie vegetales han mutado en el patio a lo largo del tiempo a pesar de su estricta geometría. Los surtidores que lo han hecho famoso, hasta hace poco considerados decimonónicos, parecen hundir sus raíces en los viejos caños medievales incrustados en los muros de la acequi para irrigar los prados floridos que la bordean.

Fotografía de Garzón, s/f. Archivo de la Alhambra

Paseo de las Adelfas

de uno de los grandes muros que dividen las huertas, y el cauce de la Acequia Real tras su paso por el palacio. En este lugar, plantado entre cipreses centenarios y otros árboles y arbustos, en el borde externo del paseo se encuentra un singular especimen botánico, de gran importancia patrimonial, que ha estado al borde de la desaparición, evitada a base de un cuidadoso proceso jardinero de recuperación. Se trata del arrayán morisco, denominado en el siglo XVI *Myrtus baetica latifolia domestica*, cultivado en el Generalife desde época medieval, según consta documentalmente. Se caracteriza por su elevado porte, su corteza rojiza y escamosa, y la hoja abarquillada, de mayor tamaño que la del ejemplar común, así como por la intensidad de su perfume. Este paseo enlaza con el de los Cipreses, proyectado como prolongación del mismo en 1862 con motivo de la visita a la finca de la reina Isabel II.

Arrayán morisco

La planta más característica de la Alhambra es el *Myrtus comunis*, mirto o arrayán, término procedente del árabe *al-rayhan*, que significa «el aromático», por el olor que los aceites esenciales de sus hojas desprenden al frotarlas. Su cultivo como especie ornamental se debe a su fina textura y rápido crecimiento, sus delicadas y perfumadas flores blanquecinas y su capacidad para adaptarse mediante poda a setos y formas topiarias. Entre sus variedades destaca especialmente el arrayán morisco, *Myrtus baetica*, de hojas de mayor tamaño, citado en textos de los siglos XVI y XVII y utilizado ampliamente en los jardines granadinos, del que hoy quedan escasos ejemplares en la Alhambra, algunos centenarios. En la actualidad su recuperación es objetivo prioritario para el Patronato de la Alhambra. Arrayán Morisco, según el botánico C. Clusius en su *Rariorum aliquot stirpium per Hispanias observaturum Historia*, 1576.

11 La Acequia del Sultán y los palacios perdidos

Para surtir de agua a la Alhambra, en época nazarí se construyó este complicado sistema hidráulico que toma agua del río Darro a unos seis kilómetros de la Alhambra montaña arriba. Es un entramado de conducciones de las que vemos vestigios arqueológicos por todo el Conjunto Monumental. Abastece tanto al Generalife como a la Alhambra y, aunque la presa actual es moderna, su ubicación no debía diferir mucho de la medieval.

La Acequia Real o del Sultán

La Alhambra nazarí es un conjunto definido y planificado en un momento determinado, para el que el abastecimiento de agua resultaba indispensable. Probablemente existió en el lugar un asentamiento de población anterior a los nazaríes, que realizaría una serie de construcciones y adaptaciones, difícilmente reconocibles en la actualidad, propias de una sociedad segmentada generadora de una población que superó el territorio de la Alhambra y el Generalife.

Para abastecer de la tan necesaria agua a ambos recintos, los nazaríes proyectaron y construyeron un complejo sistema hidráulico, compuesto por un entramado de conducciones que parten desde un punto alto de la montaña, que, en gran medida, perdura hasta hoy. Se trata de la Acequia Real o del Sultán que, a unos seis kilómetros de la Alhambra, río arriba, se encauza el Darro siguiendo la ladera por la margen izquierda, hasta alcanzar la parte alta de la almunia del Generalife, a la que abastece, para posteriormente penetrar mediante un acueducto en el interior de la Alhambra.

La acequia toma el agua directamente del río Darro, en las proximidades del cortijo llamado Jesús del Valle a una distancia de 6.100 m de la Alhambra. La presa actual es moderna y, aunque varía con respecto a las antiguas que se han documentado, su situación no debió de ser muy diferente de la actual. Se encuentra a una altitud de 838 m sobre el nivel del mar. Construida en hormigón, posee un aliviadero de protección para el túnel de abastecimiento. Conduce el agua a lo largo de unos 625 m por

Imagen aérea del recorrido de la Acequia Real de la Alhambra o del Sultán

Vista del complejo de los Pozos Altos en primer plano, en relación con Granada

Detalle de la presa desde donde parte la Acequia del Sultán, lugar conocido como Jesús del Valle, aguas arriba de río Darro (vacía para su limpieza), hacia 1940. En esta fotografía histórica, tomada después de una riada, destaca la presa que servía para derivar el agua a la Acequia Real. Archivo de la Alhambra

la margen derecha del río, hasta el Molino del Rey, desde donde pasa al acueducto que cruza el cauce, continuando por la ladera de la loma de la Perdiz en dirección a la Alhambra.

Tras unos 2.840 m de recorrido, la acequia se bifurca en dos tramos. El primero, que discurre más elevado, se denomina Acequia del Tercio, y Acequia del Generalife el segundo. El ramal superior alcanza el Pabellón Romántico, desde donde continúa para abastecer a los Albercones y, desde aquí, hacia los actuales aparcamientos de la Alhambra, tras bifurcarse de nuevo hacia el sur y enlazar con otro partidor inferior, probablemente el denominado partidor de los Frailes.

El ramal inferior de la acequia, tras separarse del superior, desciende 4,21 m y continúa hasta el palacio del Generalife, al que abastece y cruza por su famoso patio de la Acequia, continuando hacia el este hasta el partidor de los Frailes, y se vuelve a unir con el ramal procedente de los Albercones. La distancia recorrida desde la presa hasta este punto es de 5.900 m. A partir de aquí, la acequia continúa prácticamente en línea recta hasta el acueducto por el que entra, junto a la torre del Agua, en el recinto amurallado de la Alhambra.

Actualmente solo una parte del circuito lleva agua que toma de un túnel moderno construido en la zona del barranco de las Tinajas, aproximadamente a 2.000 m de la presa, conduciéndola hasta la bifurcación y, desde aquí, continúa por el tramo inferior que se encuentra en mejor estado.

En general, el cauce de la acequia transita sobre el lecho del terreno, con refuerzos en los puntos de posible erosión, como barrancos y torrenteras. En grandes tramos, cuando era

La Acequia del Sultán recorre longitudinalmente el patio de la Acequia del palacio del Generalife

Tramo de la Acequia original hallado recientemente en el paseo de los Cipreses

Detalle de uno de los tramos de la Acequia a su paso por un túnel excavado en la roca madre

necesario, se encauzaba entre «hombrillos» o muros paralelos de tapial, de factura semejante a la de los propios edificios, en cuyas juntas, para evitar pérdidas de agua, se aplicaba cal viva mezclada con desechos de lino con aceite. En algunas zonas el lecho está protegido con empedrado. Una parte importante del ramal inferior de la acequia transcurre por túneles excavados en la roca madre, el conglomerado cuaternario de la Alhambra, de gran estabilidad para su mantenimiento, con aberturas aleatorias en el talud para su construcción y limpieza. Estos túneles tienen una longitud de entre 10 y 20 m, y oscilan entre los 0,5 y los 2 m de altura. En su tramo final, al aproximarse y entrar en la Alhambra, se le dotó de un importante encauzamiento mediante una serie de estructuras hidráulicas, perdidas en la actualidad, de la que formaban parte varios acueductos, como el que hoy se conserva, de principios del siglo XVIII aunque reconstruido tras las voladuras de las tropas napoleónicas.

Recorrido de la Acequia Real o del Sultán a cielo abierto por el Cerro del Sol

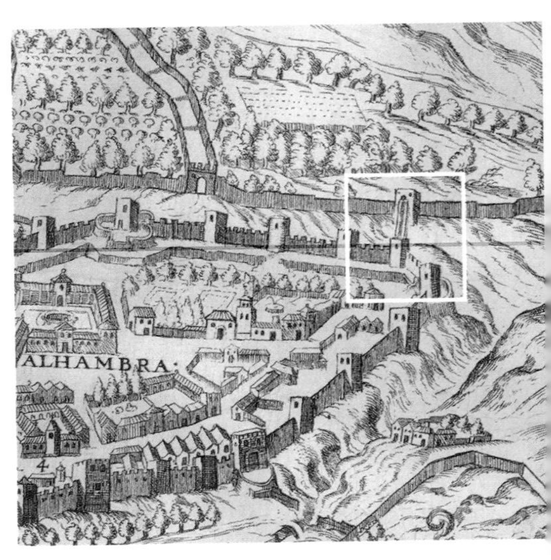

Detalle de la *Plataforma* de Ambrosio Vico donde se aprecia el paso de la Acequia desde el Generalife a la Alhambra, hacia 1614. Biblioteca de la Alhambra

Las obras llevadas a cabo recientemente en el paseo de los Cipreses para la reparación de su pavimento han permitido el hallazgo arqueológico parcial del último tramo de la acequia, antes de su entrada en la Alhambra. La acequia medieval, a 1,5 m bajo el paseo, está conformada por dos muros paralelos de mortero de cal para encauzar el agua en su interior. Tras la conquista cristiana la acequia musulmana fue sustituida por otra excavada en la tierra y reforzada con piedras en la base y en los laterales; la acumulación de limos arrastrados por el agua en época moderna hizo que el cauce se fuera elevando prácticamente hasta el nivel actual, a 0,5 m de la superficie. Finalmente, la disposición del paseo de los Cipreses en el primer tercio del siglo XX obligó a cubrirla mediante bóveda de ladrillo con la que poder salvar el paso del agua.

Los ingenios hidráulicos. Los Albercones

La Acequia Real, tras abastecer la parte alta y los edificios del Generalife, corre en paralelo a uno de los muros que separan las huertas. En un punto determinado de su recorrido, se realizó una galería perpendicular subterránea para derivar el agua a un profundo pozo, una noria y un gran albercón, con objeto de cultivar una zona más elevada de la finca. Esta galería fue excavada en la roca y reforzada interiormente con bóveda de ladrillo, y se desarrolla en varios tramos separados por dos respiraderos que mantenían la presión en su interior. El primer respiradero se encuentra a 20 m de distancia de la acequia; el segundo, a 12 m del primero y desde este hasta el pozo principal hay un recorrido de otros 11 m. Ambos se encuentran situados entre las huertas, en niveles diferentes. Los respiraderos poseían un brocal de fábrica de

Parte superior del torreón de las Damas que protege el pozo principal y, en primer término, el gran albercón de época nazarí

ladrillo —cuyos restos pueden verse todavía— para protegerlos. La galería subterránea finaliza en el pozo principal, a 17,40 m de profundidad. Este pozo se encuentra bajo un torreón denominado de las Damas, construido con tapial en la zona más alta, con el fin de proteger el pozo principal así como para servir de base a la estructura de una noria «de sangre» que, mediante tiro animal, hacía ascender el agua hasta un canal de recogida. Su excavación arqueológica ha permitido conocer todo este sistema de ingeniería hidráulica, pues apareció en el pavimento del torreón la huella circular del paso de los animales que hacían girar la noria. Asimismo se han descubierto numerosos cangilones (recipientes de barro para el agua) en el interior del pozo.

Completa este complejo hidráulico una gran alberca que permite un acopio de unos 400 m^3 de agua, que se conducía originalmente a través de un canal procedente de la parte superior del pozo y, tras una pequeña pileta de decantación, entraba en el albercón. Andenes de ladrillo a sardinel rodean la alberca, así como una estructura muraria en sus lados norte, sur y este; de esta última, a través de un arco, parte una escalera para acceder a una terraza enlosada que

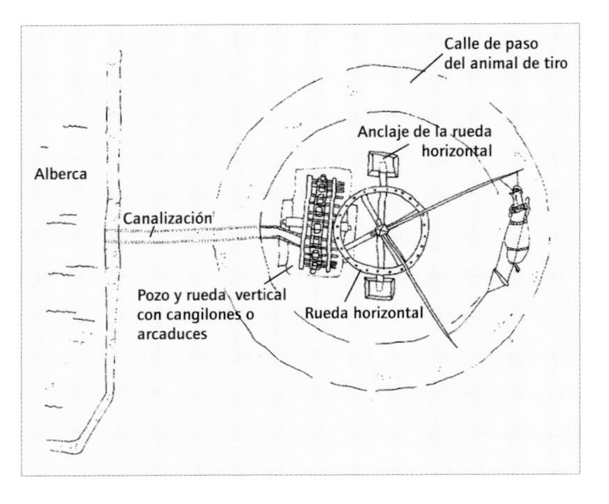

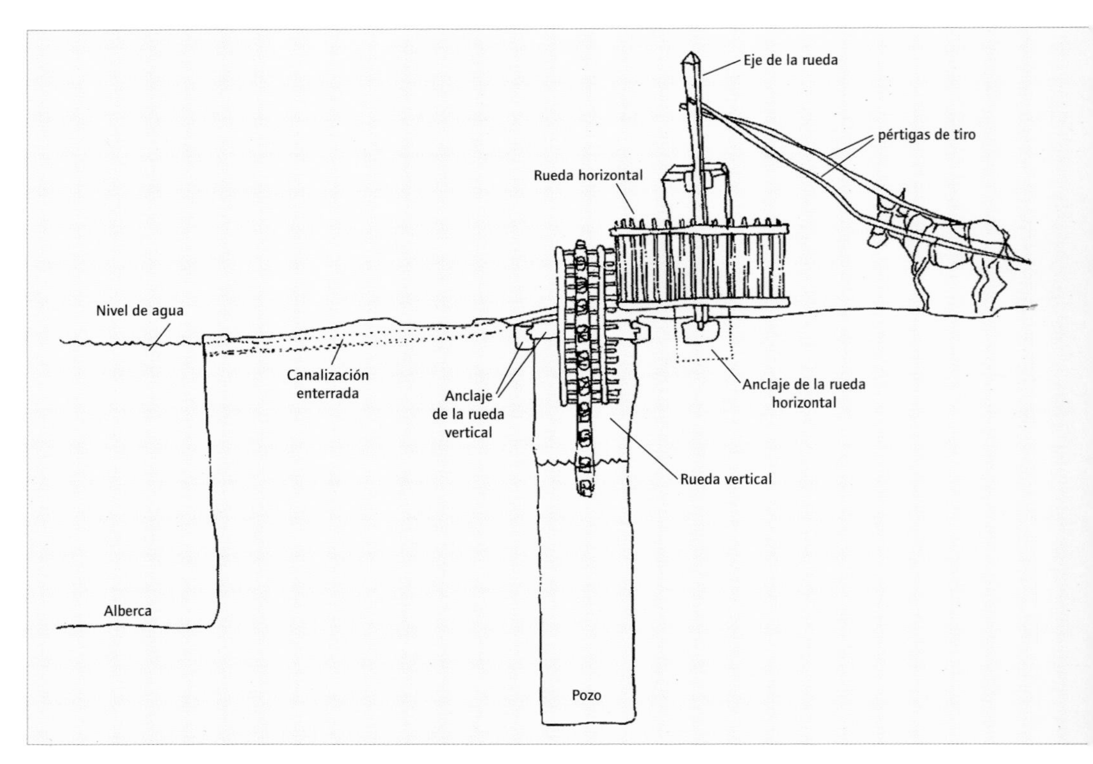

Recreación hipotética en planta (arriba) y en sección (abajo) del funcionamiento de la noria en el complejo hidráulico de los Albercones. Dibujos de P. Salmerón Escobar, 2006

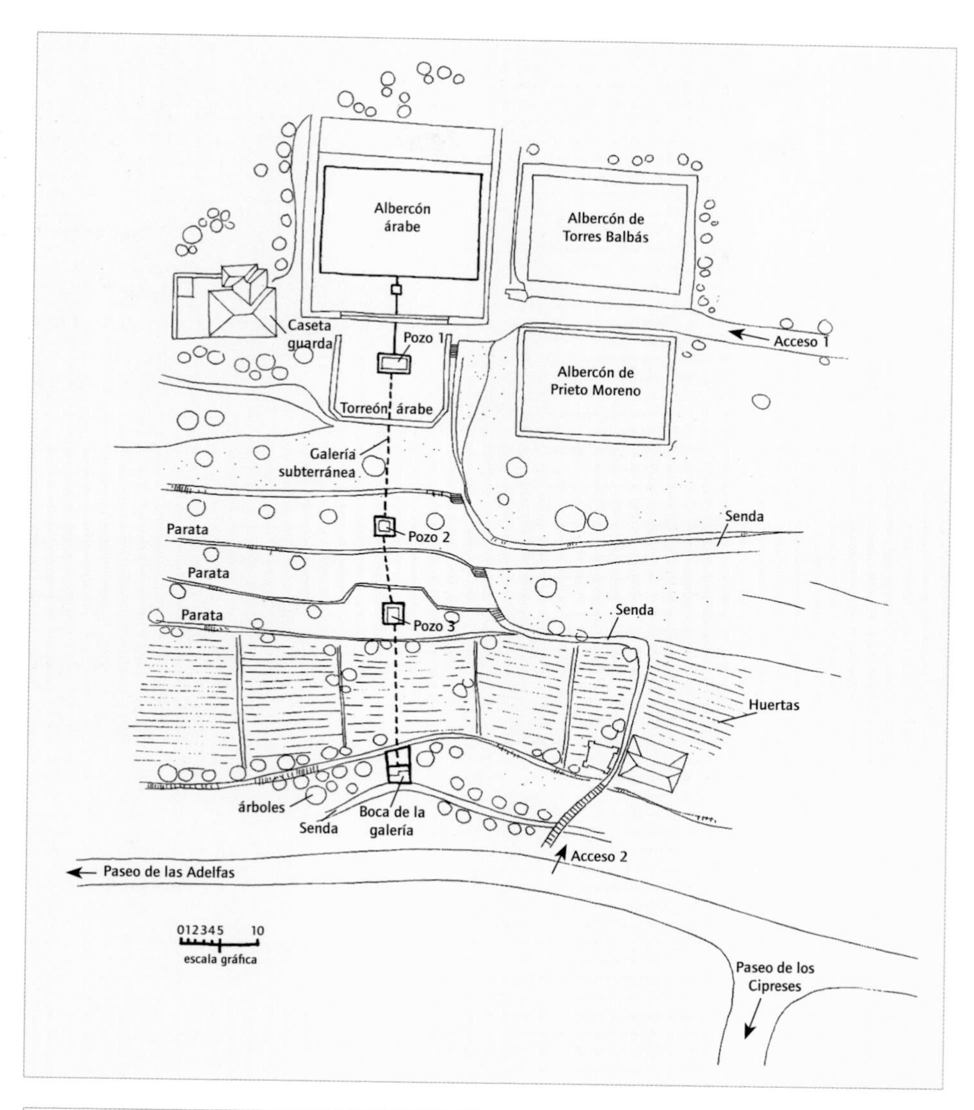

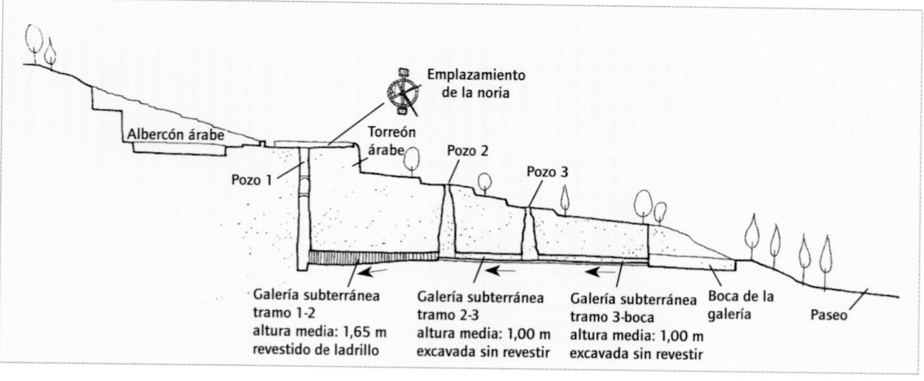

Planta y sección del complejo hidráulico de los Albercones. Dibujos de P. Salmerón Escobar, 2006

Complejo hidráulico de los Albercones. A la derecha, el torreón de las Damas con el pozo de noria y la alberca medievales. A la izquierda los dos albercones construidos en etapas diferentes del siglo XX

tenía un pretil, hoy desaparecido, formando todo ello un mirador o pabellón sobre el albercón. Toda la estructura se realizó cortando el terreno natural, utilizando incluso las piedras más grandes para los muros de mampostería. Más adelante, cuando probablemente el sistema resultó insuficiente o se amplió la zona a irrigar, se modificó, y la acequia se desvió antes de entrar en el Generalife mediante un nuevo ramal directo, como sustitución o alternativa del pozo-noria.

Con la moderna recuperación patrimonial de la Alhambra, se ha descubierto la importancia de este elemento para el abastecimiento y el control del agua en todo el recinto. Así, Leopoldo Torres Balbás, su arquitecto conservador entre 1923 y 1936, comprendió la necesidad de construir un nuevo albercón que permitiera aumentar el almacenamiento de agua e incrementar la presión hidráulica en todo el circuito, por lo que realizó en 1926 otro nuevo, de semejantes dimensiones y técnica, que duplicó su capacidad de actuación.

Años después, en la década de los sesenta, la ampliación de los regadíos y la recuperación y puesta en funcionamiento de los elementos de agua en todo el conjunto hicieron necesaria la construcción de un tercer albercón, obra del arquitecto Francisco Prieto Moreno, situado junto al torreón, a nivel inferior y algo más reducido.

Área arqueológica de la Dehesa del Generalife y el Cerro del Sol

En el entorno de la Alhambra, en una zona elevada, se encuentran los restos de un extenso complejo hidráulico y arquitectónico relacionados con ella espacial y territorialmente. Sus diversos elementos conocidos hasta ahora se encuentran diseminados por una amplia zona de olivar en cuyas laderas destacan especies de monte bajo, con algunas encinas, evidencia de la presencia en esta zona de bosque mediterráneo, y ciertas variedades de coníferas plantadas en la primera

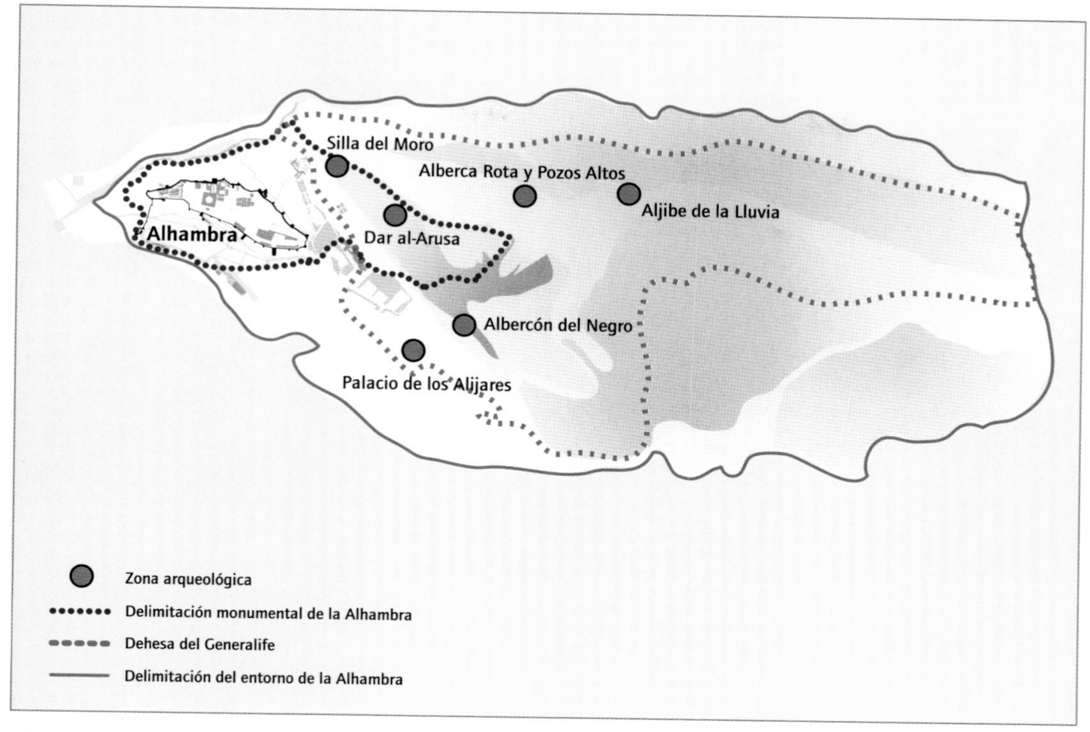

Plano del entorno monumental de la Alhambra

mitad del siglo XX. Es un paraje con una pintoresca visión sobre el valle del río Darro en su curso hacia Granada con un punto de vista excelente del entorno circundante. Entre los elementos patrimoniales de la zona, todos ellos relacionados con la conducción y la distribución del agua como motivo vertebrador, se encuentran los restos de dos residencias palatinas consideradas hoy como áreas de excavación arqueológica: Dar al-Arusa y los Alijares; además existen otros restos cuya vinculación con ellos aún está por precisar, pero que, en un momento determinado de la etapa nazarí, constituyeron un entramado hidráulico relacionado o dependiente de la ciudad palatina alhambreña: el complejo llamado de la Alberca Rota y los Pozos Altos, el Aljibe de la Lluvia, el Albercón del Negro y la Silla del Moro.

En 1494 el viajero alemán Jerónimo Münzer describió la llanura que se extendía por estos montes como «torres muy altas, adonde los reyes de Granada iban a solazarse; el interior de ellas se conserva bien, pero por la parte de afuera están medio derruidas». Esta referencia, fechada solo dos años después de la conquista, manifiesta el abandono del lugar. A finales del siglo XVI o principios del XVII, en la *Plataforma*, o mapa de Granada, de Ambrosio Vico, ya no aparecen estas construcciones, únicamente el trazado de una muralla que debía cercarlas y la torre de la Silla del Moro. La ruina de todo el sistema pudo ser consecuencia de la guerra de los moriscos que en esta zona libraron frecuentes combates.

El ingenio de los Pozos Altos

Forma parte de la estructura hidráulica, tal vez relacionado con el sistema de abastecimiento de agua a las almunias de los Alijares, Dar al-Arusa y la Silla del Moro, y constituye uno de los más importantes complejos hidráulicos medievales del Islam peninsular. Forman parte de él varios dispositivos interdependientes y subordinados

Trabajos arqueológicos en la Alberca Rota (2008)

Parte de la estructura subterránea del pozo y su acequia de alimentación para llevar el agua a la superficie

al funcionamiento de todo el sistema. Consta de un enorme estanque para el acopio y distribución de agua y de uno o dos pozos que permitían elevarla hasta su altura, para facilitar el suministro a las fincas y residencias esparcidas por el Cerro del Sol mediante canales que todavía se conservan.

Las descripciones decimonónicas denominaron al estanque Albercón del Moro, aceptándose hoy el nombre de Alberca Rota por el estado en que nos ha llegado. Se llenaba mediante uno o dos pozos de elevación de agua, llamados genéricamente los Pozos Altos del Cerro del Sol, con canales cuyas trazas perduran. El situado al este, en mejor estado, tiene parte de la estructura de ladrillo sobre la que debió emplazarse el brocal, mientras que el de poniente, delimitado por algunos restos de su construcción, presenta actualmente un evidente desplome de materiales que se precipitaron en su interior y lo colmataron en gran medida.

En 1889 Manuel Gómez-Moreno pudo explorar algunas de sus galerías, anotar sus dimensiones y realizar una brillante descripción, gracias a lo cual se pudo realizar más tarde un levantamiento planimétrico que se conserva en el Archivo de la Alhambra.

En un punto determinado el agua penetraba desde la Acequia Real al interior de la montaña mediante *qanats* excavados en el terreno; luego era conducida hasta al menos un contenedor intermedio excavado a gran profundidad desde donde se elevaría por segunda vez hasta la superficie, para acopiarla en la gran alberca que así serviría presumiblemente como depósito regulador de la presión del sistema de la almunia de Dar al-Arusa y tal vez del Albercón del Negro que, a su vez, desempeñaría semejante función con respecto a la finca de los Alijares.

El ingenio para la elevación del agua consistía seguramente en norias «de sangre», quizá las más importantes diseñadas y construidas en al-Andalus. Las escasas fuentes árabes se refieren a estos elementos como obras maestras de la ingeniería de su tiempo, y Gómez-Moreno sentenció que era «la construcción hidráulica más notable que los moros realizaron en Granada».

El historiador granadino del siglo XVII Francisco Bermúdez de Pedraza estimó que pudieron ser construidos por los nazaríes hacia 1455, para asegurar amplias áreas de cultivo y pastos, ya que en zonas más bajas, sobre todo en el entorno de la Vega, estaban desapareciendo debido a las por entonces frecuentes razias de las

Exterior del Aljibe de la Lluvia en el Cerro del Sol. Estado actual

Detalle del grabado de Hoefnagel en el *Civitates Orbis Terrarum*, 1575, donde se representa el Aljibe.
Biblioteca de la Alhambra

tropas castellanas, como la conocida incursión protagonizada por Enrique IV.

No obstante, el gran poeta y visir del sultanato nazarí, Ibn Zamrak, atribuye en su *Diwán* a Muhammad V la planificación de una importante colonización de estos parajes, que se habrían explotado hasta la conquista de Granada. Los nuevos pobladores, con diferentes conceptos técnicos y muy distintas miras, tal vez debieron desconocer por completo estas obras y su utilidad, abandonándolas o destruyéndolas. Desde entonces y, sobre todo, tras su descubrimiento en el siglo XIX, han favorecido la proliferación de fábulas y misterios, a la espera del dictamen de los arqueólogos contemporáneos que hace escasos meses han iniciado su excavación.

El Aljibe de la Lluvia

Los aljibes son las estructuras hidráulicas más frecuentes en la Granada nazarí. Sin embargo, este aljibe es, al menos hasta ahora, el único conocido por estas latitudes. Su singular bóveda que sobresale en el terreno lo hace fácilmente identificable en una vaguada situada junto al camino rural que conduce a la parte alta del Cerro del Sol, al popular lugar conocido como el «Parque de Invierno». El Aljibe de la Lluvia es un elemento atractivo para los granadinos que transitan por esta zona de tradicional excursionismo entre los montes que circundan la ciudad.

De planta cuadrada, dos tercios de su estructura se encuentran por debajo del terreno. Su fábrica es de tapial, aunque la bóveda, los pilares y las pilastras que dividen el interior en tres naves, son de ladrillo. Conserva dos pequeñas entradas antiguas de agua, por encima del arranque de las bóvedas, lo que podría indicar el lugar desde donde procedía la fuente principal de su suministro. Aunque aparentemente, como su nombre indica, el aljibe debió surtirse principalmente con agua de lluvia, y de hecho lo sigue haciendo por su abertura cenital, pudo también llenarse mediante afloramiento desde capas freáticas al encontrarse entre barranqueras que vierten hacia la cuenca de los ríos próximos, el Darro y el Genil. De igual modo, si no originalmente, pudo formar parte en algún momento de la cercana estructura hidráulica de los Pozos Altos, aunque aún no se puede afirmar, al no haberse encontrado hasta ahora ninguna canalización que se le pueda relacionar.

Si bien no se conoce documentalmente la fecha de su construcción, ni se sabe el uso al

Albercón del Negro, situado junto al actual cementerio de Granada

que fue destinado, parece evidente que se trata de una obra nazarí. El *Diwán* de Ibn Zamrak describe el uso ganadero de esta dehesa durante el siglo XIV, con el que pudo estar relacionado. Por otro lado, en al-Andalus no es inusual la construcción en lugares estratégicos de torres vigía que solían disponer del correspondiente aljibe de abastecimiento, aunque aquí no haya restos de fortificación alguna.

Su proximidad a los caminos de comunicación de la ciudad también indica que pudo servir para aprovisionar a los viajeros que transitaban por la zona. En una escena del libro *Civitates Orbis Terrarum* de Hoefnagel, realizado en la segunda mitad del siglo XVI, puede reconocerse a un personaje que camina portando un recipiente junto a un aljibe que podría ser este; de modo que pudo funcionar, al menos en ese momento, como una fuente o pilar de suministro. Por la literatura comparada sabemos que su agua era muy apreciada en la ciudad al estimar que poseía propiedades curativas. Finalmente, se ha apuntado su posible aprovechamiento como reserva para épocas de sequía. De hecho en la actualidad el aljibe continúa llenándose de agua, y prestando gran ayuda como reserva para el reabastecimiento de los dispositivos en la lucha contra los incendios forestales.

Albercón del Negro

Esta estructura emergente corresponde a los restos de un alberca de grandes dimensiones que se encuentra junto al vial de acceso al parque del Cerro del Sol, en su tramo inicial, por encima de la vaguada que hoy ocupa el cementerio municipal de San José y la Rauda o cementerio musulmán de Granada.

Su extraña denominación obedece a una de las tradicionales leyendas decimonónicas locales relativa a la imaginaria presencia junto a la alberca de un fornido personaje africano que celosamente custodiaba el palacio de ensueño que supuestamente se encontraba bajo la superficie de estos restos.

En realidad la función de este gran contenedor
ra almacenar y servir de mecanismo de presión,
omo vaso comunicante, para un gran caudal
le agua con el que aprovisionar la almunia de
os Alijares. Para encauzar y elevar el agua con
emejante presión disponía de grandes sifones
abricados mediante conductos de piedra y
tanores de barro, algunos de los cuales se hallaron
lurante las obras del cementerio en el primer tercio
lel siglo XIX y hoy se encuentran en los museos de
Granada. El escritor granadino Ibn 'Asim indicó, a
nediados del siglo XV, que la alberca del palacio
e alimentaba por medio de «unos descomunales
ncañados que se labraron en piedra dura, de la
jue quedan un número suficiente de sus restos,
on los que se vuelve a levantar para mostrarlos de
uevo en su totalidad».

Este amplio estanque, uno de los más grandes
onservados en la ciudad, mantiene gran parte de
a fábrica original de su estructura, destacando
na galería subterránea, cubierta por una
bóveda de cañón para proteger la evacuación del
gua. Ha perdido, sin embargo, las estructuras
sociadas que lo relacionaban con todo el circuito
idráulico.

Los textos árabes dan noticia del momento
le la fundación de la almunia de los Alijares y del sistema de abastecimiento de agua por el sultán Muhammad V durante el último tercio del siglo XIV. No obstante, una serie de fuertes terremotos ocurridos entre 1431 y 1441, afectó de manera importante a la almunia de los Alijares y a sus elementos hidráulicos, entre ellos al albercón que debió, como el resto, quedar muy dañado. Fue reparado pocos años después, aunque las dificultades económicas de un sultanato nazarí, bajo la creciente presión de las tropas castellanas, que ya percibía su definitiva derrota, probablemente propiciaran su paulatino abandono, que debió ser definitivo tras la conquista de la ciudad quedando inservible e ignorado hasta su redescubrimiento en el siglo XIX.

Los Alijares

Pertenecía a esa extensa lista de almunias y casas de recreo propiedad de la dinastía nazarí que se distribuían por todo el reino. El palacio de los Alijares, mandado construir en el último cuarto del siglo XIV por el sultán Muhammad V, fue una finca con prado y jardines que se extendía en paratas descendentes desde la parte más elevada, en la que estaba situado el palacio, que dominaba toda la extensión de la propiedad, con unas extraordinarias vistas.

Grandes conductos de piedra procedentes del Albercón del Negro. Museo Arqueológico y Etnográfico de Granada

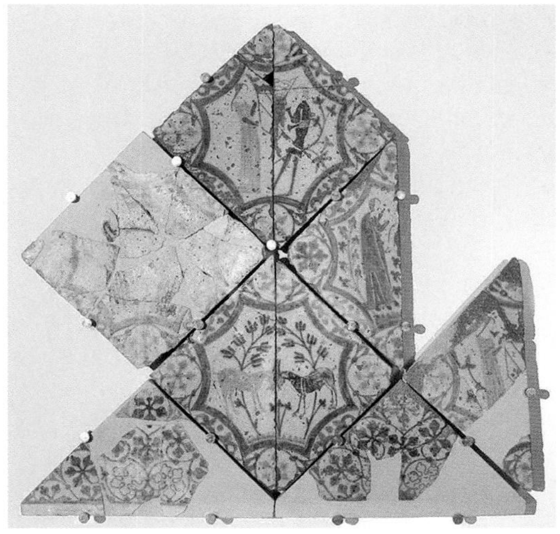

Montaje en el Museo de Alhambra con restos de solería del palacio de los Alijares (piezas triangulares, abajo) y otras similares de la torre del Peinador de la Reina

Detalle del palacio de los Alijares en la representación de la batalla de la Higueruela en la sala de las Batallas de El Escorial (1585-1589). Patrimonio Nacional

Según los textos árabes, el palacio tenía un diseño novedoso, en el que intervino el propio sultán, de planta cuadrangular, zafariche o alberca en el patio, y cuatro grandes *qubbas* en los ángulos, orientadas a los puntos cardinales, y unidas mediante otras tantas galerías con columnas y solerías en mármol blanco. Las *qubbas,* de planta circular al exterior, debieron de cubrirse interiormente con cúpulas de mocárabes semejantes a las del palacio de los Leones. Debió de estar ricamente decorado con yeserías como los palacios de la Alhambra e, igualmente, con suelos cerámicos, de los que se han conservado restos de piezas vidriadas con motivos semejantes, entre otros, a los del Peinador de la Reina.

La finca estaba rodeada de jardines con árboles, algunos de especies singulares, y en su entorno pastaba el rebaño del sultán. Para poner en explotación tan espectacular finca fue necesaria la traída del agua desde la parte alta de la colina, mediante un complicado sistema hidráulico adaptado al abrupto terreno, atravesando zonas de valle, para su elevación mediante presión, que necesitó, como vimos en el Albercón del Negro, de un arriesgado sifón con gruesos atanores de piedra. Muy poco ha quedado de todo ello, debido a las muchas vicisitudes por las que ha pasado el lugar. A mediados del siglo XV, los textos árabes ya describen como arruinados el palacio y la almunia, probablemente a consecuencia de los terremotos, y no se reconstruyeron por la escasez de recursos a causa de la guerra. Tal vez se conservó una parte del edificio, que puede identificarse con bastante claridad en una reproducción de la batalla de la Higueruela, que tuvo lugar el 1 de julio de 1431 en las proximidades de Granada, entre las tropas nazaríes y las de Juan II de Castilla, y que se conserva en la sala de las Batallas del monasterio de El Escorial.

Abandonados tras la conquista, serían ocupados como vivienda u otros usos, quedando pronto en el olvido hasta principios del siglo XIX cuando, aprovechando sus fábricas arruinadas, las tropas napoleónicas de ocupación instalaron ante la alberca una batería artillera que sirvió para localizar el lugar que había ocupado el palacio.

La posterior construcción del cementerio municipal de Granada y sus ampliaciones

Restos del palacio de los Alijares, integrados en el llamado «Jardín Nazarí» del actual cementerio de Granada

terminaron con los vestigios que quedaban, reutilizados algunos en el nuevo recinto. No obstante, numerosos restos, entre los que se encuentran algunos alicatados y cristales de colores que pudieron pertenecer al afamado mirador abierto al paisaje y que puede distinguirse en la representación escurialense, fueron preservados y hoy se conservan en el Museo de la Alhambra. Actualmente solo quedan algunos restos y parte de la alberca que fueron consolidados en 2001 en un evocador jardín funerario desde el que, al menos, puede apreciarse el valor arqueológico territorial de la finca.

Dar al-Arusa

Con este término, que significa «Casa de la Desposada», comúnmente llamado palacio de la Novia, se conocen los restos de una residencia palatina nazarí situada en la parte más elevada del Cerro del Sol, por encima del palacio y las huertas del Generalife, del palacio de los Alijares y de la estructura defensiva de la Acequia del Sultán. Aunque en octubre de 1924 se había iniciado su exploración, hubo que esperar a 1933 para que, con motivo de una plantación de pinares, se hallara de forma casual el núcleo central del edificio, procediéndose a su desescombro durante los tres años siguientes.

Parte de las estructuras conservadas del palacio de Dar al-Arusa

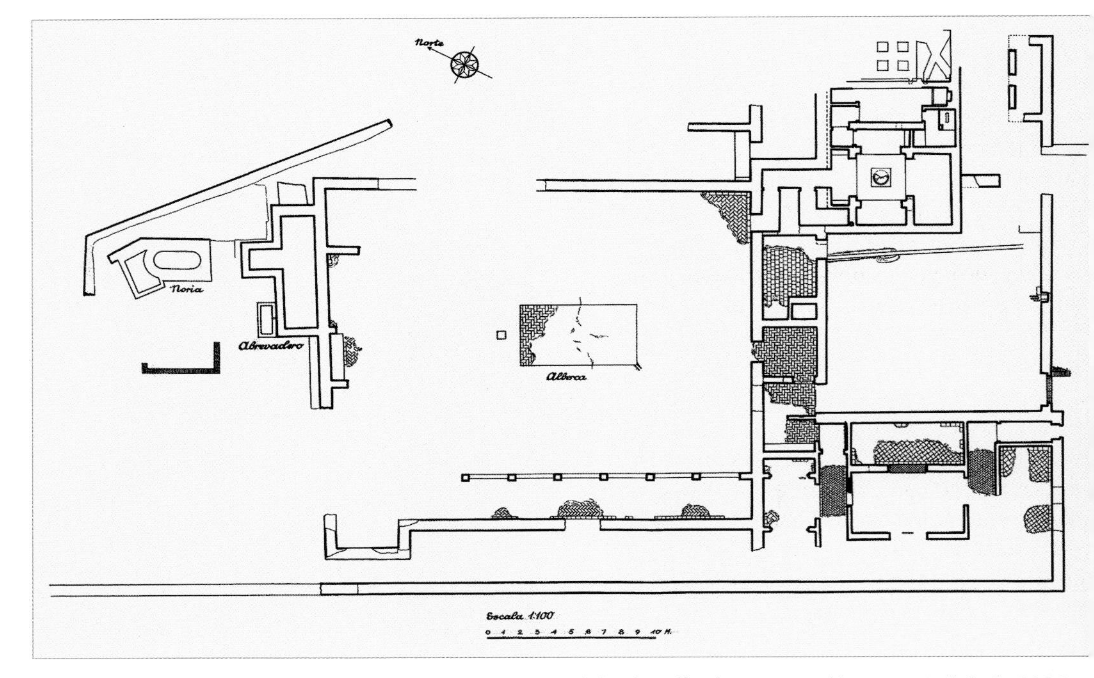

Planta de los restos del palacio de Dar al-Arusa, en el Cerro del Sol, realizada por Leopoldo Torres Balbás, h. 1936. Archivo de la Alhambra

El conjunto residencial aparece distribuido, como es habitual en las edificaciones domésticas hispanomusulmanas, en torno a un amplio patio rectangular con una alberca solada en el centro que ha conservado restos de sus canalizaciones de suministro y desagüe.

En torno al patio se encontraron restos de basamentos, probablemente de una galería o pórtico con algunas piezas de solería cerámica. Diferentes habitaciones, corredores y espacios se multiplican en torno al patio, perceptibles por la parte baja de los muros, entre los que quedaron abundantes fragmentos de solerías irregulares y de pequeñas conducciones bajo ellas.

En su extremo noroeste aparecieron unas extrañas estructuras que en un primer momento suscitaron alguna confusión, y que en el curso de la exploración se identificaron como parte de un sistema hidráulico de elevación de agua desde un pozo mediante una noria que, posteriormente, vertía a una pileta o alberca. También se halló junto a ellos una pequeña fuente con un pilar de piedra. El pozo es el único dispositivo hidráulico que ha aparecido en el entorno del palacio, aunque en su proximidad se detectaron varias conducciones de atarjeas y galerías, que discurren por una cota inferior.

La zona que parece más edificada se sitúa al sur del patio, donde se encuentran los restos del *hammam,* habitual para una residencia de

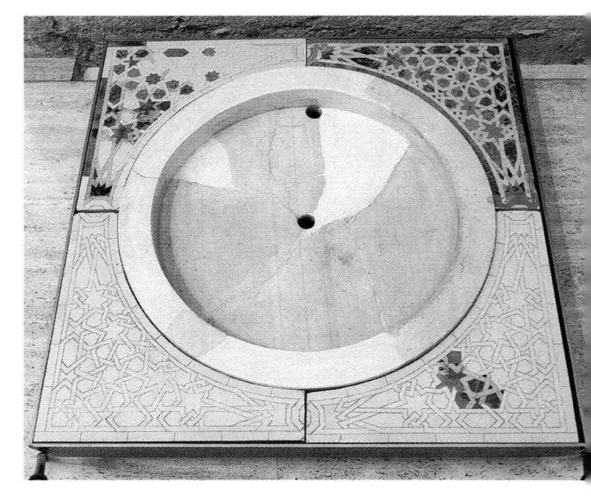

Pila de mármol y cerámica vidriada procedente del *hammam* del palacio de Dar al-Arusa. Museo de la Alhambra

estas características. A él se accedía desde el patio principal por un pasillo con doble recodo, tras el que se llegaba a una sala cuadrada, en cuyo centro se conservó la pieza decorativa más destacada del palacio, una fuente circular de mármol, enmarcada por un paño de alicatado de composición geométrica, hoy expuesta en el Museo de la Alhambra. Hacia levante aparecieron los restos incompletos de la sala caliente y del hipocausto. Diversas cámaras, corredores y otros vestigios materiales como una pila y la entrada a una letrina completan los restos del edificio.

También se pueden ver otros vestigios arqueológicos como desagües, que pudieron utilizarse para irrigar los posibles jardines del palacio que estarían ubicados a levante, antes de que el cerro decline hacia el barranco.

Junto al baño existen otros restos constructivos que se prolongan hacia los límites del edificio, que tal vez indiquen una conexión de enlace con alguna muralla o cerca de protección. El palacio no debió de disponer únicamente del edificio y el baño contiguo, sino que también debió dotarse de jardines o alguna huerta. Todo el conjunto se encuentra ceñido por un muro que parece proteger la zona de vivienda del palacio.

La construcción de este palacio se ha venido adscribiendo al siglo XIV, en base a los textos árabes que describen en la zona la presencia de ámbitos ajardinados y de cultivo. Es posible que el sistema de abastecimiento hidráulico de Dar al-Arusa también estuviese relacionado con el ingenio de los Pozos Altos. Las investigaciones en curso deberán aclararlo en los próximos años. Lo cierto es que el recinto fue probablemente abandonado tras la conquista, y debió desmantelarse, según testimonios como el del historiador Francisco Henríquez de Jorquera en 1632, «por haber faltado sus reyes y por accidentes de las rebeliones de los moriscos».

La Silla del Moro

El singular nombre con el que se conoce popularmente a estos restos arqueológicos y arquitectónicos obedece a la forma en que ya se veían sus ruinas desde la ciudad a mediados del siglo XVI, semejantes a un asiento o banqueta, *la silla*, visión incrementada por la plataforma

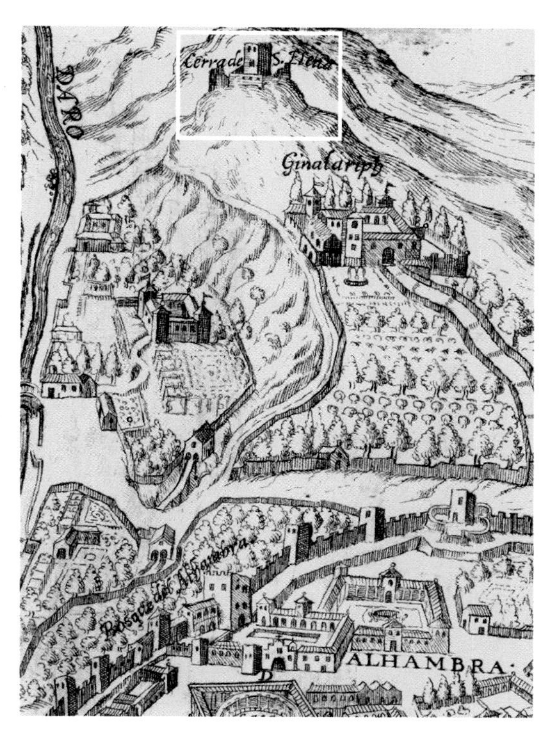

Detalle de la *Plataforma* de Ambrosio Vico con Santa Elena arriba, hacia 1614. Biblioteca de la Alhambra

artillera aquí ubicada por las tropas napoleónicas hacia 1810. Desde el siglo XVII también se le llamó castillo de Santa Elena, que por entonces cobijaba a ciertos ermitaños en torno a un santuario bajo dicha advocación y que, según algunos autores, ocupó el lugar de una vieja mezquita, extremo en absoluto probado.

En su disposición original formó parte del sistema de vigilancia y protección de la dehesa del Generalife y de las estribaciones del Cerro del Sol, la defensa natural que, a levante, emerge por encima de la Alhambra. Es esta una función primordial, porque allí se inicia la distribución de agua de la acequia a la ciudad palatina y sus aledaños, a las huertas y jardines del Generalife, y a todo el entorno. Debió de tener un carácter preferentemente militar, en un sector de fincas de recreo y suministros que se presentaba vulnerable a posibles ataques enemigos. Desde luego, la visión que se tiene de su entorno, con espléndidas perspectivas hacia los cuatro puntos cardinales, manifiesta la importancia de su

Vista del Generalife, desde la torre de la Vela, con la Silla del Moro arriba a la derecha, en 1871. Fotografía de J. Laurent

El Generalife, la Alhambra y Granada desde la Silla del Moro en 1871. Fotografía de J. Laurent

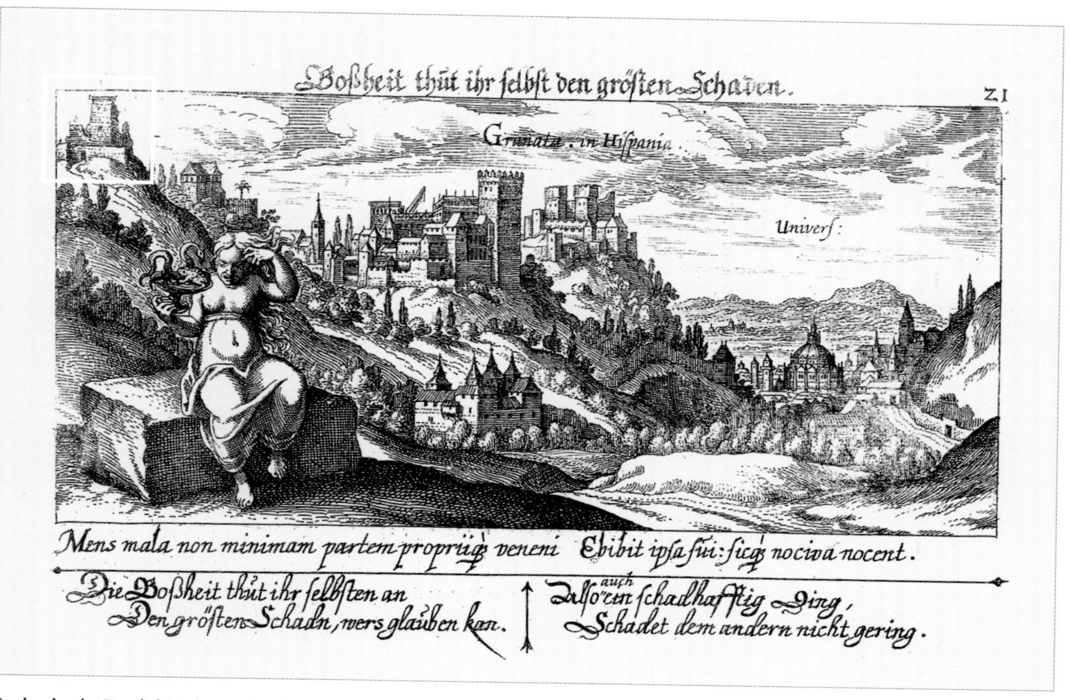

Grabado de Daniel Meisner, hacia 1623, donde se aprecia la Silla del Moro (arriba a la izquierda) sobre el Generalife y la Alhambra. Archivo de la Alhambra

estratégica localización, mantenida en el transcurrir de los siglos.

La Silla del Moro pudo haber estado conectada con la contigua residencia de Dar al-Arusa, de la que pudo abastecerse de agua, pues existe una conducción orientada hacia ella, visible en el corte del terreno abierto en el cerro para habilitar un camino forestal hacia 1929, modificado con posterioridad. Entonces se descubrieron restos de su escalera de acceso y de la torre, además de muros de hormigón, fragmentos de bóvedas y piezas de yeserías.

La historia y las descripciones que de ella poseemos pertenecen a épocas posteriores a la nazarí, y nos aportan muy poco sobre su disposición medieval.

En 1942 se gestó el proyecto de ubicar sobre los restos del edificio un mirador, para lo que se utilizaron grabados históricos, fundamentalmente la *Plataforma* de Ambrosio Vico, de principios del siglo XVII, y se llegó a realizar una maqueta. En 1966 se planeó la ubicación de un restaurante, que propició la reconstrucción del edificio con una torre central, ultimándose la obra hacia 1970, aunque quedó sin cierres y sin uso. Años más tarde, por su deficiente calidad constructiva, se desmoronó parte de la estructura, resolviéndose desmontar toda la obra de reconstrucción para restaurar y poner en valor los restos originarios dentro de un proyecto de integración como mirador. En 2001 se exploraron y consolidaron unas galerías subterráneas situadas bajo el edificio, de las que se desconoce su cronología y su propósito, aunque podrían haber estado relacionadas con la distribución de agua para la explotación agrícola de la zona. Se apuntó que podrían haber sido preparadas como minas por las tropas napoleónicas que, en su retirada de 1812, efectuaron voladuras por toda la zona. En todo caso parecen haber estimulado la tradicional fantasía decimonónica local, recogida por el escritor norteamericano Washington Irving en sus célebres *Cuentos de la Alhambra,* sobre leyendas de supuestos tesoros ocultos en el entorno del Cerro del Sol.

12 Algunas claves para comprender la Alhambra

El reino nazarí de Granada fue el último Estado de la España musulmana. Ese contexto tardío ha posibilitado la percepción de ciertos matices de la cultura de al-Andalus que, sin su permanencia bajo la sociedad forjadora de la Alhambra, probablemente se habrían olvidado. Algunos de esos matices hacen de la Alhambra un lugar único para adquirir información y conocimiento.
A continuación se ofrece una somera visión de algunas de las claves más representativas para aquellos que deseen comprender mejor el significado profundo de la cultura nazarí.

El *Diwán al-Insá'*

El sultán Muhammad II (1273-1302) dotó al emirato de nuevas instituciones administrativas, entre ellas el visirato o *wuzara'*, responsable entre otros de la «Cancillería Real», y el *Diwán al-Insa'* especie de oficina de redacción. Esta recibía el encargo de redactar la correspondencia y los documentos oficiales, al frente de la cual estaba aquella persona que era considerada el mejor escritor del reino, que podía ostentar también el puesto de *wazír* o primer ministro. El Estado nazarí, que estaba en situación permanente de negociaciones y pactos con sus vecinos, necesitaba que lo dirigiera una persona capaz de dominar el difícil arte de la palabra. Si además sus escritos ensalzaban la figura de su señor el sultán y elogiaban la grandeza de sus obras, explica que la mayoría de sus poemas adornaran las principales estancias palatinas de la Alhambra. Se comprende así que los jóvenes literatos ambicionaran obtener un cargo como *kátib* o escribano en la corte nazarí. El *Diwán al-Insa'* era parecido a un taller en el que los escritores o *kuttab* ejercían como artesanos de la lengua árabe, modelando la poesía y la prosa rimada bajo la supervisión del *arráez* o jefe del gabinete. Los *kuttab* eran funcionarios que componían poemas panegíricos en honor de la dinastía, que se conocen con el nombre de *qasidas sultaniyyas*, con ocasión de la fiestas oficiales como la de los Sacrificios, la Ruptura del Ayuno o la del Nacimiento del Profeta; también ejercían en los eventos familiares como nacimientos, circuncisiones, casamientos, viajes, a la vuelta de las batallas victoriosas y en ceremonias fúnebres, incluida la redacción de epitafios.

Los textos epigráficos de la Alhambra se deben fundamentalmente a tres poetas que estuvieron sucesivamente al frente de la Cancillería, a lo largo del siglo XIV, y describen los momentos más brillantes de la dinastía y, a su vez, son los más sobresalientes de la poesía nazarí.

El primero de los visires-poetas fue Ibn al-Yayyab (1274-1349), que consiguió mantenerse al servicio de seis sultanes, desde Muhammad II hasta Yúsuf I:

> Sobre este palacio de peregrina belleza, brilla la grandeza del Sultán. Brilla su belleza y la lluvia de las nubes le cubre generosamente.

Su discípulo Ibn al-Jatib (1313-1375) estuvo al servicio de los grandes sultanes de la Alhambra, Yúsuf I y Muhammad V:

> A todos supero con mi belleza, con mis adornos, con mi corona, y hasta los astros en sus casas zodiacales se inclinan hacia mí y aunque [la Alhambra] es alta en su órbita, yo [lo estoy más, porque] soy su esplendente diadema y su corona.

Lo sustituyó Ibn Zamrak (1333-1393), que asistió a Muhammad V y, alternativamente, a Yúsuf I y Muhammad VII:

> La Sabika es una corona sobre sus cabellos a la que le gustaría adornarse con perlas, pero su Alhambra es un jacinto que se eleva sobre esta corona.

Personaje pintado en la bóveda central de la sala de los Reyes en el palacio de los Leones

De la última etapa se conocen algunos poemas de Ibn Furkún, que ejerció bajo el sultanato de Yúsuf III:

> La corte del reino y su Alhambra tienen formas que parecen las mansiones de la luna.

El sistema proporcional

Para comprender el complejo mundo del arte y la arquitectura del Islam, resulta fundamental conocer una de sus claves conceptuales: el «sistema proporcional», que es una especie de «canon», de ley básica, abstracta, a la que debe ajustarse toda creatividad plástica y estética. Se trata de adaptar la obra creativa (edificación, decoración, etc.), por un lado, al espacio disponible para su ejecución y, por otro, al programa previsto o encargado al artífice (que puede ser uno o varios, ya sea un proyecto sencillo o de gran envergadura como, por ejemplo, un palacio). Los artesanos islámicos medievales trataron de hallar lo que para otras civilizaciones se ha denominado la «cifra áurea», para lo cual utilizaban dos elementos geométricos básicos, el círculo y el cuadrado, con los cuales y a partir de su carácter simple, llegaron a desarrollar verdaderas composiciones matemáticas más o menos complicadas, dependiendo de los temas, los lugares y las épocas.

Modelo típico de diseño geométrico del arte islámico. Paso del círculo al polígono estrellado

El motivo decorativo se crea de la siguiente manera: en el interior o en el exterior de un círculo se traza un cuadrado que, girado sobre sí mismo, da lugar a una estrella, que se denomina sino, cuyo número de puntas es variable –seis, ocho, doce, etc.– y que será la base o el punto de partida de todo el desarrollo decorativo posterior. Este método es relativamente patente en las decoraciones murales de tipo geométrico, por ejemplo, en la ejecución de un panel alicatado en el que la prolongación de las líneas de la estrella da lugar a cintas o calles, cuyo desarrollo viene a conformar lo que se denomina lacería o decoración de lazo, que a su vez puede ser «lazo de ocho», «de doce», etc., según sea el tipo de sino (estrella). Para facilitar su trabajo los artesanos disponían de juegos de escuadras, cartabones y diversas plantillas, por lo que no necesariamente todos ellos dominaban las matemáticas o la geometría.

En estos rudimentos tan básicos radica todo el desarrollo del proyecto decorativo, y en la Alhambra aparecen varios elementos considerados cumbre en el proceso evolutivo de la arquitectura y la decoración islámica, por ejemplo, las bóvedas de mocárabes de las salas de los Abencerrajes y Dos Hermanas en el palacio de los Leones.

Pero el esquema básico del círculo y el cuadrado no afecta únicamente a los desarrollos decorativos, sino que también está presente en la arquitectura: teniendo en cuenta el espacio disponible y la estructura a edificar, el alarife (arquitecto) traza una figura geométrica, que puede ser un cuadrado, en el que inscribe, por ejemplo, un triángulo equilátero que a través de la raíz cuadrada de sus lados puede desarrollar una división tripartita (para diseñar y delimitar las cartelas decorativas de una pared) o un rectángulo (para calcular las dimensiones de una alberca en un patio).

La plurifuncionalidad espacial

Una de las diferencias, en relación con el mundo occidental, que más sorprende de la civilización del Islam es su concepto del espacio. En occidente, probablemente debido a sus raíces clásicas, todo está definido

Composición geométrica de un alicatado de la torre de la Cautiva

y cada espacio, cada elemento, tiene su función; así, las viviendas disponen de sala de recepción, de estar, comedor, alcobas, cocina, etc. En el mundo islámico se practica la plurifuncionalidad, que aplicada al ámbito del espacio significa que todos los lugares, todos los elementos, sirven para cualquier función, es decir, que no hay un espacio determinado para una finalidad concreta, pues consideran que los ámbitos útiles son los que tienen diferentes usos; aquello que solo sirve para una función no es práctico y por lo tanto no es útil. Este es un principio general que, evidentemente, ha tenido muchas matizaciones a lo largo de los siglos y múltiples variables concretas que dependieron de las influencias geográficas y de sus tradiciones locales.

En los espacios palatinos de la Alhambra se percibe la aplicación de este principio. Por ejemplo en el palacio de Comares, en donde el trono del sultán está situado en una sala adyacente al lugar de su alcoba, lo que significa que el salón de Comares no era solo un lugar «de aparato» oficial, sino que podía usarse para otros actos, y que la sala de la Barca no era solo el dormitorio, sino que se utilizaba también como sala de estar, etc. Por eso sorprende a veces el reducido tamaño de las casas en los barrios hispanomusulmanes en las que resulta difícil creer que puedan habitar familias enteras. En este sentido, las casas que podemos ver, por ejemplo, en la Alcazaba de la Alhambra tienen un desarrollo espacial semejante al de las casas moriscas del Albaicín que se pueden contemplar desde cualquier mirador alhambreño, e igualmente, aunque a otra escala, al de los ámbitos palatinos nazaríes.

Probablemente, la raíz de esta característica resida en el origen de la civilización del Islam, cuando las tribus nómadas de la Península Arábiga debían trasladarse de un lugar a otro en búsqueda de asentamientos para el pastoreo o el comercio. La jaima o tienda y su agrupación jerárquica y gremial tenía un papel esencial en la distribución de los espacios. Al hacerse sedentaria, en coincidencia con los inicios de la civilización, muchas de sus costumbres se mantuvieron de forma natural en la nueva sociedad.

Además, en su rápido proceso de expansión por occidente a través de la cuenca sur del Mediterráneo, entró en contacto con «la romanidad», donde se «reconoció» en la casa mediterránea con sus espacios que circundaban un patio con elementos de agua, las cisternas, los canales, etc. Los islámicos asimilaban todo aquello que era compatible con sus principios, y rechazaban o modificaban y adaptaban otros recursos. Véase por ejemplo la figura del *hammam* o baño de vapor y su relación con la terma romana, en el que el programa del baño se modificó por completo y se transformó con el tiempo en uno de sus signos de identidad.

Fachadas y accesos

El exterior de los edificios hispanomusulmanes suele presentar fachadas lisas, monocromas y muy austeras. En los alzados no hay ventanas, apenas unos huecos de ventilación, salvo en las plantas altas, en las que suelen situar ajimeces (balcones volados y cerrados con celosías). Las casas, y

Detalle de jaimas en el sitio de Viena por los turcos.
Manuscrito del siglo XVI, Museo Topkapi, Estambul

también los palacios, como puede verificarse en la Alhambra, no acusan externamente lo que esconden en su interior. Nadie que camine por un arrabal o barrio andalusí y se fije en una vivienda puede saber el nivel social o económico de la familia que la habita, ni aun las dimensiones de la casa, hasta que atraviesa la entrada y descubre el esplendor del patio en torno al que se distribuyen los espacios de la morada. Esta característica la recoge el refranero morisco cuando habla de «las feas»:

> ...como la casa del moro:
> por fuera con desconchones,
> por dentro son un tesoro...

La puerta es la frontera entre lo público y lo íntimo, sin embargo, siempre está abierta, pero desde la calle no se ve el interior, pues se distribuye de forma que un tabique, un recodo o cualquier otro recurso salvaguarde la privacidad de la vivienda, como se puede comprobar en las casas de la Alcazaba y en el acceso al palacio de Comares. Y frente al tradicional dicho castellano de «casa con dos puertas mala es de guardar», es habitual que la casa andalusí disponga de más de un acceso.

Compartimentación espacial del salón de Comares

Distribución espacial del barrio castrense en la Alcazaba

La compartimentación de los espacios

En relación con las diversas funciones que se asignaba a los espacios en el ámbito doméstico, la Alhambra se ofrece también para el observador contemporáneo como una «caja de resonancia» de la cultura islámica. La agrupación de los espacios, aparentemente espontánea, en los asentamientos de los campamentos nómadas, ha trascendido en cierto modo a través del tiempo y de la geografía del mundo islámico.

Los musulmanes medievales granadinos marcaban una clara compartimentación de los espacios que habitaban, hecho que también sucede en la Alhambra, donde las estancias se concibieron integradas en un elemento mayor, pero autónomas, independientes. Habitaciones, salas y naves se proyectaban como piezas aisladas, habitualmente separadas mediante un pasillo, pasaje o recoveco, pero formando un único cuerpo, una sola estructura, sin comunicación posible entre ellas salvo a través del patio. Esta distribución habitual en los edificios islámico-andaluces contrasta con la de las viviendas con patio mudéjares y cristianas, cuyas estancias se comunican interiormente entre sí. Las casas islámicas que desarrollaban más de una planta disponían de su propia escalera, que tampoco comunicaba por el interior la planta baja y alta, sino a través del patio, costumbre de la arquitectura granadina islámica que influyó poderosamente en el tradicional carmen.

Cuando el edificio era importante o formaba parte de una estructura palatina, las alcobas se solían adosar en ángulo recto a la pieza más importante, que podía configurarse como una gran *qubba*, dejando libres las esquinas. Esa habitual disposición tenía además una importante función preventiva frente a los temidos incendios, que se veían favorecidos por la abundante madera de las cubiertas de los edificios medievales.

Esta práctica se manifiesta claramente, por ejemplo, en el palacio de Comares o en la nave de levante del patio de la Acequia en el Generalife, por poner ejemplos diferentes.

En el interior de las salas de las viviendas y de los palacios también se establecía una compartimentación, seguramente derivada de la distribución interna de la jaima. Las habitaciones habitualmente estaban incorporadas en uno de los lados menores, o en ambos, ampliando la estancia. En este caso se hacía una diferenciación de las alcobas, elevando ligeramente el suelo o variando el despiece de su solería; según la categoría del edificio, se podía resaltar su delimitación mediante un arco y a veces se diferenciaba el techo. Se creaban así alcobas laterales en las que se situaba la zona de reposo, dejando libre el espacio central.

Mazmorras

Son elementos muy frecuentes en la Alhambra, habiéndose detectado hasta hoy en su recinto al menos una docena de ellas. En el interior de la Alcazaba se conocen varias, dos de ellas situadas bajo las torres del Homenaje y de la Vela.

Junto a la base de la torre Quebrada puede observarse una tercera, una oquedad en el subsuelo, protegida por un reborde de ladrillo y una reja. Junto a esta mazmorra, posiblemente la más interesante de las conservadas por su estructura y por los restos que quedan, se dispuso en los años treinta del siglo XX una pequeña escalera de caracol para facilitar el acceso a su interior.

Las mazmorras servían para encerrar a los cautivos, a los que se descolgaba con cuerdas por el hueco central. En general, tenían forma de cuello de botella y la mayoría de las que se

etalle de la entrada a la mazmorra situada en los ardines del Secano de la Alhambra alta

an encontrado en la Alhambra conservan en u interior, excavado en el terreno, pequeños spacios radiales separados por ladrillos que ervían a los cautivos para recostarse como amastros independientes. El espacio central, a ielo abierto, solía tener desagüe y se marcaba en el suelo. Estos subterráneos eran también usados como silos, es decir, como almacenes de grano, especias o incluso sal, y han aparecido varios de ellos en la zona del Campo de los Mártires.

Taqas

La *taqa* es uno de los elementos decorativos y funcionales más característicos de los palacios nazaríes. Consiste en un nicho, generalmente pequeño, excavado en el muro, cuya misión era la de contener vasijas para agua, bien para beber o bien para su uso como aguamanil.

Las *taqas* eran proyectadas en proporción al programa decorativo del espacio, fundamentalmente en los muros o paredes maestras, en el intradós de los arcos de acceso a salas o salones importantes, y siempre se disponían por parejas, una enfrente de la otra.

Su denominación, de origen árabe, significa nicho, alacena o abertura en un muro, aunque en el mundo islámico oriental *taq* significa arco o

Taqa **en el umbral de acceso al salón de Comares**

arcada que se hace con cimbra. En español, rico en matices, ha derivado a la palabra taquilla, que significa ventanilla administrativa o de expedición de entradas para espectáculos o billetes de medios de transporte, etc. También se llaman así ciertos muebles de talleres y de oficinas, los casilleros para clasificar e incluso la recaudación obtenida de un espectáculo, es decir, algo relacionado con un espacio reducido.

Las *taqas* de acceso a la sala de la Barca en el palacio de Comares están decoradas con poemas de cinco versos, cuya autoría corresponde a uno de los dos grandes visires, Ibn al-Jatib o Ibn Zamrak, y que describen así estos curiosos elementos:

> Yo soy como el estrado de una novia
> dotada de belleza y perfección. Mira el jarrón y podrás comprender
> la auténtica verdad de mis palabras. Contempla mi diadema y verás cómo
> parece corona de luna nueva. [...]
> Yo soy de la plegaria momento
> cuya *qibla* es senda de bienandanza. El jarrón que aquí hay puedes creerlo
> un hombre en pie cumpliendo su oración [...].

La estética de la taqa ha pervivido en el Magreb precisamente en el adorno recamado con el que las novias se acercan a la ceremonia nupcial.

Celosías

Se llaman así los dispositivos de cierre, fundamentalmente de ventanas y huecos, habituales en los espacios domésticos de la arquitectura islámica, en general. La utilización de celosías, fabricadas en yeso y con vidrios de colores, se generalizó a partir del siglo XIII bajo los sultanes mamelucos de El Cairo. Para su elaboración se utilizaron otros materiales, aunque el soporte más característico, además del yeso, es la madera. El nombre que reciben en árabe es *qamriyya* (de *qamar:* luna) o *shamsiyya* (de *shams:* sol), dependiendo de su relación con la luz exterior que ellas tamizan o difuminan, permitiendo solo la claridad indispensable y adecuada para cada estancia. La forma en que se recibe la luz en los interiores tiene máxima importancia. Las celosías estaban situadas generalmente en zonas altas, de modo que realzaban la decoración de los muros, casi sin relieve, rasando las paredes, acentuando el claroscuro, dándole una vida de la que hoy, con la iluminación horizontal, se carece. El diseño decorativo de las celosías utilizaba siempre una base geométrica, con una red estrellada de cintas que se entrecruzan.

La luz directa que hoy reciben las salas de la Alhambra es muy diferente de la que había en origen, pues con los cierres en ventanas y puertas tendrían una apariencia radicalmente distinta de la actual. A veces las celosías eran dobles, acoplándolas tanto en la cara interna como en la externa del muro, y entre ambas podía haber un emplomado con vidrios de colores.

Las puertas de las salas permanecían cerradas casi siempre, con lo que se conseguía mantener una temperatura confortable en el interior, frescor en verano y calidez en invierno. Para ello se disponían sobre las puertas dos o tres pequeñas ventanas cerradas con celosías de yeso, muy características de la Alhambra, que tenían como función, además

Celosías de ventilación sobre la puerta de acceso a la sala de la Barca en el palacio de Comares

de iluminar tenuemente, la aireación de los interiores. En estancias importantes, en la parte alta de los muros, también se practicaban huecos de ventanas con celosías.

En la Alhambra es muy frecuente un elemento arquitectónico: la linterna en las cubiertas de las salas, en las que la utilización de este tipo de celosías es esencial. Consiste en un cuerpo central, generalmente de base cuadrada, que sobresale por encima del edificio e ilumina cenitalmente la estancia.

Patios, pórticos y ambientación

Uno de los aspectos más destacados de la arquitectura hispanomusulmana es su capacidad para relacionarse con el medio natural, del que toma sus beneficios para procurar a sus habitantes satisfacción y bienestar, objetivo ligado a una cultura que aspira a la sofisticación y al perfeccionamiento. Sus espacios construidos se alternan con jardines interiores, frescos y sombreados, en los que evitan el pleno sol del verano y aprovechan el del invierno; ventilan los interiores para refrigerar y renovar el aire, aislándose y amortiguando las variaciones térmicas del exterior con soluciones arquitectónicas. Podríamos hablar así de una arquitectura de tendencia medioambiental, ecológica o bioclimática.

Cuando se establecían en un lugar concreto, realizaban una arquitectura adaptada al clima, al medioambiente. La cultura hispanomusulmana experimentó durante siglos con sistemas de refrigeración natural o pasiva y con métodos para controlar la luz solar. Los fríos y cortos inviernos se solventaban con braseros y calentadores, pero la solución era más complicada respecto a los largos y calurosos veranos. La intensidad de la luz natural y la duración de las largas horas de sol contrastaba con la tenue iluminación de los interiores, en los que la penumbra era deliberadamente buscada para facilitar la meditación, la abstracción, la relajación, tan reveladoras de su modo de vida.

La arquitectura nazarí encontró una solución paradigmática en el patio, lugar en torno al que se desarrollaba la vida doméstica, privada, independientemente del tamaño de la vivienda o de la importancia de sus ocupantes. Según el tipo de edificio, en los lados menores del patio se disponía un pórtico, anterior a una sala principal cuya plurifuncionalidad, entre otros aspectos, haría que se usara de forma alternativa según la hora del día o la época del año. El patio interior de una vivienda proporcionaba luz y ventilación a las estancias, creando un clima natural en su entorno; recogía el agua de la lluvia favoreciendo un microclima que atenuaba la irradiación solar de las horas centrales del día. Árboles y plantas en general, con el complemento de toldos, pérgolas y pórticos, ayudaban a moderar la temperatura y mantener la humedad, tamizando la luz solar, equilibrando y refrescando los ambientes interiores. El agua y la vegetación de los patios, además de suavizar la temperatura, propiciaba una eficaz ventilación durante las horas nocturnas.

En la Alhambra, como en toda su área geográfica, procuraban construir los patios residenciales en dirección norte-sur, de manera que las estancias principales se orientaran a mediodía, y así recibir el sol directo en invierno, pero no en verano. El escritor almeriense del siglo XIV Ibn Luyún recomienda esa dirección: «[...] para el emplazamiento de una casa entre jardines [...] se orienta el edificio al mediodía [...]». La orientación del edificio, unido al meditado programa de elementos arquitectónicos como huecos, pórticos o galerías, era el método más adecuado para aprovechar las condiciones solares. Las superficies exteriores blancas y el grosor de los muros ayudaban a crear un ambiente térmico propicio.

En los palacios de la Alhambra destaca la presencia, generalmente en la cara norte, de una *qubba* o torre como estancia principal, a eje con el patio, que utiliza como paso intermedio o vestíbulo, y un pórtico o galería porticada que protege del sol directo y amortigua la temperatura. Por sus características, el pabellón o la torre, gracias a la corriente de aire que absorbe desde el patio, ventila de forma permanente la estancia, de forma parecida a una chimenea; el aire caliente es más ligero que el frío, por lo que tiende a ascender por convección, manteniendo la zona inferior más fresca y aireada.

Dibujo ilustrativo de la circulación del aire en el interior de un espacio palatino de la Alhambra. Programa educativo «La Alhambra y los niños». Patronato de la Alhambra

Las ventanas situadas sobre los grandes vanos de acceso favorecen esa circulación del aire, especialmente en invierno, cuando las estancias son caldeadas con braseros que hacen tóxico el aire, necesitando su renovación y circulación.

El control de la luz es también una característica de una cultura, la islámica, que surge en el cálido y deslumbrante desierto, que contrarrestan con estancias sombreadas y en penumbra; el interior es para el relax, la meditación, el descanso, o para observar sin ser visto. Por eso las ventanas se dotan de celosías que atenúan la luz externa y permiten ver desde los interiores, y practicaron la luz cenital, desde arriba, bañando las superficies decoradas con relieves de las yeserías talladas, los mocárabes, o los juegos policromos de los azulejos.

En los estanques y albercas, la arquitectura musulmana juega con la luz y los efectos ópticos que produce, reflejando en los muros o en las albanegas de los arcos las ondas que el aire produce en la superficie, trasformándolos en elementos etéreos, sutiles y evanescentes, una de sus más preciadas cualidades estéticas.

La decoración

Desde un punto de vista didáctico y explicado de forma sintética, la decoración islámica e hispanomusulmana, y la nazarí en cuanto representante de aquellas, se basa en tres principales tipos ornamentales: geométrico, epigráfico y vegetal.

La geometría

Es el marco o la base de toda la decoración. Regula los límites, los diferentes espacios que luego han de completarse con el resto de unidades decorativas (cartelas, bandas, alfices, cenefas, paños, vanos, etc.). La proporción juega un papel primordial: dependiendo de la superficie disponible, así como de las características del encargo o proyecto, el artesano abordará su diseño. Para ello dispone de sus conocimientos técnicos, de su destreza y habilidad, de su experiencia y de una serie de instrumentos como cartabones, cordeles, regletas, punzones, patrones en suma que, a modo de cliché, acomoda a la superficie a decorar. Algo parecido realiza el constructor o alarife, en este caso, adaptándose al solar, la disponibilidad de espacio, el tipo de terreno sobre el que se asienta o las propias normativas o exigencias edilicias.

Toda la decoración toma como base dos figuras elementales: el círculo y su cuadrado inscrito. A partir de ellos se desarrolla todo el programa, que se forma al girar sobre sí mismo el cuadrado y da lugar a una estrella que, dependiendo de los grados que se gire, será de ocho puntas, dieciséis, veinticuatro, etc., y que conforma toda la composición, que puede resultar muy elemental o muy complicada. A esa estrella, eje de toda la decoración, por ejemplo en la ejecución de un panel alicatado, se denomina sino, y de ella surgen, mediante la prolongación de las líneas, calles o cintas que dan lugar a sucesivas ruedas de nuevas estrellas, que pueden prolongarse hasta el infinito; a este entramado geométrico se le llama composición de lazo o lacería y, dependiendo de la estrella central, será lazo de ocho, dieciséis, etc. Entre ellas aparecen múltiples figuras, zafates, alfardones, almendrillas, candilejos y otras; a veces se busca una división tripartita, conseguida al inscribir en el cuadrado un triángulo equilátero al que se halla la raíz cuadrada y se sigue una fórmula o un teorema, es decir, se complica la trama que da lugar al diseño.

Todo ello obedece al interés y al extraordinario dominio alcanzado por la ciencia y la cultura islámica en el campo de las matemáticas y la geometría. En ellas reside el simbolismo, pero también el orden, la trascendencia, el cosmos, en suma, la Divinidad, la Creación.

La decoración epigráfica

Como su nombre indica, consiste en el empleo de la caligrafía árabe, las letras de su *alifato*, en dos de sus principales variantes: la cúfica y la nasjí.

La primera recibe el nombre de la nueva ciudad mesopotámica de Kufa, gran centro cultural de los omeyas adonde fue trasladada la capital hacia el año 657, considerada cuna de la arquitectura islámica. Los primeros textos coránicos se transcribieron en sus rígidos y rectilíneos rasgos de escritura, caracterizados por la ausencia de los puntos diacríticos que distinguen entre sí muchas de las letras del *alifato*. Por ello es considerada una escritura críptica, hasta el punto de que muchos arabófonos no son capaces de leerla; ello le otorgó, sobre todo en los primeros tiempos, un cierto carácter mítico, reservándose inicialmente para lemas de tipo religioso, aunque con los siglos evolucionó en múltiples variantes; sus formas angulosas y rectilíneas favorecen asimismo su uso como un elemento geométrico más, como cintas, para perfilar cartelas, enmarcar otros elementos decorativos, etc. En muchos lugares como la Alhambra se juega frecuentemente con la alternancia junto al otro tipo de escritura, la nasjí.

Esta, conocida también como cursiva, es la usada habitualmente para escribir. Sus formas volumétricas redondeadas favorecen el desarrollo en espiral de sus trazos, dando lugar a numerosas variantes regionales y locales; en la historia del Islam se reconocen frecuentes dialectos: hubo un dialecto árabe andalusí, e incluso otro granadino, con sus propios rasgos diferenciadores, que hoy vemos en los muros y las paredes de la Alhambra. En ella se escribe, por ejemplo, el lema dinástico nazarí «Solo Dios es Vencedor». También son frecuentes las loas al mecenas de un edificio, «Gloria a Nuestro Señor el Sultán», junto a alabanzas de tipo religioso y citas coránicas. Ya hemos visto que los nazaríes llegaron a elegir a su visir en una justa poética entre los súbditos que mejor conocían el árabe, lo cual además de contribuir a ensalzar con metáforas y ditirambos la vanidad del sultán de turno, era una garantía para ejercer la reputada diplomacia de la dinastía. Ibn al-Yayyab, Ibn al-Jatib, Ibn Zamrak, Ibn Furkún, fueron algunos de los grandes visires y escritores nazaríes que llegaron a eclipsar incluso a los propios sultanes; gran parte de los textos que decoran la Alhambra son colecciones o *diwanes* de *qasidas* o poemas, muchos de ellos aún por traducir, de sus propios ministros, en los que describen ceremonias o festejos de la corte celebrados en los lugares que decoran, como por ejemplo el *Mawlid* o conmemoración del nacimiento del Profeta en el entorno del actual Mexuar, la circuncisión del hijo de Muhammad V en la sala de Dos Hermanas, o el funcionamiento hidráulico de la fuente de los Leones. Por ello se considera a la epigrafía de la Alhambra como un verdadero manual de poesía y de literatura, además de una importante fuente de documentación histórica y de un valioso registro descriptivo de los distintos ámbitos edilicios.

La decoración vegetal

A la que se ha denominado genéricamente *ataurique*, como su nombre indica, utiliza elementos de la naturaleza para desarrollar

Decoración mural con motivos epigráficos y vegetales en la sala de la Barca del palacio de Comares

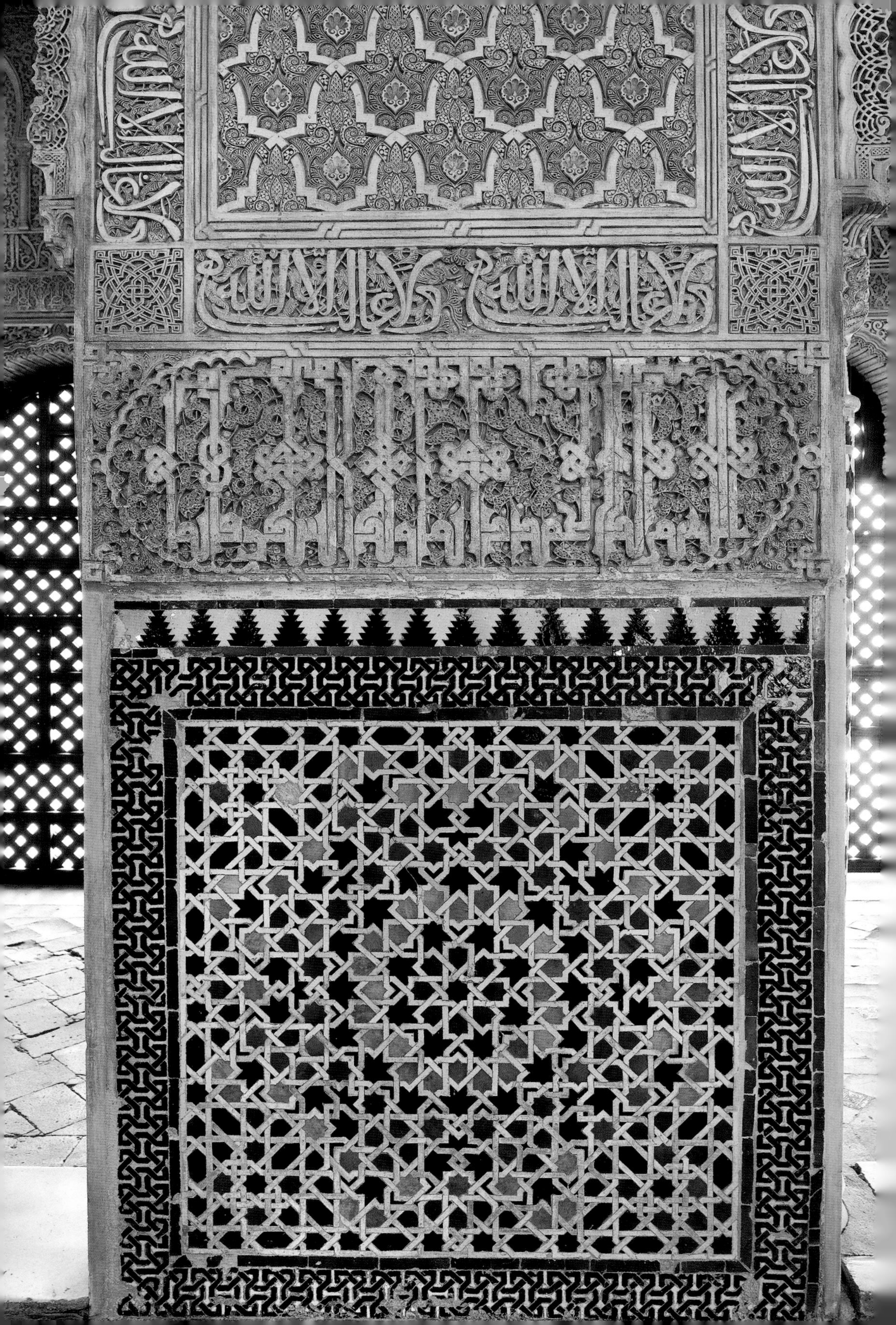

u programa decorativo. Este es a la vez muy mitado en cuanto a temas, pero muy variado n cuanto a formas, algo muy característico e la cultura islámica. Probablemente por su arácter simbólico, el elemento decorativo ásico en los primeros tiempos era la vid, con despliegue de pámpanos entretejidos y los armientos; el acanto supuso una evolución y, obre todo, como podemos comprobar en la lhambra, las palmas, bajo formas muy diversas omo la palma simple, doble, digitada, con pigrafía, abierta o cerrada, etc. Granadas, iñas, pimientos, algunas conchas, e incluso a eces flores en vez de uvas, acompañados de allos, hojas, roleos, etc., completan, de una orma desnaturalizada pero muy rica en matices, programa decorativo.

l mocárabe

s un trabajo decorativo elaborado a partir de la ombinación geométrica de prismas acoplados colgantes, cuyo extremo inferior se corta en orma de superficie cóncava, que se usa como dorno en los edificios. Inscritos en una trama e cuadrados y rombos, los módulos o prismas stán tallados en su parte inferior donde se plicará el color, mientras que su parte superior ueda oculta apoyada en una de las caras de tro prisma. Una de las reglas en el trazado de sta decoración establece que dos piezas que e juntan tienen que tener sus líneas de unión rientadas en el mismo sentido.

Con el mocárabe o *muqarna* el arte musulmán egó al culmen de la perfección en los cálculos atemáticos y conocimientos de la geometría, iciados en los diseños de los paños de cerámica e alicatados, pero llevados en este caso a la epresentación en tres dimensiones. El prototipo e mocárabe surgió en las trompas que hacen e tránsito desde un espacio de planta cuadrada círculo de la bóveda, generando la figura ctogonal. Aparece a comienzos del siglo x, xpandiéndose rápidamente desde el Turkestán asta Andalucía, aunque se sigue debatiendo la localización de su origen está en Persia o en el norte de África. El arte islámico aplicó el mocárabe en multitud de elementos, como cornisas, arcos y capiteles, y lo realizó en diversos materiales: piedra, ladrillo o madera, pero sin duda las construcciones más espectaculares son las cúpulas realizadas en yeso debido a la maleabilidad de este material que les permite alejarse de la estricta geometría obligada en el caso de la madera.

En carpintería se utiliza el mocárabe para elementos destacados de las cubiertas, desde las cornisas hasta la totalidad de la techumbre. Las tiras prismáticas de madera se llaman adarajas, pueden tener forma de rectángulo, triángulo o rombo y se agrupan en torno a una pieza ochavada para formar el llamado racimo. De una octava parte de este, partiendo de un modelo en planta, se cortan todas las adarajas. Los negativos de los racimos tienen así forma cupular. La construcción de una bóveda de mocárabes en yeso no está exenta de complejidades y exige grandes conocimientos de geometría que pocos alarifes llegaban a conseguir, elevando a la categoría de maestros a aquellos que lo lograban. Se comenzaban a

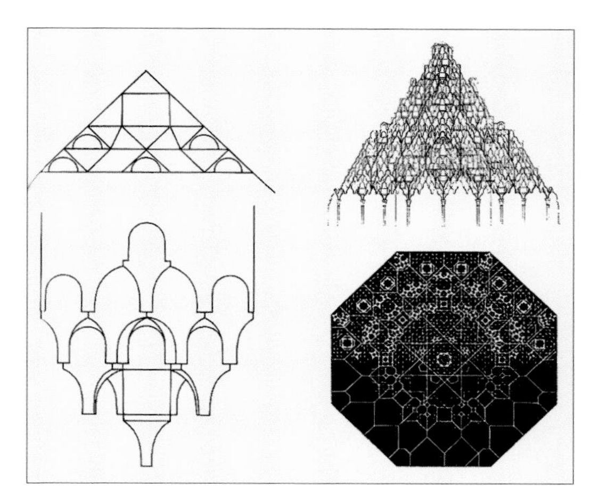

Análisis de la cúpula de mocárabes de la sala de Dos Hermanas. Dibujos del libro de Owen Jones y Jules Goury, *Plans, Elevations, Sections and Details of the Alhambra*, Londres, 2 vols., 1836-1845

ecoración con ataurique, bandas epigráficas cursiva y cúfica y alicatado geométrico en el salón de Comares

Detalle de dos cupulines de *muqarnas* (mocárabes) en la sala de los Reyes

levantar desde las esquinas con la ayuda de listones de madera y clavos metálicos, pegando con yeso negro los módulos realizados con molde, hasta llegar a su cerramiento final que la convierte en una estructura autoportante, llegando en ocasiones a desafiar a la gravedad.

La yuxtaposición de los módulos generó construcciones de miles de prismas, como ocurre en las salas de los Reyes, los Abencerrajes o Dos Hermanas, cuyas bóvedas pueden superar los cinco mil prismas. El resultado de la precisión geométrica en el periodo nazarí ha permitido que en la colina de la Sabika, tras cinco siglos de historia, se pueda todavía disfrutar con la contemplación de estas cúpulas, en las que la sensación de ligereza conseguida con el material de yeso crea una atmósfera etérea donde la multitud de elementos terrenales consiguen flotar, acercándose a la infinita multiplicidad de la bóveda celestial, jamás conseguida en el cerramiento de un techo.

El agua

Para Ibn Jaldún, sociólogo tunecino de al-Andalus (siglo XIV), la primera condición que ha de tener un terreno para la fundación de una ciudad es que disponga de un río o de fuentes de agua. En la colina de la Alhambra no hay agua, por lo que fue necesario traerla desde lejos, salvando diferentes niveles, repartiéndola mediante un perfecto sistema de canalizaciones. Se concibió una compleja estructura de ingeniería hidráulica mediante vasos comunicantes, grandes albercas, aljibes y multitud de conducciones, en una red perfectamente imbricada.

El agua es un elemento fundamental para la civilización islámica, objeto de simbolismos y tradiciones. El Corán, libro sagrado de los musulmanes, describe el Paraíso como un vergel colmado de jardines donde el agua fluye sin cesar. En la mezquita no puede faltar el agua, que en el mundo islámico posee múltiples significados: es origen de la vida; símbolo de pureza como purificadora de cuerpo y alma; es considerada piadosa limosna en la medida en que se facilita su acceso a personas y animales; es el utensilio de limpieza para el cuidado, tanto personal como doméstico; y además tiene connotaciones poéticas.

El agua era considerada un bien público. En las calles de las ciudades andalusíes abundaban las fuentes públicas, decoradas con azulejos polícromos, para abastecer a los viandantes y a las personas que carecían de ella. Se instalaban junto a las mezquitas para facilitar las abluciones o en las proximidades de las puertas de la ciudad para calmar la sed de los viajeros.

Muchas viviendas disponían de agua en al-Andalus gracias a pozos o aljibes, a veces situados en el mismo patio, o a través de canalizaciones. Estos depósitos, que disponían de filtros, almacenaban el agua de lluvia procedente de las terrazas y azoteas, por medio de atanores o cañerías de barro, que eran limpiados con frecuencia. Era raro el patio andaluz, por humilde que fuera su morador, que no dispusiera de un elemento central de agua, ya fuera alberca, fuente o pila. En la mayoría de las viviendas había letrinas con agua corriente para su limpieza y evitar el olor desagradable. En la Alhambra pueden verse multitud de ellas, simples huecos en el suelo bajo los que corren las canalizaciones de atarjeas.

Para el Islam la limpieza del cuerpo es un principio socio-religioso. La literatura árabe ofrece multitud de libros dedicados a la higiene. El propio visir y polígrafo granadino del siglo XIV Ibn al-Jatib escribió sobre el cuidado de la salud durante las estaciones del año. Además de las abluciones rituales previas a la oración, la higiene corporal mediante el agua era especialmente recomendada para las manos antes de comer y una vez terminada la comida, y después del acto sexual. Para el lavado corporal se disponía de multitud de recipientes, principalmente cerámicos pero también metálicos, como aguamaniles, jafas, etc., y, lógicamente, el baño de vapor. Los *hammam* solían ubicarse en zonas céntricas de la ciudad y próximos a las puertas, pero también se instalaban en algunas casas particulares que, por la categoría social del propietario, podían permitírselo para agasajar a sus huéspedes. Eran lugares de reunión pública, con turnos para mujeres y hombres. El novio solía reservar el baño para sus amigos antes de celebrar la boda, y en sus salas se han acordado históricas revueltas. Es raro el pueblo andaluz del interior en el que no perviva aún una calle o plaza del baño.

Los primeros musulmanes aprendieron de los persas las técnicas del regadío y durante su expansión por la cuenca sur del Mediterráneo hasta la Península Ibérica descubrieron los dispositivos hidráulicos romanos. En Persia, Mesopotamia y Siria existían conducciones subterráneas o *qanats*.

En Granada, el control de las reglas para distribución del agua para riego dependía del *sahib al-saqiya*, el zabacequia del Albaicín o repartidor de agua de los cármenes hasta no hace mucho tiempo. Subordinado del *qadí*, que administraba la justicia ordinaria, mediaba entre los regantes, cuidando de que cumplieran el reparto de turnos, vigilaba el agua de las acequias y velaba por que los usuarios las mantuvieran limpias. El derecho islámico, *Fiqh*, distinguía entre agua pura y purificante, agua pura pero no purificante y agua contaminada por impurezas, estableciendo listados de materias puras e impuras, formas de purificar el agua, o definía sus funciones.

Como en muchos lugares del Magreb actual, hasta no hace mucho tiempo se podía ver en Granada a aguadores que la ofrecían a cambio de unas monedas, cuya actividad era regulada por ordenanzas, herederas de los medievales tratados de *hisba*.

Para la derivación y distribución del agua se idearon innumerables artilugios, de muchos de los cuales ha quedado su denominación. *Azud, al-sudd*, es el nombre que recibieron en al-Andalus las presas que desvían la corriente de los ríos; los cauchiles o los partidores distribuyen los circuitos menores. Las norias, *na'ura*, elevan el agua, a veces salvando grandes desniveles.

El palacio de los Leones en la Alhambra puede considerarse la culminación de la arquitectura hispanomusulmana. La fuente situada en el centro de su patio supone la síntesis y el símbolo de su riqueza decorativa, a la vez que prototipo de

funcionamiento de todo el complejo hidráulico del recinto. La fuente de los Leones recoge toda una tradición técnica, consecuencia de estudios y experiencias constructivas a lo largo de muchos siglos de inspiración, que permitió la creación de la Alhambra.

Las albercas

Las albercas de la Alhambra son elementos genuinos que representan los diferentes usos y funciones que una estructura o un elemento puede desempeñar en la cultura islámica, en este caso nazarí.

Juegan un papel esencial en el sistema hidráulico de la ciudad, que funciona a base de toda una red de vasos comunicantes, distribuidos estratégicamente por todo el recinto aprovechando las diferentes cotas y desniveles del terreno, por los que se gradúa la presión del agua y la distribuyen por todos los sectores. Ello pone de manifiesto el profundo conocimiento que los constructores nazaríes tenían del terreno, así como su dominio de la ingeniería hidráulica, algo que todavía no hemos conseguido descifrar por completo en la actualidad. El gran Albercón de las Damas, por ejemplo, situado en la ladera del Cerro del Sol entre la Alhambra y el Generalife, muestra la importancia de estos elementos para el asentamiento rústico y urbano y su evolución en el tiempo. Las tropas que conquistaron la Alhambra a finales del siglo XV desconocían en gran medida el funcionamiento de esa red hidráulica, lo que, unido al diferente concepto y necesidades de agua que tenían, hizo que abandonaran y modificaran las instalaciones. Durante el siglo XX, con la moderna recuperación del monumento, se vuelven a poner en funcionamiento fuentes y jardines y se recupera el complejo de los Albercones, construyendo uno semejante en paralelo (en los años veinte) y otro a nivel inferior (en los cincuenta).

La segunda función importante de las albercas de la Alhambra es servir de decantación del agua de la acequia. Esta se abastece del río Darro a más de seis kilómetros de distancia, atravesando diversos canales y conducciones, por lo que arrastra en su recorrido limos e impurezas; las albercas se abastecen por la parte más elevada mediante fuentes y surtidores, y se evacúan también por arriba, a través de sumideros ubicados casi en el borde para mantener el nivel de agua. Se consigue así un circuito perfecto que mantiene la presión pero favorece la decantación de los sedimentos en el fondo de la alberca, curiosamente de forma semejante a las modernas depuradoras en las ciudades actuales.

Las albercas son, además, aljibes a cielo abierto, pues contienen en su interior gran cantidad de agua que, en caso de necesidad, puede utilizarse como recurso alternativo. Recordemos la importancia del agua y los aljibes y albercas en el asedio a Granada y, gracias a su reserva, la resistencia de la población durante meses.

La alberca se percibe también como un elemento estético más, integrado en el conjunto de la edificación. Su ubicación y dimensiones forman parte del programa concebido para el edificio o el recinto para el que se traza. El mar de la alberca, es decir, su superficie, funciona como un espejo que refleja la propia arquitectura y lo que la rodea; en los palacios de la Alhambra alcanza probablemente su perfección, como ocurre, por ejemplo en el patio de los Arrayanes del palacio de Comares, donde consigue un efecto visual tridimensional sin el cual, el patio nos parecería excesivamente horizontal. A mediodía, la luz reflejada en la superficie del agua se proyecta en la fachada meridional sobre las yeserías dando lugar a juegos de luces y destellos ilusorios que contribuyen a aligerar la arquitectura circundante.

Recientes estudios microclimáticos muestran la importancia en la arquitectura de la Alhambra de los valores de humedad, luz y temperatura, para los que la masa de agua ubicada en el patio, la alberca, en unión con la jardinería a la que nutre, resulta crucial.

El agua, elemento indispensable en la arquitectura palatina nazarí. Patio de Comares hacia el sur

José María López Mezquita, *Patio de los Arrayanes,* 1904. Museo de Bellas Artes de Granada, Palacio de Carlos V, Alhambra

Pilas y fuentes

Los elementos contenedores de agua se integran en la Alhambra como un dispositivo complementario de la arquitectura, de sus espacios domésticos; suponen un paso intermedio o de enlace con la naturaleza, con el jardín, un anticipo o interpretación de lo que espera al creyente en el Paraíso. Por eso los musulmanes granadinos sintieron auténtica veneración por el agua.

Es difícil pasear por la Alhambra sin tropezar con alguna alberca, fuente o pilar en los que el agua mane y percibamos su frescor y su sonido.

El agua de las fuentes de la Alhambra fluye, es dinámica y favorece los efectos del reflejo de las distintas luces del día, resplandeciendo en las superficies planas como un espejo, buscando otra dimensión para la arquitectura, a la que aporta liviandad, luminosidad, ambiente natural, frescura, microclima.

La cultura trashumante del desierto, en los orígenes del Islam, apreciaba de una manera muy destacada el recurso del agua. Interiorizó la imagen del oasis adaptándola, al hacerse sedentaria, a través del desarrollo de toda una ciencia hidráulica, en la que el objetivo fundamental era evitar a toda costa la pérdida de una sola gota de un bien tan preciado. Por eso en la arquitectura islámica no existe esa imagen demoníaca de las gárgolas europeas, góticas o románicas, que lanzan lejos de los edificios un agua tan abundante que sobra y llega a estorbar. Las pocas gárgolas de la Alhambra son sencillas, rectas; es más, se identifican con las canaletas, dando forma a las piqueras de las fuentes, como en Comares. Solo alguna se ha encontrado decorada con ataurigues y gallones.

A los nazaríes no les bastaba la presencia de fuentes en los patios y jardines, sino que las adaptaron a los umbrales y a los interiores de las principales estancias. Aplicaron la referencia coránica de los arroyos y regatos que serpentean entre los pies de los creyentes para unir esas fuentes de interior mediante canalillos que conducen el agua, a veces veloz, a veces remansada, siempre transparente y susurrante hasta el jardín. Los sultanes de la Alhambra se sentaban junto a las pilas bajas en tertulia o en abstracción, como lo hacían los reyes medievales europeos en torno a una chimenea o a una hoguera.

La llegada de los reyes cristianos a la Alhambra, con diferentes conceptos, costumbres y necesidades en cuanto al uso del espacio, fue especialmente notoria en los ámbitos domésticos o residenciales. Supuso la adaptación de numerosos lugares, entre ellos los relacionados con las fuentes. Acostumbrados a un agua que salta, que salpica, que provoca sonidos fuertes, elevaron las pilas y las dotaron de nuevos surtidores con caños altos que agitaban la lámina plana de fuentes y pilares. Hicieron que el agua se deslizara y desbordara los contenedores, frente a la sutileza nazarí, artificiosa pero ingeniosa, de mantener el nivel, calculando siempre que el agua circulara sin rebosar, salvo cuando formaba parte de un artificio, en cuyo caso se deslizaba con suavidad, produciendo susurros o silbidos, nunca sonidos estridentes, todo lo más, guturales.

Pequeños atanores de barro y tuberías de plomo componen una red de conducciones que, en superficie, recurre a cualquier material, piezas cortadas en mármol o realizadas en cerámica, a veces vidriadas, simples canales alineados con ladrillos que pueden acoplarse en los márgenes de una escalera o deslizarse por el eje de sus peldaños; incluso las tejas que protegen los circuitos de las tuberías, invertidas y vidriadas resultan un canal espectacular.

En la Alhambra es frecuente una modalidad de fuente a la que se ha denominado pila esquemática. Se encuentran rehundidas en el pavimento, enrasado su borde con el suelo de la estancia o ligeramente resaltado. Con muy poca profundidad, suelen mantener el nivel de agua, que brota a borbotón de un ancho caño, no muy elevado. Un sumidero de sección proporcionada hace que el agua se deslice suavemente pero con rapidez, originando sutiles ondulaciones que, al reflejar la luz, «resplandecen como un dinar», según el texto árabe.

Las pilas gallonadas tienen forma de timbal o de media naranja, con bordes lobulados, que favorecen interiormente el movimiento ondulante

Pila esquemática del patio de Comares

del agua como las olas del mar. Talladas en mármol con diferentes grosores, los gallones se multiplican en número muy variado, con formas regulares o alternando, unas veces con gallones de diferente radio, y otras, con salientes en arista o ángulo. Normalmente presentan tamaños medianos, pero las grandes pueden superar los dos metros de diámetro. También las hay de dimensiones reducidas, realizadas en cerámica y ricamente decoradas. Deben su desarrollo, como tantos aspectos del arte y de la estética hispanomusulmana, a la Córdoba califal, de la que la Alhambra supone su continuación. Aunque pueden elevarse del suelo, normalmente se sitúan ligeramente rehundidas con respecto a la superficie en la que desaguan, que puede adoptar planta de forma poligonal.

Jardines

Como parte inseparable de palacios y recintos edificados, los jardines y espacios cultivados, elementos de adorno, de sofisticación, de simbolismo, se suceden por todos los rincones de la Alhambra y el Generalife, aportando un componente trascendente, en el territorio y en el tiempo, al paisaje de este lugar.

La huella que el paso de los siglos ha marcado en la Colina Roja ha multiplicado y enriquecido la variedad de los jardines que se hallan en el recinto, e igualmente el número y singularidad de especies vegetales que aquí se encuentran son claro exponente del paso por la Alhambra de diversas formas y gustos jardineros, a su vez reflejo de épocas y sensibilidades diferentes.

Cierto es que son los jardines medievales, creados en la etapa nazarí, los que mayor importancia tienen por su remoto origen, por el carácter refinado con que integran la vegetación, el agua y los propios edificios que los enmarcan, y por la estrecha relación que despertaron en su concepción con el Paraíso coránico anhelado.

En los textos árabes se distinguían diferentes tipologías de espacios ajardinados o cultivados, cuya denominación, aunque a veces algo imprecisa, se utiliza también hoy al describirlos.

Fieles a la herencia de precedentes civilizaciones del Mediterráneo, los *riyad* (*rawd* o rauda, en singular) son los patios ajardinados, jardines de placer, el más profundo reflejo del jardín hispanoislámico, a veces cuatripartitos, como el patio de la Acequia del Generalife o el llamado antaño patio del Jardín, que después sería el de los Leones; a veces, engrandecidos por una amplia alberca, como el de los Arrayanes del palacio de Comares o el de las Damas en el Partal. En el patio, como centro y expansión del palacio, íntimo, preservado de toda mirada exterior, aunque en ocasiones abierto sabiamente al paisaje, el agua adquiere un especial protagonismo como fundamento esencial de poder y prosperidad, como elemento cuyos reflejos permiten «reconstruir» volúmenes, iluminar espacios ensombrecidos y evocar la presencia de lo perfecto, lo sublime.

No es extraño en el monumento encontrar jardines con clara presencia de especies hortícolas. Al igual que en época andalusí, el jardín-huerto mantiene aquí una ordenación, estructura y elenco vegetal dirigidos a compatibilizar las funciones estética y productiva, de forma que tanto los sistemas de riego como la distribución de las especies vegetales ornamentales permiten la presencia de árboles frutales y otras hortalizas clásicas, en espacios donde lo jardinero y lo agrícola se funden de manera singular. Esta forma del uso de la vegetación, del agua y de los edificios, donde se combinan flores, plantas aromáticas, frutales y hortalizas, con acequias, albercas y pabellones de reposo, era particularmente empleada extramuros de la ciudad, en fincas denominadas *munya* o *bustán*. Eran fincas normalmente de gran superficie y pertenecientes en general a la aristocracia, con múltiple función estética, económica y experimental, aunque con predominio de alguna de ellas, según los casos. El Generalife sería, en este contexto, una clásica almunia, finca de recreo con sofisticados palacios, espacios íntimos reservados para el descanso y otros claramente productivos.

Pila del *hammam* en el palacio de Comares

Jardines del Partal con el Generalife al fondo

Por su parte, el término *yanna* alude a la finca también periurbana pero de exclusiva vocación productiva, agrícola de regadío, que dispone igualmente de vivienda, y que puede estar parcelada para el aprovechamiento minifundista de pequeños agricultores. De forma simple y resumida, el *bustán* corresponde al actual concepto de huerto-jardín y *yanna* al de huerto cultivado de especies hortícolas y árboles frutales.

Por último, el carmen granadino (del árabe *karm*, viña o viñedo) es igualmente herencia de la cultura hortícola y jardinera andalusí, que designa las, en general, pequeñas fincas que se suceden por las colinas que descienden hasta el Darro y el Genil, en una trama antaño suburbana, de reservada apariencia para el transeúnte por las tapias que lo delimitan, y donde, junto a la vivienda, se disponen de forma hábil y armoniosa, jardín y huerto para el cultivo de especies de temporada y árboles frutales.

Entre los ejemplos más modernos de la amplia diversidad y número de los jardines de la Alhambra encontramos los renacentistas (patios de la Reja o de Lindaraja, modificado este en el siglo XIX), del siglo XVII (jardín de los Adarves, en la Alcazaba), del XIX (jardines Altos del Generalife), del XX (jardines del Partal y Nuevos del Generalife) o incluso del XXI (entorno del teatro).

La vegetación del monumento también ha ido modificándose con el paso de los siglos, no solo en cuanto al número y variedad de especies, sino también en lo que se refiere a las técnicas y estilos de cultivo y mantenimiento. A las especies de tradicional uso en época nazarí, como el alhelí, el lirio, el jazmín, el ciprés, el naranjo amargo o la azucena, se han ido incorporando muchas otras procedentes de otras regiones y continentes que ya hoy se consideran plenamente arraigadas en la jardinería granadina, como el boj, el macasar, el geranio, la aspidistra, la glicinia o la rosa de pitiminí.

El jardín de la Fidelidad del Emperador Babur. Miniatura Mogol, 1590. Londres, The British Library

Entre todas ellas, si alguna especie pudiera representar a los jardines de este recinto, sin duda, el arrayán sería la elegida. Este arbusto, considerado en el mundo árabe como planta con *báraka* (con bendición, oculta e invisible), de denso y oloroso follaje, empleado como ejemplar aislado y recortado en setos, ha sido utilizado en todas las épocas y en casi todos los jardines alhambreños, aunque el conocido como arrayán morisco, de hoja más grande y abarquillada, y contrastada raigambre medieval, pasa casi desapercibido en algunos espacios reservados de la Alhambra y del Generalife.

Materiales y métodos constructivos de la Alhambra

El reino nazarí se funda en un momento político difícil, como lo fue siempre su supervivencia. Salvo en breves ocasiones, nunca anduvo sobrado de recursos económicos, por lo que sus constructores tuvieron que hacer un auténtico alarde de imaginación, de una depurada técnica constructiva y de una excelente utilización de materiales modestos para conseguir un resultado tan brillante, a menudo sacrificando a esta necesidad constructora aspectos muy importantes, incluso vitales.
A este respecto recordemos los versos en que Ibn al-Jatib, enigmático primer ministro de Muhammad V, el gran constructor y reformador de la Alhambra del siglo XIV, le previene sobre lo que le puede acontecer por dilapidar, a la vez que le recuerda cuáles son, a su juicio, las prioridades:

> [...] tú, Muley no me haces caso,
> por andar bajo andamios y maromas,
> entre sacos de estuco y de ladrillos
> y carretas que traen lajas de piedra,
> para un árido erial, frente a enemigos
> –quienes, ávidos, crueles, nos hostigan.
> [...] cual quien junta arrayanes, por plantarlos
> en ruinoso solar y casa yerma! [...]
> No abuses del poder, despierta, ahorra
> Y, en tu bien, haz crecer tropas y erario.

Entre esos materiales modestos con que aquellos excelentes alarifes hicieron realidad la Alhambra, entresacamos los más significativos.

Albañiles musulmanes trabajando en la construcción de un muro a la manera tradicional. Miniatura de la Indian Office Library de Londres, hacia 1850

El tapial

La mayor parte de lo que constituye la estructura del monumento –edificios, torres y murallas– se llevó a cabo mediante una solución constructiva muy utilizada en nuestro entorno, el tapial. Su elegancia reside en que es la mejor solución técnica para una imperiosa necesidad: los constructores de la Alhambra necesitaron, en relativo poco tiempo, erigir gran cantidad de obra con un costo económico discreto. Para ello, extraían el material arcilloso del que está formada la propia colina, lo procesaban corrigiendo su granulometría, le agregaban un aglomerante –la cal–, mezclaban todo perfectamente y añadían agua para humedecerlo. Se ponía en obra dentro de unos moldes de madera con dos tapas laterales formadas por tablas y todo un conjunto de piezas auxiliares que lo hacían indeformable y capaz de resistir la presión del material cuando éste se vertía dentro y se comprimía. Se compactaba mediante una amplia gama de pisones de madera de peso y forma variable, en función de la zona del molde que se iba a construir (fondo, superficie, esquinas, etc). Cada molde así construido o tapial, da origen a una unidad constructiva que, una vez rellenada, compactada y desmoldada, se llama tapia; así, un muro ejecutado de esta manera está formado por un conjunto sucesivo de tapias.

Este sistema constructivo puede variar según la parte del elemento que se construye, o según el uso a que se destine este elemento, y la terminología es diferente de una zona a otra, como sucede generalmente con todos los sistemas y técnicas tradicionales. De tapial están hechas la mayor parte de las torres y muros de la Alhambra.

El hormigón de cal

Está compuesto por una mezcla de áridos (grava y arena), y como aglomerante exclusivamente la cal; amasado con agua se obtiene un material de gran resistencia y durabilidad. Su técnica de fabricación debía de ser muy depurada, si nos atenemos al buen estado de conservación en que se encuentran los elementos construidos con ella. En la Alhambra lo encontramos preferentemente en aquellas partes de sus edificaciones donde mayor peso han de soportar, como las zonas inferiores de murallas, cimientos, etc.

El ladrillo

Pieza fundamental de la arquitectura interior en la Alhambra, obtenido por la cocción de arcillas del entorno de Granada, cerca de la Vega y no muy distantes de donde aún hoy existen tejares, ya que la fabricación de productos cerámicos es una actividad que se ha mantenido a lo largo del tiempo en la zona. También se empleaban como elementos decorativos, como vemos por ejemplo, en el arco de la puerta de las Armas o en la fachada interior de la puerta de la Justicia. Sus dimensiones son variables, oscilan alrededor de 19,5 x 14 x 4 cm. Se cocían en hornos de leña, por lo que sus grados de cocción, y por lo tanto sus calidades, son variables al no ser constantes las temperaturas dentro de esos hornos. Hoy, en el mantenimiento continuo que se

Detalle de la fortificación de la Alcazaba donde se aprecian los «cajones» de tapial nazarí con sus «tongadas» y «mechinales», revocos y reforzamiento de ladrillo

lleva a cabo en la Alhambra, se siguen utilizando ladrillos de fabricación artesanal, que no difieren mucho de los que emplearon los alarifes nazaríes para construir los palacios.

El yeso

En la Alhambra constituye el material fundamental de la mayor parte de sus elementos decorativos. Lo encontramos bajo la forma de mocárabes formando parte de bóvedas, en muchas de sus paredes como paños calados o *sebkas*, sobre columnas formando parte de los grandes pórticos, o como eficaz medio para alabar a Dios en las suras coránicas de la decoración epigráfica que se puede ver en muchos lugares, para halagar y adular a los sultanes, o para describir precisa pero poéticamente algunos de los más bellos espacios. Los alarifes nazaríes fueron maestros en trabajar este material, utilizándolo donde teóricamente peor debería comportarse, es decir, en exteriores. Sin embargo, las depuradas técnicas de confección de las pastas fabricadas con este material han permitido su permanencia a lo largo del tiempo.

El abanico de utilización del yeso en la Alhambra es muy amplio. Lo podemos encontrar en los lugares más recoletos e íntimos de los espacios domésticos, revistiendo los zócalos de los muros en forma de finísimo estuco, sirviendo de base a las pinturas al temple con que se decoran estos, o como revestimiento de paredes en forma de mortero de yeso simple.

La cal

Este es uno de los materiales de construcción indispensables cuando nos referimos a la Alhambra. Su utilización en la época nazarí fue constante, formando parte de la composición de los tapiales y de los hormigones de cal, como parte integrante de los morteros para levantar muros. Se usó cal hidráulica para fabricar morteros de revestimiento de albercas, aljibes y cisternas, ya que esta masa impermeable podía fraguar y endurecer bajo agua, o simplemente utilizándose la cal aérea para fabricar morteros de revestimientos exteriores, hoy perdidos en la mayoría de los casos, pero que constituyeron una verdadera piel de nuestros edificios, y que destacaban por la perfecta compatibilidad con los soportes sobre los que estuvieron aplicados. En las rehabilitaciones que se llevan a cabo en el Conjunto Monumental, se ha rescatado su tecnología de uso y se utiliza habitualmente.

La piedra

En la Alhambra la piedra está presente en dos usos distintos, el ornamental y el funcional. Relacionada con la primera utilización la encontraremos como emblema de poder, revistiendo y formando parte de las grandes puertas, cuyo mejor exponente es la puerta de la Justicia o la perdida y luego reconstruida de los Siete Suelos y también en otras menos espectaculares pero de gran belleza como

Detalle de uno de los leones de la fuente, donde se aprecia la textura de la piedra

Paramento interior de la torre de Comares con decoración de yesería la del Vino, incluso en otras que casi pasan desapercibidas como la del Arrabal o la puerta del recinto alto de la Alcazaba. El material con el que se revisten estas puertas suele ser piedra caliza o arenisca de procedencia cercana, de la zona de Loja o del Temple. Dentro de este mismo uso ornamental la encontraremos asociada al agua, como elemento con el que se construyeron sus fuentes, de la que el máximo exponente es la fuente de los Leones ejecutada en mármol de Macael. Por lo que respecta al uso funcional podemos verla en el revestimiento de suelos, a veces con unas dimensiones espectaculares como sucede en la sala de Dos Hermanas, o como material estructural en forma de columnas en el patio de los Leones, en ambos casos en mármol de Macael. No obstante, si queremos apreciar dentro del recinto el mejor exponente de utilización de la cantería, tanto en sus aspectos constructivos (el esqueleto de piedra) como ornamentales, deberemos detenernos en el palacio de Carlos V.

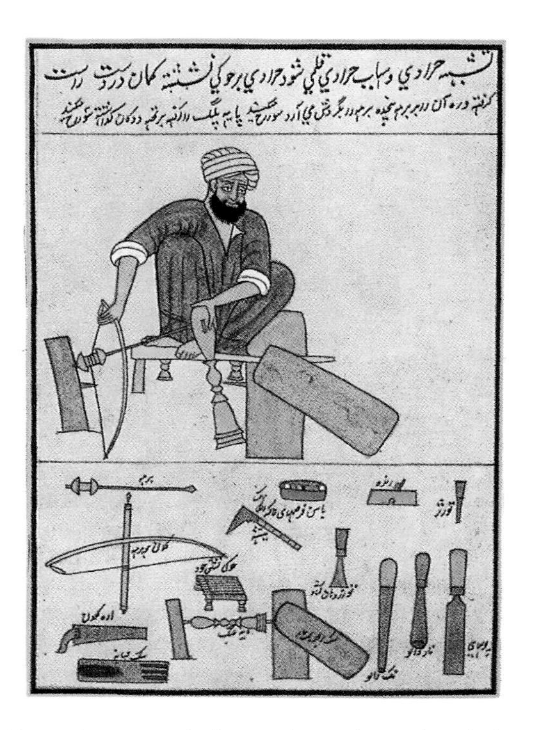

Un carpintero musulmán y sus herramientas de trabajo.
Miniatura de la Indian Office Library de Londres, hacia 1850

La madera

Elemento indispensable y siempre presente en la arquitectura del monumento, se encuentra soportando sus cubiertas como armaduras de parhilera o de par y nudillo, formando parte de los sistemas entramados que sostienen sus suelos como grandes rastras (vigas), viguetas y tablazón, etc., en su mayoría, de pino. También se aprecia en elementos aparentemente modestos como celosías o ventanas, y también como elementos espectaculares por su tamaño, como es el caso de los grandes portones de las puertas de la Justicia, Armas, Arrabal, Siete Suelos, y también en puertas interiores bellísimas como las de la sala de la Barca, de las Aleyas, de Dos Hermanas, y, como no, en lo que constituye el cénit de la carpintería nazarí, en sus alfarjes o en sus artesonados, del que es máximo ejemplo el que cubre el salón del Trono en el palacio de Comares.

La «Formación Alhambra»

Para el que tiene como actividad principal de su vida la edificación, el primer material de construcción, y tal vez el más importante, es el terreno considerado como tal, como fundación sobre la que levantará su obra. La Alhambra se construyó sobre un terreno especialmente apto para cimentar sobre él; se trata de un terreno formado por un conglomerado de tonos rojos que incluye cantos rodados de tamaño variable y que constituye una formación geológica muy antigua y muy compacta y es la responsable de que el Conjunto Monumental, a pesar del tiempo y de los muchos avatares por los que ha pasado, se haya comportado tan bien a nivel estructural. A esta formación geológica, que también está presente en otras zonas elevadas de la ciudad y sus contornos, los geólogos la denominaron en su momento Formación Alhambra como homenaje al monumento que se asienta sobre ella.

Las yeserías de la Alhambra

Uno de los materiales más empleados en el mundo islámico es el yeso, utilizado como epidermis de los muros de la mayoría de sus edificios, tanto en el interior como en el exterior de sus habitaciones. La habilidad de los artesanos musulmanes, unida a la fácil ductilidad del yeso para ser amasado con

Detalle del conglomerado Alhambra con una veta de tierra roja

agua y sus excelentes cualidades como material constructivo y decorativo, provocaron una rápida expansión de su uso por todo el mundo islámico, pero es en la Alhambra donde se encuentra el mayor compendio en variedad de motivos de delicada y fina talla. Su transformación se obtiene por la acción del calor, al someter la piedra de yeso a temperaturas comprendidas entre 120 y 1000 °C, por lo que pierde parte o toda el agua de cristalización, transformándose en sulfato de calcio semihidratado, listo para ser amasado con agua.

Toda esta industria del yeso requería la proximidad de canteras donde obtener el aljez o piedra de yeso, encontrándose su explotación geológica a 11 kilómetros de la Alhambra, en la zona de Monte Vives, actualmente en funcionamiento, y localizándose en el término municipal de Gabia la Grande según los documentos históricos, donde se obtienen las variedades de espejuelo y alabastro que permiten conseguir un yeso muy blanco y puro, óptimo para el fino trabajo de labra. Fue en la Alhambra donde se produjo un cambio que revolucionó los talleres y su sistema de trabajo, que consistió en el empleo de moldes para obtener multitud de vaciados, lo que obligó a desarrollar una nueva técnica de fijación de las placas, técnica que anteriormente no existía, pues se realizaba la talla directamente sobre el muro de yeso. En el periodo nazarí se combinaron los trabajos de talla directa con el uso de moldes, de modo que esta nueva técnica, no carente de complejidades, redujo en gran medida el factor tiempo, lo que permitió decorar mayores espacios en menor tiempo. Se mimaba el diseño de la talla del único molde, y en la etapa final nazarí, que podemos considerar «naturalista», se consiguieron ejemplos de diminutos motivos que, como verdaderos cosidos de encajes, se combinaron con recargadas formas vegetales, geométricas y epigráficas, como podemos ver en la sucesión de las decoraciones de la torre de las Damas.

Las yeserías, muy lejos del actual estado que hoy presentan la mayoría de ellas al perder gran parte de la expresividad de sus vivos colores, se encontraban policromadas con una reducida paleta de colores primarios y una sabia combinación de negro, rojo y azul, alternados con el blanco de fondo, y reservando el pan de oro para los textos coránicos.

Hasta ahora no se entendía cómo habían sobrevivido, conocida su capacidad de absorción y su alta solubilidad en agua. Pero las últimas intervenciones sobre este material han aportado datos sobre la presencia de una capa blanca final, compuesta de sulfato cálcico y aditivos orgánicos, que cubre la totalidad de los motivos tallados, aportándole mayor resistencia ante los agentes externos de deterioro, y favoreciendo la fijación de su policromía final. La presencia de esta capa blanca, así como de otras sustancias aplicadas en los motivos obtenidos con moldes, técnica que han perdido los actuales artesanos, hacen de las yeserías de la Alhambra piezas únicas en el mundo.

La restauración en la Alhambra

Se entiende por restauración el conjunto de operaciones o intervenciones materiales sobre un monumento u obra de arte, necesario para reparar deterioros y para su conservación física.

GRANADA._1114._Templete de levante del patio de los Leones. (Alhambra).
J. Laurent Madrid

Pabellón oriental del patio de los Leones con la cubierta de 1859. Fotografía de J. Laurent, 1871

Desde mediados del siglo XIX y hasta comienzos del XX, la Alhambra fue restaurada siguiendo en líneas generales la teoría establecida por Viollet le-Duc (1814-1879) quien, en su *Dictionnaire Raisonné de l'Architecture Francaise du XI au XVI siécle* (París, 1854-1868), la define así: «La palabra y la cosa son modernas. Restaurar un edificio no es conservarlo, repararlo o rehacerlo, es restituirlo a un estilo de plenitud que puede no haber existido jamás en un tiempo dado». A esta forma de restauración se la conocerá como «restauración estilística».

De acuerdo con este enunciado, los restauradores de la Alhambra en el siglo XIX, y fundamentalmente Rafael Contreras, se empeñaron en la tarea de dar a la Alhambra una imagen que se correspondiera, no tanto con su realidad histórica concreta y sus vicisitudes a través de los siglos, como con el ideal de «estilo árabe» que ellos se habían forjado, por lo que agregaron unos elementos o reformaron otros para enfatizar el aspecto «oriental» del monumento. Así, bajo la dirección de Contreras, se procedió en 1859 a reformar la cubierta del pabellón oriental del patio de los Leones, sustituyendo su tejado por una cúpula revestida de cerámica vidriada. Del mismo modo, en la galería norte del palacio de Comares, cubrieron el tejado con tejas vidriadas y lo adornaron con una pequeña cúpula. En la sala de las Camas del baño, entre 1843 y 1866, se completó la decoración de yesería y se restituyó libremente la policromía de la misma. Para acentuar esa imagen se rehicieron muchas de las decoraciones de las yeserías, colmando las lagunas o los paños desaparecidos. Como se pretendía simplemente un efecto de conjunto, sin rigor alguno, se colocaban en paredes desornamentadas copias vaciadas de fragmentos situados en otras partes del monumento.

Leopoldo Torres Balbás (1888-1960), arquitecto conservador de la Alhambra desde 1923 a 1936, introdujo unos criterios científicos que superaron la restauración estilística decimonónica, acordes con los principios que en Europa se iban imponiendo en la conservación y restauración de monumentos, reflejados en la Carta de Restauración de Atenas (1931). Básicamente estos principios son: el entendimiento de la conservación principalmente a través de las tareas de mantenimiento regulares y permanentes de los edificios históricos; el respeto absoluto de la obra histórica y artística del pasado, sin proscribir de la misma el estilo de ninguna época; la legitimidad del empleo de técnicas modernas y materiales nuevos siempre que sean reconocibles, y la necesidad de cualificar el entorno del monumento, recomendando la supresión de toda publicidad, postes, cables, etc., así como de actividades ruidosas que puedan perturbar el sosiego necesario para la contemplación. Pero tal vez lo más significativo de este documento es el reconocimiento de que la mejor garantía de conservación no depende tanto de las intervenciones restauradoras materiales como del sentimiento de afecto y respeto del pueblo por sus monumentos.

Torres Balbás aplicó y enriqueció estos principios en la Alhambra. La conservación actual del Conjunto Monumental parte de su gestión, que llevó a cabo con un vasto plan de restauraciones y sentó los criterios de las mismas.

Nuevas experiencias y documentos han enriquecido y matizado lo que era la cultura de la restauración hacia 1930. La aportación más significativa es el valor concedido al territorio donde se asienta el monumento y la necesidad de incluirlo en el campo de la restauración del edificio. Unido a ello, el énfasis puesto en la necesidad de adoptar medidas cautelares y de mantenimiento ordinario que eviten las intervenciones restauradoras, entendidas estas como intervenciones extremas.

El Manifiesto de la Alhambra

En octubre de 1952 el arquitecto Fernando Chueca Goitia convocó en la Alhambra a un grupo de intelectuales, en su mayoría arquitectos, para reflexionar sobre el monumento nazarí con los ojos de la modernidad. De aquella cita surgió un documento, «El Manifiesto de la Alhambra», que durante décadas ha sido estímulo para varias generaciones de profesionales sobre la permanente lección de contemporaneidad que atesora la Alhambra y uno de los episodios más

interesantes de la cultura artística del siglo xx en España. Mirar la Alhambra con los ojos de la modernidad resultó un esfuerzo ilusionante y comprometido, dentro de un contexto de revisionismo crítico de las tendencias nacionales e internacionales por las que atravesaba la arquitectura contemporánea en aquel momento.

La Alhambra se constituye así en lugar de encuentro real y referencia intelectual, donde convergen y mantienen su vigencia muchas de las ideas que vertebran la vanguardia de la disciplina arquitectónica: la planta libre y adaptada a su entorno geográfico, la relación inteligente entre arquitectura y paisaje, la medida y proporción equilibrada de sus espacios y volúmenes, el diálogo entre formas y decoraciones, el vínculo entre arte y naturaleza, la abstracción geométrica de sus perfiles y alzados, la racionalidad constructiva de sus espacios, el refinamiento inteligente de su concepción como enclave monumental; en definitiva, valores que conectaban con las preocupaciones esenciales de aquellos estudiosos.

El encuentro de ese grupo de arquitectos en la Alhambra fue sin duda una experiencia crítica, en sí misma innovadora. Fue el primer intento de pensar el monumento, en tanto que patrimonio heredado, desde una visión contemporánea, desde la lección de lo que la historia es capaz de aportar al presente y al futuro, y no sólo como un modelo más de naturaleza historicista, que era el que siempre se le había asignado, tal vez por el influjo del romántico *revival* alhambresco.

La Alhambra del siglo xxi continúa manteniendo su vigencia como lugar de encuentro en el que convergen las miradas de la contemporaneidad artística, en todas sus vertientes, sin límites ni convencionalismos de ningún tipo. Sigue dando luz, sombra y color al espacio de la libertad creadora. Sigue ofreciéndonos la lección de lo que Dewey denominaba la experiencia del arte, aquella que hace propia del ser humano la comprensión de sus valores universales.

Pabellón alto del palacio del Partal. El Observatorio

13 Etapas históricas de la Alhambra

La Alhambra es un conjunto monumental que atesora uno de los paisajes culturales más ricos del mundo. Desde una perspectiva temporal esos valores se han ido edificando a través de un entramado de acontecimientos históricos que, en conjunto, constituyen la esencia de su significado. La Alhambra es un monumento vivo, forjado a lo largo de más de siete siglos por culturas como la musulmana que la ideó, la renacentista que la adaptó, la romántica que la recreó en su imaginación, o la científica que día a día continúa con su interpretación.

La Alhambra antes de la Alhambra

El nombre de la Alhambra está indisolublemente identificado con la dinastía nazarí (siglos XIII-XV). Sin embargo, en la colina de la Sabika hubo construcciones cronológicamente muy anteriores. Ciertos sillares pétreos, reutilizados por su tamaño y resistencia para reforzar algún bastión, podrían adscribirse al periodo romano. No es posible aún determinar con certeza la presencia de vestigios romanos, aunque historiadores y arqueólogos especialistas en la época clásica afirman que hay restos de muros de esa etapa que habrían servido puntualmente de base a edificaciones medievales. Torres de vigilancia, viarios o parcelaciones agrícolas pervivieron en la Península Ibérica durante el momento visigodo y las primeras etapas de al-Andalus, para adaptarse o completarse más tarde. Actualmente, grupos de investigadores trabajan sobre agrimensura de época romana y su posible pervivencia en huertas medievales, así como en temas de comunicaciones y explotaciones mineras, para las que el entorno de la Alhambra puede ser determinante.

El siglo XI aportó a la Alhambra la configuración en planta del recinto de la Alcazaba coincidente con la del castillo-residencia de los Banu Nagrilla, visires de la taifa independiente zirí, cuyos sultanes emplazaron su residencia palatina en el viejo foro romano, sobre la colina del actual Albaicín. Ambos recintos, separados por el desfiladero del río Darro, escenificaron los enfrentamientos que, de forma alternativa, tuvieron lugar entre los partidarios locales andalusíes frente a los sucesivos invasores norteafricanos, almorávides y almohades, con objeto de reunificar el Islam en la Península, y a los que los granadinos, a pesar de ser correligionarios, consideraban extranjeros. El viejo fortín zirí, del que subsiste el principal de los lados mayores en la actual Alcazaba, debió de quedar seriamente dañado, hasta que la dinastía nazarí lo eligió como fundamento para el nuevo recinto de la Alhambra.

Los Banu Nasr o nazaríes

El sultanato nazarí de Granada (1232-1492) fue el último Estado musulmán de al-Andalus. Su fundador, Muhammad Ibn Yúsuf Ibn Ahmad Ibn Nasr, al-Ahmar, miembro de una familia de origen árabe que gobernaba la ciudad de Arjona (Jaén), extendió sus fronteras por la costa mediterránea andaluza desde Tarifa hasta más allá de Almería. Asfixiada desde el sur por los sultanatos norteafricanos y desde el norte por los reinos cristianos, codiciada por ambos durante doscientos sesenta años, Granada les pidió ayuda de forma alterna, a cambio de pesados tributos o de cesiones territoriales.

Muhammad I se alió con Fernando III el Santo para conquistar Córdoba en 1236 a cambio de la ciudad de Granada, de poder gobernar más tarde Málaga y Almería y de participar en la conquista

Puerta del recinto alto de la Alcazaba

de Sevilla en 1248. A la muerte de Fernando en 1252, pactó con los mariníes del norte de África. Esta práctica de alianzas del Estado nazarí continuó siendo lo habitual a lo largo de su historia. Si en política exterior se sucedió una constante alternancia diplomática o militar con unos y con otros, internamente la situación no era menos inestable: frecuentes sublevaciones de gobernadores, luchas dinásticas e intrigas palaciegas que se reflejan en la lista de sultanes que gobernaron, muchos de ellos asesinados a traición, depuestos o reinstaurados en cortos espacios de tiempo. La pérdida de Gibraltar en 1462, los cada vez más pesados tributos, el matrimonio entre Fernando de Aragón e Isabel de Castilla y la unión de sus reinos en 1479, marcaron la caída del sultanato nazarí. A partir de 1481 el sultán 'Ali (Muley Hacén) realizó algunas conquistas, pero cedió el poder a sus visires entre el malestar y las sublevaciones de sus súbditos, mientras que su mujer y su favorita cristiana luchaban por los derechos sucesorios de sus respectivos hijos. Finalmente ocupó el trono Abu 'Abd Allah Muhammad (Boabdil), hijo de la primera. Durante una expedición este fue hecho prisionero y después liberado a cambio de cuatrocientos cristianos cautivos, doce mil piezas de oro y la promesa del reconocimiento de Fernando de Aragón sobre Granada.

Boabdil, tras recuperar el poder, no pudo mantener la posición de su Estado y, una tras otra, fueron cayendo sus principales ciudades, Alhama, Ronda, Loja, Málaga, Baza y Almería, hasta que solo le quedó Granada, superpoblada y sitiada, que, ante lo irreversible de la situación, se entregó el 2 de enero de 1492.

Desde una perspectiva cultural y artística, se distinguen en el reino nazarí cuatro periodos. Una primera etapa de afinidad y armonía con los predecesores almohades, en la que se inscriben los cuatro primeros sultanes, desde 1238 hasta 1314. En la segunda se desarrolla un estilo propio ya evolucionado, entre 1314 y 1354, destacando dos sultanes constructores de sus palacios: Isma'íl I y Yúsuf I. El tercer periodo corresponde al sultanato de Muhammad V, el gran constructor, especialmente durante su segundo mandato, de 1362 a 1391, época dorada de los nazaríes, estéticamente naturalista y efectista. La última etapa, que podría considerarse repetitiva o reiterativa, carente de la genialidad del momento anterior, abarca todo el siglo XV en el que, no obstante, destacan sultanes como Muhammad VII o Yúsuf III.

La Alhambra como Casa Real

En 1492 la Alhambra se incorporó al patrimonio de la Corona como Casa Real y se le asignaron importantes funciones militares, como la Capitanía General y una jurisdicción propia diferenciada de Granada, de modo que quedaba incorporada al programa de modernización de los Reyes Católicos, concebido para dotar de innovadoras estructuras administrativas y políticas al nuevo Estado con el que se inauguraba la Edad Moderna en España. A partir de entonces, la residencia palatina de la Alhambra pasó a llamarse la Casa Real Nueva para diferenciarla de la Casa Real Vieja o Palacios Nazaríes. Las nuevas funciones indicaron las adaptaciones que se produjeron en el recinto alhambreño. Los accesos a la ciudad palatina se modificaron, dejando de utilizarse los que habían sido habituales para la población nazarí,

Escudo imperial de Carlos V en el pilar de Carlos V en el bosque de la Alhambra, junto a la puerta de la Justicia

Detalle de las pinturas del techo central de la sala de los Reyes, en el palacio de los Leones

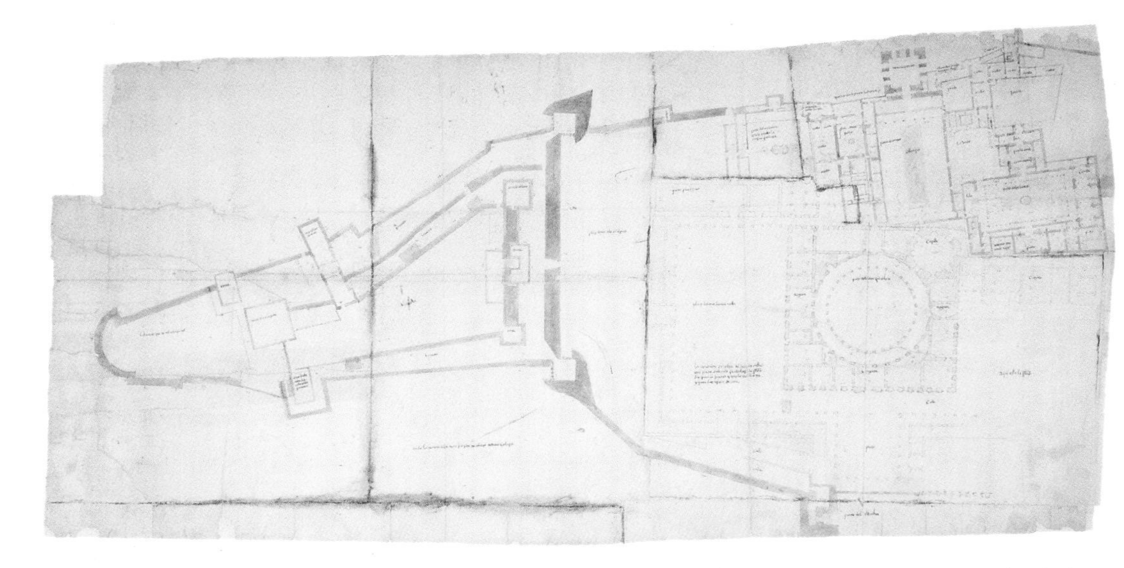

Plano de la Alhambra, sin fecha ni firma, atribuido a Pedro Machuca, anterior a 1542, que se conserva en el Palacio Real de Madrid

en favor de la cuesta de Gomérez, especialmente a partir de la edificación de la puerta de las Granadas a modo de arco triunfal. El sistema defensivo se reforzó con baluartes circulares, más efectivos frente a la artillería, la más temida innovación bélica de la guerra de Granada. Se construyó un gran aljibe para abastecer de agua al recinto, saturado por una población castrense con costumbres y necesidades diferentes. La amplitud de los palacios cristianos de finales del siglo XV, frente a las reducidas viviendas de los musulmanes y moriscos granadinos, ocasionó que los nuevos ocupantes unieran dos o más casas contiguas para adecuarlas a sus necesidades vitales. De igual manera, los Reyes Católicos, que repartieron la Alhambra entre la corte y sus caballeros, se reservaron los palacios musulmanes más destacados para establecer en ellos la residencia real. Familiarizados con los edificios musulmanes de otros lugares, que aceptaban y aun admiraban, aquí dispusieron su reparación a partir del estilo decorativo mudéjar, mandando venir artesanos de Levante, Zaragoza, Sevilla y más tarde Córdoba, lo que hizo posible que el legado islámico se mantuviera fusionado sutilmente con el mudéjar en numerosos lugares de la Alhambra. Los temas decorativos nazaríes se combinaron con los renacentistas occidentales, sobre todo en los accesos a la Casa Real, el Mexuar y el Cuarto Dorado, donde el escudo nazarí de la banda alternaba con los emblemas de los Reyes Católicos; la reparación de yeserías se convirtió así en símbolo de respeto a la cultura de los hispanomusulmanes. La vieja mezquita de la Alhambra se trasformó en iglesia y el antiguo palacio de la calle Real acogió el convento franciscano donde la misma reina pidió que reposaran sus restos mortales mientras no finalizara en la ciudad de Granada la construcción de la Capilla Real. Todo ello es indicativo de una voluntad real en la conquista de una ciudad cuya importancia era fundamental en el contexto internacional del momento.

El emperador Carlos V, tras su boda en Sevilla con Isabel de Portugal en la primavera de 1526, decidió quedarse en la Alhambra hasta el otoño, donde se le improvisaron aposentos y, al margen de la supuesta concepción del futuro rey Felipe II allí, demostró la admiración que sentía por sus abuelos con la decisión de edificar un grandioso palacio imperial y hacer de la capilla mayor de la catedral de Granada el panteón real de la

Corona española. En cierto modo, se trataba de legitimar en el último bastión islámico de Occidente la estirpe del mayor defensor del orbe cristiano. Su decisión supuso el traslado de la corte a Granada, que acogería durante unos meses a nobles como Germana de Foix, viuda del rey Fernando, el conde de Nassau, embajadores como Andrea Navaggero, Baldassare Castiglione, nuncio apostólico, o a escritores como Boscán y Garcilaso de la Vega. Carlos V contaba entonces con el respaldo del papa Adriano VI, antiguo preceptor suyo, y con el de Enrique VIII de Inglaterra, por el tratado de Windsor de 1522, decisivo para el final de las campañas acontecidas en varios frentes, que terminaron en 1525 con la captura en la batalla de Pavía del rey Francisco I de Francia y su traslado a España, lo que parecía significar la consecución de una paz duradera. Pero al margen de la relación afectiva con la Alhambra, allí se adoptaron fatales decisiones políticas que condicionaron el devenir de la nación, como el incremento de tributos a los moriscos, que se encontraban en permanente revuelta, o la disposición de firmar el tratado de Madrid y liberar al rey francés, lo que suponía la devolución de la Borgoña y el desalojo del Milanesado a cambio de una amistad rubricada con el matrimonio de Francisco I con la hermana del emperador, la infanta Leonor. Al cruzar la frontera, el Parlamento francés obligó a Francisco I a derogar el acuerdo, apelando al deber real de proteger el territorio francés, por lo que este anuló el tratado alegando que había sido aceptado bajo coacción.

El descubrimiento, a comienzos del siglo XX, de un plano de la Casa Real de la Alhambra trazado en aquellos años, hoy conservado en la Biblioteca del Palacio Real de Madrid, suministró una preciosa información para el entendimiento y la recuperación de los palacios nazaríes de Comares y de los Leones y de otras adaptaciones de la Alhambra, que explican el tránsito de una ciudad medieval a una Casa Real.

Blasón de los condes de Tendilla y marqueses de Mondéjar, situado en el pilar de Carlos V

Un capítulo aparte en la historia: los Tendilla-Mondéjar, alcaides de la Alhambra

No se puede hacer una aproximación a la Alhambra tras la Reconquista, ni tratar de entender los tres siglos de su historia que siguen a esta, sin saber quién fue y lo que representó en la Alhambra la saga familiar de los Tendilla. Algunos de sus miembros fueron elegidos por su vinculación con el real sitio en función del momento histórico, por la relación con la transformación de este, o simplemente porque nacieron allí y crecieron en un ambiente renacentista culto y tolerante que la tradición familiar supo crear en su casa, circunstancia que no a todos les sucedió. Los Tendilla vivieron en la Alhambra hasta su marcha en el que fue palacio de Yúsuf III en el Partal.

Tendilla y Mondéjar: en la familia coexistieron ambos linajes; el más antiguo es Tendilla, y el de los Mondéjar se añadió de la mano de don Íñigo López de Mendoza y Quiñones, el primero de esta ilustre familia oriunda de Guadalajara, donde estaba su señorío, que llegó a Granada por imperativo de la guerra.

Íñigo López de Mendoza y Quiñones (1442?-1515), segundo conde de Tendilla, título que heredó de su padre, Íñigo López de Mendoza y Figueroa, era nieto de don Íñigo López de Mendoza, marqués de Santillana, el afamado poeta. Participó con los Reyes Católicos en la campaña contra el reino de Granada, distinguiéndose en la defensa de Alhama cuando trató de reconquistarla Muley Hacén. Tras un breve paréntesis en que fue embajador del rey Fernando en Roma, se incorporó de nuevo a la guerra hasta que Granada fue conquistada, y formaba parte del séquito del rey cuando recibió de Boabdil las llaves de la fortaleza, que Fernando el Católico le entregó, nombrándole alcaide de la Alhambra y capitán general de Granada. Durante casi veinticuatro años, bajo su dirección se llevaron a cabo importantes transformaciones defensivas para adaptar la fortaleza a las nuevas tácticas de ataque y defensa basadas en el uso intensivo de la artillería. Se construyeron todos los baluartes artilleros, Siete Suelos, Cabezas, Justicia, Olivo y Torres Bermejas, proyectados por el genial arquitecto real Ramiro López, y se mejoró la defensa pasiva con la construcción del gran aljibe que lleva su nombre (soterrado frente a la Alcazaba). Leal incondicional al rey Fernando, no dudó en oponerse a este cuando pretendió requisarle la mayor parte de su artillería y artilleros (desguarneciendo la Alhambra), para la flota de su campaña africana. Parte de la villa de Mondéjar pasó a ser de su propiedad, y en 1512 se le otorgó el marquesado de Mondéjar, título vinculado a su familia desde ese momento.

Luis Hurtado de Mendoza y Pacheco (1489-1566), tercer conde de Tendilla y segundo marqués de Mondéjar, fue alcaide de la Alhambra desde 1515 hasta 1543. Vivió la rebelión de las Comunidades, posicionándose incondicionalmente al lado de Carlos V, ganándose la confianza del emperador, del que llegó a ser amigo personal, y al que acompañó en la conquista de Túnez. Durante su mandato, la Alhambra vivió momentos de gran esplendor coincidiendo con la estancia del emperador en su viaje de bodas, que se alargó a casi seis meses (de junio a diciembre de 1526), en la que Carlos V quedó prendado de la Alhambra y de Granada y decidió la construcción del espléndido palacio.

Íñigo López de Mendoza y Mendoza (1512-1580), cuarto conde de Tendilla y tercer marqués de Mondéjar, fue alcaide de la Alhambra desde 1543, en que su padre fue nombrado virrey de Navarra, hasta 1580. Le correspondió sofocar la rebelión de las Alpujarras y de las plazas africanas de Orán y Bugía. Era de carácter difícil, pero ilustrado y buen organizador. En la Alhambra se prosiguió con las obras del palacio de Carlos V, las de fortificación en los Adarves hacia la torre de la Pólvora y en el conjunto de los Palacios Nazaríes. Las inversiones eran importantes, los ritmos buenos y contó con Pedro Machuca y, a la muerte de este, con su hijo Luis, con el maestre Francisco de las Maderas y con otros que le rendían cuentas.

Luis Hurtado de Mendoza y Mendoza (1543-1604), quinto conde de Tendilla y cuarto marqués de Mondéjar, nació en la Alhambra y ayudó a su padre en la rebelión de las Alpujarras desde la retaguardia en los temas logísticos. De carácter difícil, se llevó mal con don Juan de Austria, y fue destituido de la alcaidia de la Alhambra en diciembre de 1569 por Felipe II. Su marcha de la Alhambra marcó el comienzo del declive de esta familia (a partir de aquí el título de alcaide de la Alhambra será honorífico), y el inicio de un abandono que sumergirá a todo el conjunto en un estado de decadencia que se prolongará durante más de dos siglos.

José de Mendoza Ibáñez de Segovia (1657-1734), duodécimo conde de Tendilla y décimo marqués de Mondéjar, coincidió con una época compleja y la no menos compleja guerra de Sucesión (1701-1713). Eligió el bando equivocado, juró obediencia al archiduque Carlos, por lo que perdió el favor de Felipe V, quien le confiscó sus bienes, y a la muerte de su padre en 1708, y de su madre en 1718, le fueron confiscando esos bienes a medida que los iba heredando, entre ellos la que fue durante casi trescientos veintiséis años residencia familiar en la Alhambra, el palacio de Yúsuf III en el Partal. Al no poder disponer ya de este y encontrarse en mal estado de conservación, lo mandó derribar. José de Mendoza recuperó el favor real tras el tratado de Viena de 1725 entre Felipe V y Carlos, en ese momento ya emperador

Gustave Doré, «Ladrones de azulejos en la Alhambra», 1862.
Biblioteca de la Alhambra

del Sacro Imperio, y aunque se le mantuvo el título meramente honorífico de alcaide de la Alhambra, el título murió con él, como también la relación que los Tendilla mantuvieron con la Alhambra.

La Alhambra de los gobernadores (el siglo más triste de su historia)

Hacia la mitad del siglo XVIII comenzó el periodo más oscuro en la historia del recinto nazarí. Los marqueses de Mondéjar y condes de Tendilla fueron desposeídos de la alcaidía de la Alhambra por el rey Felipe V, porque negaron su apoyo a los Borbones en la guerra de sucesión a la Corona. Según Gómez-Moreno González, «en 1750 se apropió la Corona de los recursos destinados a obras [...]. Desde entonces, a pesar de las continuas reclamaciones que se les dirigía, no se interesaban en manera alguna por el palacio y comenzó un desastroso periodo de abandono». La Alhambra entró así en una fase de decadencia, que llegó a su peor momento con la invasión napoleónica y su depredadora retirada en 1812, y continuó hasta mediados de siglo, cien años que supusieron un momento de devastación. Multitud de personajes indignos e interesados se adueñaron de ella, la utilizaron para sus propios fines y la sumieron en una etapa de auténtico desgobierno. Sin Capitanía y sin apenas recursos, los gobernadores ya no ejercían la autoridad, sino que dejaron la Alhambra en un abandono casi total. En 1792 el juez conservador de la Alhambra Bartolomé de Rada se lamentaba de que disponía de «2.302 reales con 30 maravedises!... cuando eran necesarios algunos millones de reales».

Bajo el reinado de Carlos IV, los gobernadores con sus familias habitaron la Alhambra preocupándose únicamente de su provecho personal. Las denuncias sobre el estado de la Alhambra del escritor norteamericano Washington Irving, llegado a la ciudad en 1829, avergonzaron al Gobierno y propiciaron su acción; el entonces gobernador, el coronel Francisco de la Serna, inició el desalojo de los palacios e inauguró los paseos de las Alamedas, aunque para Ford, «su gran objetivo fue dar trabajo en la Alhambra a los galeotes [...] convirtiendo [...] una gran parte de la Alhambra en almacenes para salazones de la gentuza a su cargo».

Cuando Richard Ford visitó Granada en 1831, relató con crítica ironía que «El Gobernador, un tal Savera, [...] suprimió todo vestigio de gusto arábigo. Colocó su cocina y sus más sucias pertenencias en un mirador morisco, donde el mármol y el dorado yacen aún entre indescriptibles abominaciones [...] esta turba puso mano sobre lo que se podía mover o vender». La esposa del gobernador Ignacio Montilla «encerraba su borriquito en la maravillosa capilla y convirtió el Patio de la Mezquita en redil para sus ovejas». En los palacios se instalaban talleres y se vendían sus piezas decorativas: «Arrancaron gran parte del zócalo de azulejo que rodea los patios de la Alberca y otros, vendiéndolos a tahoneros y cocineros [...] convirtieron finalmente la Sala de las Dos Hermanas, la joya de la Alhambra, en un taller de sedas, lleno de telares».

Fernando VII asignó, en 1830, 50.000 reales anuales para obras de conservación, lo que suponía un mayor interés por los problemas de la Alhambra, aunque el estado general del recinto no era mucho mejor. Ford decía, entre otras cosas, que la puerta

A LA MEMORIA
DEL
CABO DE INVALIDOS
JOSE GARCIA
QVE CON RIESGO D PERDR LA VIDA
SALVO D LA RVINA LOS ALCAZARES
Y TORRES D LA ALHAMBRA EN MDCCCXII
EL CVERPO D INVALIDOS

Placa conmemorativa en la plaza de los Aljibes
Según la tradición oral, cuando las tropas napoleónicas se retiraban de la Alhambra en 1812, dejaron en cada torre un barril de pólvora y prendieron la mecha que los unían, y fueron cayendo una tras otra, hasta que el cabo José García, con peligro de perder la vida, apagó la mecha ya cerca de la zona de los Palacios Nazaríes. Esta placa recuerda su hazaña, que salvó a la humanidad de una pérdida irreparable. Se encuentra en el muro que cierra al sur la plaza de los Aljibes.

del Vino «está dedicada a vaciadero», el patio de Carlos V «ha sido empleado para taller de los galeotes» y la Alcazaba «se emplea ahora como prisión de galeotes»; aunque no mencionaba para nada los grafitos con su firma que fue dejando por todas partes (salón de Comares, la fuente de los Leones). Con el fin de «hermosear» el monumento, en 1839 se limpió, a base de raspado, la propia fuente y las columnas del patio de los Leones. En 1840, bajo la regencia de María Cristina, el traspaso de fondos fue mayor, llegándose incluso a plantear la finalización del palacio de Carlos V, sin que ello significara la desaparición de los abusos del monumento: entre 1840 y 1848 la torre de Siete Suelos estaba convertida en taberna, quedando encerrada poco después en la cerca del hotel que se edificó ante ella. Aunque se hicieron reparaciones, el abandono continuó, como recogía el arquitecto Rafael Contreras sobre el patio de los Arrayanes: «En todo el siglo XVIII y principios del actual ha perdido este patio la mayor parte de sus azulejos, la puerta de la Sala de la Barca y sus comarraxias o yeserías moriscas, y fue, por último, convertido su estanque en lavadero público y sus enclaustrados servían de taberna a las gentes que todavía el año 1833 subían desde la población para jugar a los naipes bajo sus bellísimos artesonados». Nombrado «restaurador adornista» en 1847, este representante de la saga de los Contreras no solo se ocupó de todos los rincones del recinto, sino que materialmente inundó media Europa con reproducciones de motivos ornamentales alhambreños de su propio taller. Con él se cerró «el período de cien años, de 1746 a 1847, en que se escribió la página más triste en la historia de la Alhambra».

Las tropas napoleónicas de ocupación en la Alhambra

La expulsión de la Casa de Mondéjar de la Alhambra, a la que se privó del título de la Alcaidía y le fueron confiscados sus bienes, supuso para el monumento el comienzo de un desdichado periodo de abandono y decadencia que, cronológicamente se inició en 1718 con la supresión de la Capitanía General, y culminó con la ocupación durante casi tres años de las tropas napoleónicas, que llegaron a Granada el 28 de enero de 1810. A su frente estaba el conde Horacio de Sebastiani, general corso del Cuarto Cuerpo de Ejército. Una vez consolidado el dominio francés en todo el reino de Granada, salvo en Almería, Sebastiani se instaló en la ciudad, implantó unas estrictas ordenanzas de limpieza e higiene, tanto para la ciudad como para su población, y emprendió importantes trasformaciones urbanísticas.

La Alhambra se convirtió en cuartel y, aunque se efectuaron algunas aportaciones interesadas, como la configuración principal de las alamedas que en el futuro darían lugar al bosque de Gomérez, lo cierto es que el balance fue desastroso. Se destruyeron numerosas casas y algunas de las zonas más nobles del monumento fueron convertidas en almacenes. Unos mil quinientos soldados se distribuyeron por todo el recinto, incluido el convento de San Francisco y el palacio de Carlos V donde, para combatir el frío, encendieron hogueras con leña procedente de cualquier lugar; fueron desmantelados artesonados, puertas y otros elementos de madera para su utilización como materia combustible. El patio de los Arrayanes fue utilizado para apilar la leña y su alberca se destinó al acopio de pólvora proyectiles de cañón. Tampoco faltaron las daptaciones como la del patio de los Leones, en el ue Sebastiani ordenó remover el pavimento para lantar un jardín de rosas, jazmines y arrayanes; n 1812 se intervinieron incluso las cubiertas del atio. Las consecuencias para tan emblemático ugar de la Alhambra fueron tan nefastas que celeraron su degradación, lo que poco después, n 1846, llevó a exclamar al propio Alejandro umas: «¡Rogad por el patio de los Leones, rogad orque el Señor lo mantenga en pie, o rogad por lo enos para que, si cae, no se le vuelva a levantar. referible es un cadáver a una momia!».

Buenos conocedores del poder estratégico e la artillería, los franceses ubicaron baterías e cañones en puntos vitales del entorno de Alhambra, como la Silla del Moro, las ruinas e los Alijares o el Cerro del Sol; este último ue minado mediante nuevas galerías o se rolongaron las existentes en la búsqueda e presuntas vetas auríferas. Con fama de aqueador, el ejército napoleónico se convirtió n foco de todas las acusaciones posibles de espojar la Alhambra. En realidad, como recogió ichard Ford, tras la retirada francesa, los nuevos irigentes locales fueron los que «saquearon Alhambra, arrancaron las cerraduras y errojos, llevándose hasta los vidrios y cristales, endiéndolo todo para su provecho, y luego, omo buenos patriotas, informaron de que los anceses no habían dejado nada».

Cuando el 17 de septiembre de 1812 los anceses abandonan la Alhambra, para evitar ue una fortaleza con tan buena defensa pudiera ervir a los rebeldes españoles en caso de una ontraofensiva napoleónica, dejaron minadas las orres con barriles de pólvora, volando ocho de llas que fueron cayendo en sentido contrario las agujas del reloj, a partir de la torre de la arba, situada junto a la puerta de la Justicia. El abo del regimiento de inválidos José García, que abía perdido una pierna en la batalla de Bailén, pesar del riesgo para su vida, consiguió detener cadena de voladuras inutilizando las mechas estantes, salvando a la Alhambra de una segura ecatombe. Tan heroico acto quedó inmortalizado ara siempre en una placa conmemorativa bicada en la plaza de los Aljibes.

Romanticismo y orientalismo: alhambrismo

La guerra de la Independencia, con su ocupación por las tropas napoleónicas, convirtió a la Alhambra en un desolado lugar que la hizo aparecer como una ruina romántica ante los ojos de los viajeros que comenzaban a visitarla y admirarla, alcanzando rápidamente una gran difusión internacional. Su carácter evocador y único favoreció su conversión en mito artístico y literario, que todavía en cierto modo pervive, y que la moderna historiografía se ha encargado de ensalzar.

El abandono en que quedó la Alhambra tras la primera década del siglo XIX coincidió con un cúmulo de circunstancias que propició su transformación en presidio, pero ya no de importantes personajes como antaño, sino de

Alhamí del patio de Comares. Dibujos del libro de Owen Jones y Jules Goury, *Plans, Elevations, Sections and Details of the Alhambra*, Londres, 2 vols., 1836-1845

Pintura al óleo de Manuel Gómez-Moreno González, realizada en 1880, que representa la «Salida de la familia de Boabdil de la Alhambra». Colección Diputación de Granada, Museo de Bellas Artes de Granada, Palacio de Carlos V, Alhambra

reclusos comunes. Después de la revolución liberal y de sucesivas exclaustraciones, fue disminuyendo, hasta desaparecer del recinto, la comunidad de frailes franciscanos, mientras la población civil iba cediendo ante un abigarrado vecindario de militares sin graduación. El mismo alcaide de la Alhambra ya no vivía allí, dejando su custodia a una familia cuyo retrato ofrecen, con dispar opinión, Washington Irving y Richard Ford. Entre ruinas, paisajes semidesérticos, presidiarios, soldados inválidos y población marginal, la mirada romántica fue capaz de contraponer la desidia y la miseria al pasado esplendor de la ciudad palatina.

El romanticismo como concepto cultural surgió en Alemania a finales del siglo XVIII, aunque su denominación procede de la expresión española «cosa de romance», con la que se solía describir todo aquello que estuviese fuera de la realidad. Lienzos, acuarelas, relatos novelescos, cuadernos y libros de viaje ensalzan lo anímico, el poder de la razón, frente a lo conciso y limitado, consecuencia de la Ilustración. La descripción y la representación de los elementos arquitectónicos, decorativos y paisajísticos de un monumento como la Alhambra coincidió en el tiempo con el interés de la Europa decimonónica por todo lo oriental. Romanticismo y orientalismo se funden así en la Alhambra, que fue elegida como prototipo exótico del mundo árabe, de la que Andalucía sería su expresión europea más próxima. Con solo pronunciar el vocablo Alhambra en cualquier idioma, se evocan sensaciones inconscientes que entretejen ensueño y realidad.

Escritores y pintores europeos emprendieron durante la primera mitad del siglo XIX insólitos viajes a Italia, Oriente Medio y, tras la guerra de la Independencia, a España, en especial a Granada y su Alhambra que se convirtieron en lugares obligados de peregrinación. Chateaubriand, a su regreso a París de un peripl por medio mundo, traía como reliquias una piedra del Jordán y un trozo de corteza de un ciprés del Generalife; los oficiales británicos, de

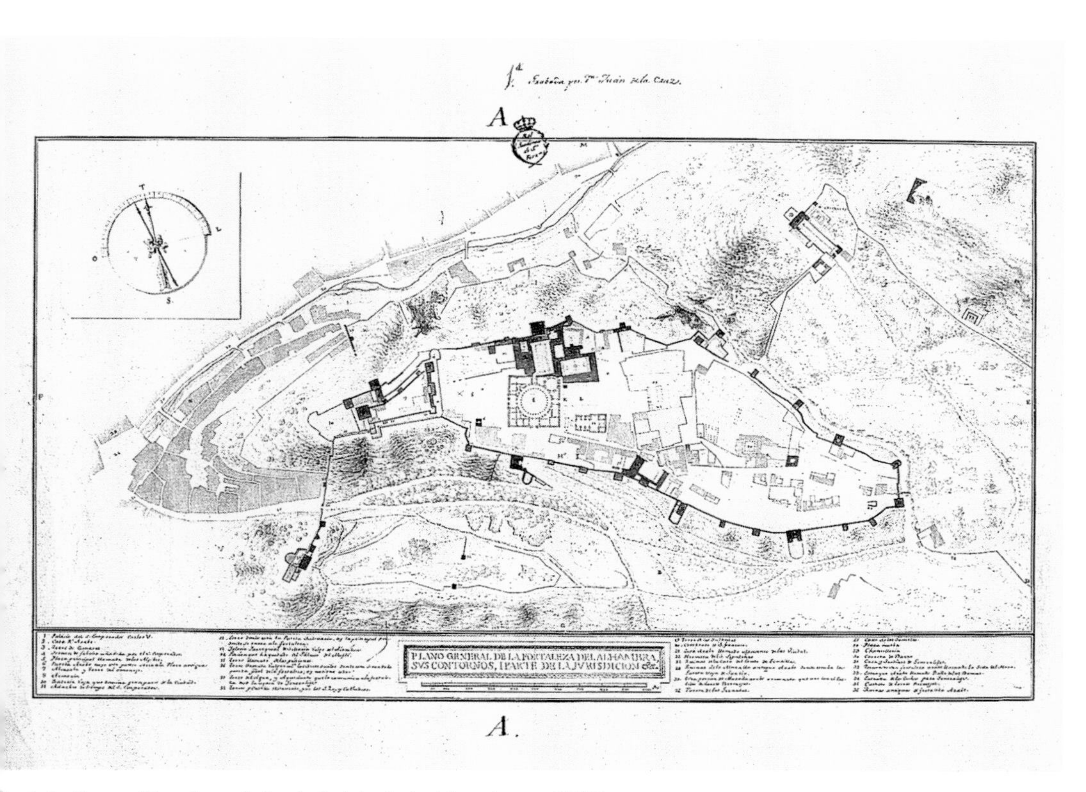

José de Hermosilla, plano de la ciudadela de la Alhambra en 1766.
Museo de la Real Academia de Bellas Artes de San Fernando, Madrid

vuelta a las islas tras su apoyo a los rebeldes frente a Napoleón, hablaban maravillas de los tesoros por descubrir en España; los mismos liberales exiliados en Inglaterra favorecieron el interés por todo lo español. Tremendamente individualistas, sin reglas ni preceptos considerados clásicos, esos artistas viajeros creyeron reconocer en ella la síntesis de la civilización y tradiciones de los pueblos orientales.

La difusión que se ha hecho de la Alhambra en todo el mundo debe mucho a ese carácter evocador de la ruina tal y como lo plantea Washington Irving en sus *Cuentos de la Alhambra*, cuya primera edición vio la luz en Londres en 1832. El empeño de viajeros e ilustrados de los siglos XVIII y XIX, como Dutailly, Laborde, Swinburne, Roberts, Ford, Lewis, Girault de Prangey, Owen Jones, etc., en transmitir esos valores espaciales y estilísticos, hacen de la Alhambra un icono de la renovación estética del momento. El alhambrismo se hace modelo u objeto de admiración y emulación para toda una generación de intrépidos precursores de un nuevo nomadismo que devendrá en el contemporáneo turismo cultural.

La gerencia de los arquitectos

La Real Academia de Bellas Artes, inauguró con el siglo XIX una serie de visitas de inspección de monumentos, entre ellos la Alhambra, realizadas por arquitectos; fruto de ello, en 1804 se publicó el libro *Antigüedades árabes de España* de J. Hermosilla, J. de Villanueva y P. Arnal, que incluía el primer gran «plano-acta» de la Alhambra. En marzo de 1847 se encargó al arquitecto Domingo Gómez de la Fuente, visitar la Alhambra para resolver las discrepancias sobre la conservación del monumento, y el 18 de septiembre de 1890, con motivo del incendio de la sala de la Barca, se comisionó a Ricardo Velázquez Bosco para emitir un informe (1903) y, más tarde, la Memoria del Plan General de Conservación de la Alhambra (1917). Con ello, el arquitecto se convertirá de facto en el auténtico responsable del recinto.

A lo largo de los siglos, numerosos arquitectos han realizado obras para la conservación de la Alhambra, y diversos organismos administrativos han desarrollado la labor de tutela y de búsqueda del criterio correcto para cada intervención. Nunca como en la época en que el cargo de dirección de la conservación del monumento recaía sobre un arquitecto se vio más claramente la influencia de la formación y personalidad de este en la visión del conjunto, en la lectura de sus valores históricos y monumentales.

Desde mediado el siglo XIX hasta comienzos del XX, la Alhambra fue restaurada siguiendo, en líneas generales, la llamada «restauración estilística», teoría instituida por Viollet le-Duc (1814-1879), quien la define así: «La palabra y la cosa son modernas. Restaurar un edificio no es conservarlo, repararlo o rehacerlo, es restituirlo a un estilo de plenitud que puede no haber existido jamás en un tiempo dado».

Entrado el siglo XIX, se inició en la Alhambra una etapa, desde 1828 hasta 1907, en que se hizo cargo una saga familiar de arquitectos y restauradores, los Contreras (José, Rafael, Francisco y Mariano). Sus trabajos destacaron por una decidida restauración en estilo, incidiendo en los elementos decorativos. Coincidió este tiempo con la ebullición del pensamiento europeo sobre la polémica entre conservación o restauración, como criterios de intervención en los monumentos (John Ruskin, Camillo Boito, etc.), debate que, en general, en España se produjo entre intelectuales y técnicos relacionados con las instituciones responsables de los monumentos nacionales. Así, los restauradores de la Alhambra, y fundamentalmente Rafael Contreras (1824 o 1826-1890), se implicaron en dotar a la Alhambra de una imagen que se correspondiera, no tanto con su realidad histórica concreta y sus vicisitudes en los siglos modernos, como con el ideal de «estilo árabe» que ellos se habían forjado: decidían agregar unos elementos o reformar otros para acentuar su aspecto oriental. Con esta intención, en 1859 Rafael Contreras y Juan Pugnaire rehabilitaron las cubiertas del patio de los Leones y sustituyeron el tejado del pabellón oriental por una cúpula esférica de cerámica vidriada; o adornaron el tejado del pórtico norte del palacio de Comares con tejas vidriadas y una pequeña cúpula. Entre 1843 y 1866 completaron la decoración de yesería y restituyeron libremente la policromía de la sala de las Camas; se rehicieron numerosas yeserías, rellenando lagunas y paños desaparecidos y colocando copias vaciadas de fragmentos de otras partes del monumento.

Entre 1907 y 1923 Modesto Cendoya centró su gestión en la idea de una Alhambra global, basada en intentar descubrir zonas ocultas mediante una frenética búsqueda de hallazgos arqueológicos. Supuso una etapa titubeante, de tentativas sin concluir, propiciando la apertura de zanjas y desescombros con exiguos resultados en el mantenimiento de su arquitectura, a pesar de su capacidad de observación y dibujo (legó un magnífico cuaderno de anotaciones).

Entre 1923 y 1936, el arquitecto Leopoldo Torres Balbás, formado en arqueología e historia del arte, y muy activo en el debate sobre el patrimonio histórico, realizó su intensísimo trabajo en la aplicación práctica de los criterios conservacionistas. Hoy puede apreciarse su obra en un gran porcentaje de las construcciones nazaríes. Su actuación se basó en los principios de la Carta de Atenas de 1931: conservación a través de las tareas de mantenimiento regulares y permanentes de los edificios históricos; respeto absoluto por la obra histórica y artística del pasado, sin proscribir de la misma el estilo de ninguna época; legitimidad del empleo de técnicas modernas y materiales nuevos siempre que sean reconocibles, y necesidad de cualificar el entorno del monumento.

El largo periodo siguiente, que concluyó con la implantación de las actuales administraciones democráticas, está íntimamente relacionado con el avatar político del país. (1942-1970), El arquitecto responsable del monumento, Francisco Prieto Moreno, continuó los trabajos emprendidos por su predecesor e implantó buena parte de los elementos urbanos y paisajísticos en los que se basan los actuales itinerarios turísticos.

Las nuevas experiencias y documentos sobre la conservación han puesto en valor el territorio donde

Detalle de la placa conmemorativa colocada sobre la puerta de las habitaciones de Washington Irving por el Patronato de la Alhambra en 1914

Placa conmemorativa de la inclusión de la Alhambra en la lista del Patrimonio Mundial de la UNESCO en 1984

se asienta el monumento y la necesidad de ampliar a aquel el campo de la interpretación global de su estructura. Además es obligatoria la adopción de medidas cautelares y el mantenimiento continuo, entendiendo las intervenciones restauradoras como extremas y sin que figure un único responsable visionario, sino equipos técnicos multidisciplinares, dotados de una capacidad científica y tecnológica adecuada.

PRINCIPALES ARQUITECTOS CONSERVADORES DE LA ALHAMBRA EN LOS SIGLOS XIX Y XX:

José Contreras, nombrado en 1828 encargado de las obras de fortificación y seguridad

Salvador Amador, nombrado arquitecto-director el 17 de julio de 1847, hasta el 17 de noviembre

Rafael Contreras, director y conservador desde 1869 (restaurador *adornista* desde 1847)

Francisco Contreras, nombrado en 1850

Juan Pugnaire, director entre 1851 y 1858

Ramón Soriano, coronel, comandante de la Alhambra desde 1856, nombrado arquitecto director en 1858

Baltasar Romero, arquitecto director en 1872

Mariano Contreras, desde 1890 hasta 1907

Modesto Cendoya, desde 1907 hasta 1923

Leopoldo Torres Balbás, entre 1923 y 1936

Francisco Prieto Moreno, desde 1936 a 1970

Servicio de Conservación de la Alhambra, desde 1986

Un Patronato para la Alhambra

La revolución de 1868 supuso la pérdida del trono a Isabel II y marcó un importante cambio en la situación jurídica de la Alhambra, pues, al incautarse el Estado de todos los bienes del patrimonio real, quedó desvinculada de la Corona pasando a dominio público. En 1870 la Alhambra se declaró Monumento Nacional, asignándole una cantidad fija de los Presupuestos Generales del Estado para atender con dignidad sus necesidades de conservación. Durante el último tercio del siglo XIX el Estado ejerció su control y custodia por medio de la Comisión Provincial de Monumentos, aunque debido a su singularidad, en 1905 se creó dentro de ella una comisión específica para la Alhambra que, aunque en un principio no pretendía asumir sus competencias, al poco tiempo ocasionó importantes desavenencias haciendo imposible su continuidad. Para complicar más las cosas, en 1913 se fundó el denominado Patronato de Amigos de la Alhambra, cuestionado inicialmente en su legalidad, y un año más tarde, asumidas sus atribuciones, fue disuelto, principalmente debido a las tensiones existentes con el entonces arquitecto conservador, Modesto Cendoya. Desde 1915 la vieja comisión quedó vinculada, con el nombre de Patronato, a la Dirección General de Bellas Artes del Ministerio de Instrucción Pública, más tarde Ministerio de Educación Nacional.

Tras la Guerra Civil, en la que la Alhambra afortunadamente apenas sufrió ligeras escaramuzas, la nueva administración, fuertemente centralizada, asumió, con una reforzada carga simbólica, la

Composición de imágenes, ilustrativas del Pórtico del Partal en su restauración arquitectónica, 1835, hacia 1920, hacia 1930 y en la actualidad

conservación del recinto. El 9 de marzo de 1940 se estableció un Patronato para la instalación de una residencia en el palacio de Carlos V y el 13 de agosto de ese año se dictó un decreto de ampliación de ese Patronato a toda la Alhambra. A partir de 1942 y hasta 1970 se situó al frente de la conservación de la Alhambra al arquitecto Francisco Prieto Moreno, discípulo y auxiliar de Torres Balbás que, de modo continuista, prosiguió sus trabajos, con los que la Alhambra se fue preparando para el incremento turístico de los años sesenta, enorme desafío que tuvo que afrontar en esa etapa durante la cual el monumento contó con la influencia en el gobierno del ilustre catedrático granadino Manuel Gómez-Moreno Martínez, ejercida más tarde por otro granadino, Antonio Gallego Burín, nombrado director general de Bellas Artes en 1951. Importantes también fueron la creación del Museo Arqueológico de la Alhambra en 1942 bajo la dirección de Jesús Bermúdez Pareja, y, un año después, la declaración de Jardines Históricos de la Alhambra y el Generalife. Afianzado el Patronato como entidad gestora del monumento, estableció su sede institucional en el palacio de Carlos V, donde se ubicaron también sus oficinas, Biblioteca, Archivo y, a partir de 1958, el Museo Provincial de Bellas Artes. Las obras de infraestructura y restauración durante esos años propiciaron un proceso administrativo que culminó en 1962 con la publicación de los Estatutos del Patronato de la Alhambra.

Años más tarde, la fundación alemana Friedrich von Schiller concedió a la Alhambra la medalla de oro en reconocimiento a la conservación y restauración de edificios y conjuntos europeos, que fue entregada al Patronato de modo solemne en el salón de Comares el 8 de noviembre de 1980.

La Constitución de 1978 recuperó para España una normativa democrática y descentralizada a través del Estado de las Autonomías, que tuvo también su influencia en el devenir de la Alhambra con el desarrollo del Estatuto de Autonomía para Andalucía de 1981. Desde la perspectiva de la administración cultural, en 1984 finalizó el proceso de transferencias en materia de cultura desde el Gobierno central a la Junta de Andalucía, que condujo a la aprobación, el 19 de marzo de 1986, de los nuevos Estatutos del Patronato de la Alhambra y el Generalife.

En ese proceso institucional de democratización de la gestión cultural es necesario destacar los principales instrumentos legales originados, la Ley del Patrimonio Histórico Español de 1985 y las Leyes de Patrimonio Histórico de Andalucía de 1991 y 2007, que vinieron a cualificar la gestión de los bienes culturales, entre los que la Alhambra representa un referente destacado. Como consecuencia de esta normativa, se elaboró en 1986 el primer documento de planificación territorial aplicado a un monumento en España, el Plan Especial de la Alhambra y Alijares.

El desarrollo del nuevo Plan Director de la Alhambra se convierte desde 2008 en un instrumento estratégico para la gestión del Conjunto Monumental de la Alhambra y el Generalife como ente patrimonial de primer orden para el siglo XXI. Los más de dos millones de visitantes que anualmente acceden a la Alhambra y su entorno demandan hacer compatible el derecho de acceso a los bienes culturales con la garantía de su preservación para las generaciones futuras.

Responsables de la gestión del Patronato de la Alhambra y el Generalife:

COMISIÓN ESPECIAL

Manuel Gómez-Moreno González, presidente desde 1905 hasta 1914

PATRONATO AMIGOS DE LA ALHAMBRA

Santiago Stuart y Falcó, presidente de 1913 a 1914

PATRONATO DE LA ALHAMBRA

Manuel Gómez-Moreno Martínez , secretario de 1914 a 1915

Dependencia directa de la DIRECCIÓN GENERAL DE BELLAS ARTES desde 1915 hasta 1940

PATRONATO DEL GENERALIFE

Benigno de la Vega-Inclán y Flaquer, presidente de 1921 a 1925

PATRONATO DE LA ALHAMBRA Y DEL PALACIO DE CARLOS V

Joaquín Pérez del Pulgar y Campos, vicepresidente de 1940 a 1944

Antonio Gallego Burín, vicepresidente de 1945 a 1951

PATRONATO DE LA ALHAMBRA Y EL GENERALIFE

Antonio Marín Ocete, vicepresidente de 1951 a 1970

Emilio Orozco Díaz, vicepresidente de 1970 a 1973

Juan de Dios López González, vicepresidente desde 1973 hasta 1978 y director de 1978 a 1981

Antonio Gallego Morell, director de 1981 a 1985

Mateo Revilla Uceda, comisario para la Alham[illegible] Generalife desde 1985 hasta 198[illegible] 1986 hasta 2004

María del Mar Villa[illegible] 2004 y directora ge[illegible]

Patio de los Arrayanes del palacio de Comares

Sultanes de la dinastía nazarí*

1. Muhammad I (629-671/1232-1273)
2. Muhammad II (671-701/1273-1302)
3. Muhammad III (701-708/1302-1309)
4. Nasr (708-713/1309-1314)
5. Isma'íl I (713-725/1314-1325)
6. Muhammad IV (725-733/1325-1333)
7. Yúsuf I (733-755/1333-1354)
8. Muhammad V, primer reinado (755-760/1354-1359)
9. Isma'íl II (760-761/1359-1360)
10. Muhammad VI el Bermejo (761-763/1360-1362)
11. Muhammad V, segundo reinado (763-793/1362-1391)
12. Yúsuf II (793-794/1391-1392)
13. Muhammad VII (794-810/1392-1408)
14. Yúsuf III (810-820/1408-1417)
15. Muhammad VIII el Pequeño, primer reinado (820-822/1417-1419)
16. Muhammad IX al-Aysar (el Izquierdo), primer reinado (1419-1427)
17. Muhammad VIII el Pequeño, segundo reinado (1427-1430)
18. Muhammad IX al-Aysar, segundo reinado (1430-1431)
19. Yúsuf IV Ibn al-Mawl (Abenalmao) (1432)
20. Muhammad IX al-Aysar, tercer reinado (1432-849/1445)
21. Yúsuf V el Cojo (849-849/1445-1446)
22. Isma'íl III (849-851/1446-1447)
23. Muhammad IX al-Aysar, cuarto reinado (851-857/1447-1453)
24. Muhammad X el Chiquito, primer reinado (1453-1454)
25. Sa'd, primer reinado (1454-1455)
26. Muhammad X el Chiquito, segundo reinado (1455)
27. Sa'd, segundo reinado (1455-1462)
28. Isma'íl IV (1462-1463)
29. Sa'd, tercer reinado (1463-869/1464)
30. Abu l-Hasan'Ali (Muley Hacén), primer reinado (869-887/1464-1482)
31. Muhammad XI (Boabdil), primer reinado (887-888/1482-1483)
32. Abu l-Hasan'Ali (Muley Hacén), segundo reinado (888-890/1483-1485)
33. Muhammad XII al-Zagal (890-892/1485-1487)
34. Muhammad XI (Boabdil), segundo reinado (892-897/1487-1492)

* Los cuadros señalados con asterisco están tomados de María Jesús Viguera Molins (coord.). «El reino nazarí de Granada (1232-1492): política, instituciones, espacio y economía», en J. M. Jover Zamora, *Historia de España Menéndez Pidal*. Madrid: Espasa-Calpe, 2000. Tomo VIII-III.

Nota: las fechas que aparecen al lado de cada sultán se refieren, las primeras al calendario musulmán, y las segundas a la época cristiana.

Acontecimientos históricos durante el reinado nazarí*

1232 Proclamación de Muhammad I Ibn al-Ahmar en Arjona (Jaén). Inicio de la dinastía nasrí

1236 Córdoba es conquistada por Fernando III

1237 Muhammad I entra en Granada. Almería y Málaga lo reconocen como soberano

1243 Murcia entra bajo el dominio de Castilla

1246 Jaén es conquistada por Fernando III. Vasallaje de Muhammad I a Castilla

1247 Sevilla es conquistada por Fernando III

1262 Niebla es conquistada por Alfonso X

1266 Sublevación de los Banu Ashqilula en Málaga

1274 Inicio de la intervención meriní en al-Andalus (primera expedición)

1279 Recuperación de Málaga por Muhammad II

1287-1288 Final de la revuelta de los Banu Ashqilula

1292 Conquista de Tarifa, en poder meriní, por Sancho IV

1295 Retirada meriní y cesión de Algeciras y Ronda a Muhammad II. Conquista de Quesada y veintidós castillos más por los nazaríes

1300 Conquista de Alcaudete por Muhammad II

1303 Tregua de tres años con Castilla

1306 Conquista de Ceuta por Muhammad III

1308-1309 Ofensiva aliada de Castilla y Aragón contra Granada. Sitio de Algeciras y Almería. Pérdida de Ceuta ante los meriníes. Pérdida de Gibraltar ante los castellanos. Cesión de Algeciras y Ronda a los meriníes

1312 Conquista de Alcaudete por Fernando IV. Recuperación de Algeciras y Ronda devueltas por los meriníes

1319 Victoria en la batalla de la Vega con la muerte de los infantes don Pedro y don Juan, regentes de Castilla

1327-1328 Alianza de Muhammad IV y el meriní Abu Sa'id 'Utman

1333 Recuperación de Gibraltar, en poder castellano, por los meriníes

1340 Derrota, junto a los meriníes, en la batalla del Salado o de Tarifa, frente a Castilla

1344 Conquista de Algeciras por Alfonso XI. Tregua de diez años con Castilla

1369 Recuperación de Algeciras por Muhammad V

1372 Ruptura con los meriníes. Muhammad V establece relaciones con Tremecén y Túnez y arrebata Gibraltar a los meriníes, que ya no volverán a al-Andalus

1373 Recuperación de Gibraltar, en poder meriní, por Muhammad V

1392-1406 Ofensiva contra Castilla

1410 Conquista de Antequera por el infante Fernando de Aragón, regente de Castilla

1431 Grave derrota en la batalla de la Higueruela ante Juan II de Castilla

1462 Conquista de Gibraltar y Archidona por Juan II. Treguas

1479 Castilla y Aragón se unen bajo Isabel I y Fernando II

1482 Conquista de Alhama por Fernando el Católico. Victoria de Abu l-Hasan en Loja

1483 Victoria aplastante en la Ajarquía de Málaga. Derrota en Lucena y cautiverio de Boabdil, que firma un tratado de vasallaje y se instala en Guadix. Guerra civil en Granada

1485 Asedio y capitulación de Coín, Carátama, Ronda y Marbella

1486 Asedio y capitulación de Loja, Íllora y Moclín. Guerra civil en el Albaicín de Granada

1487 Asedio y capitulación de Málaga

1489 Asedio y capitulación de Baza. Entrega de Almería y Guadix por Muhammad XII al-Zagal

1491 Asedio y capitulación de Granada

1492 Entrega de la Alhambra (2 de enero) y de la ciudad (6 de enero). Exilio de Boabdil en su principado de Andarax

* Fuente: María Jesús Viguera Molins.

Cuadro genealógico de la dinastía nazarí*

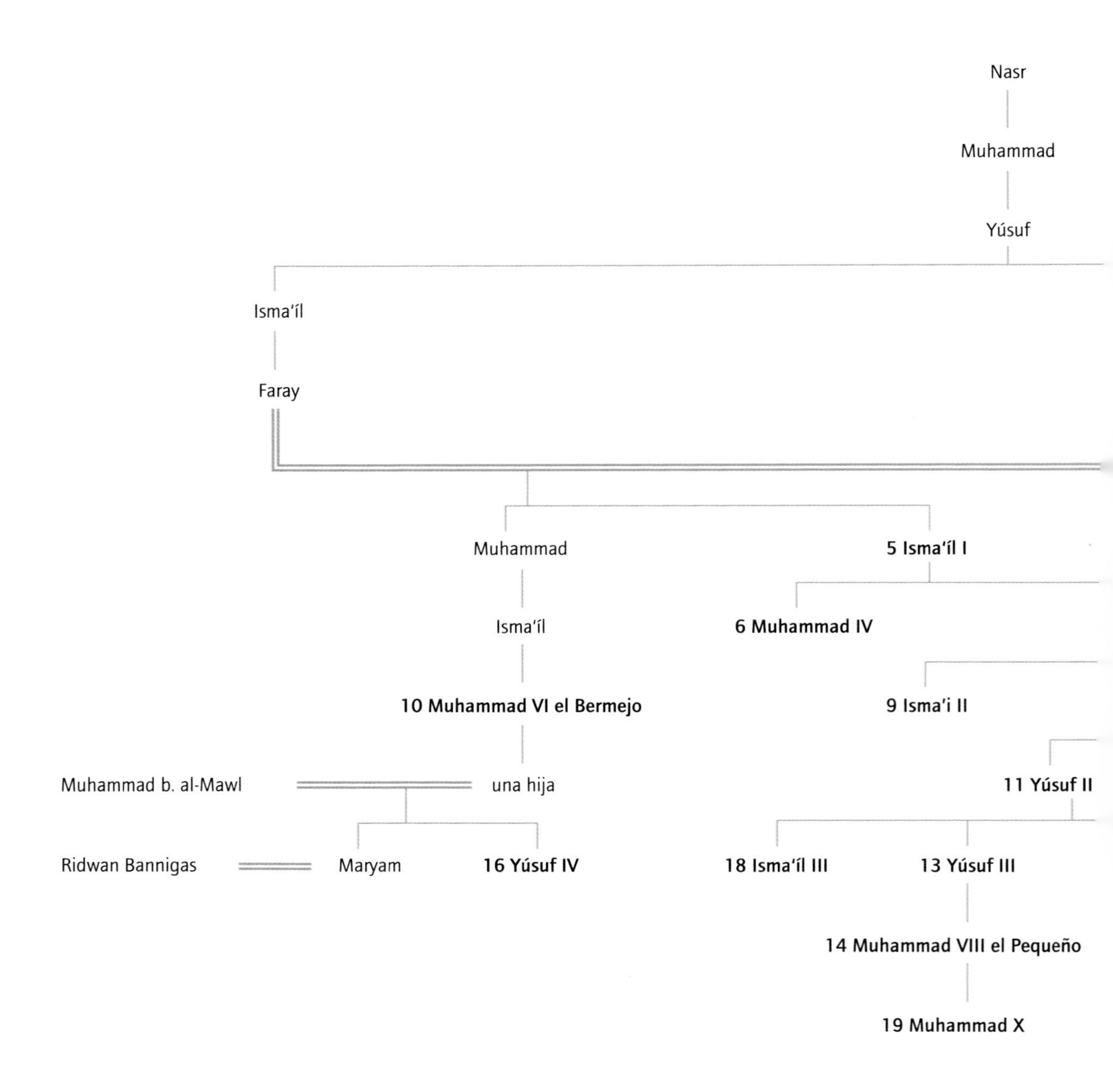

descendencia

matrimonio

Negrita y número: Sultán

* Fuente: María Jesús Viguera Molins.

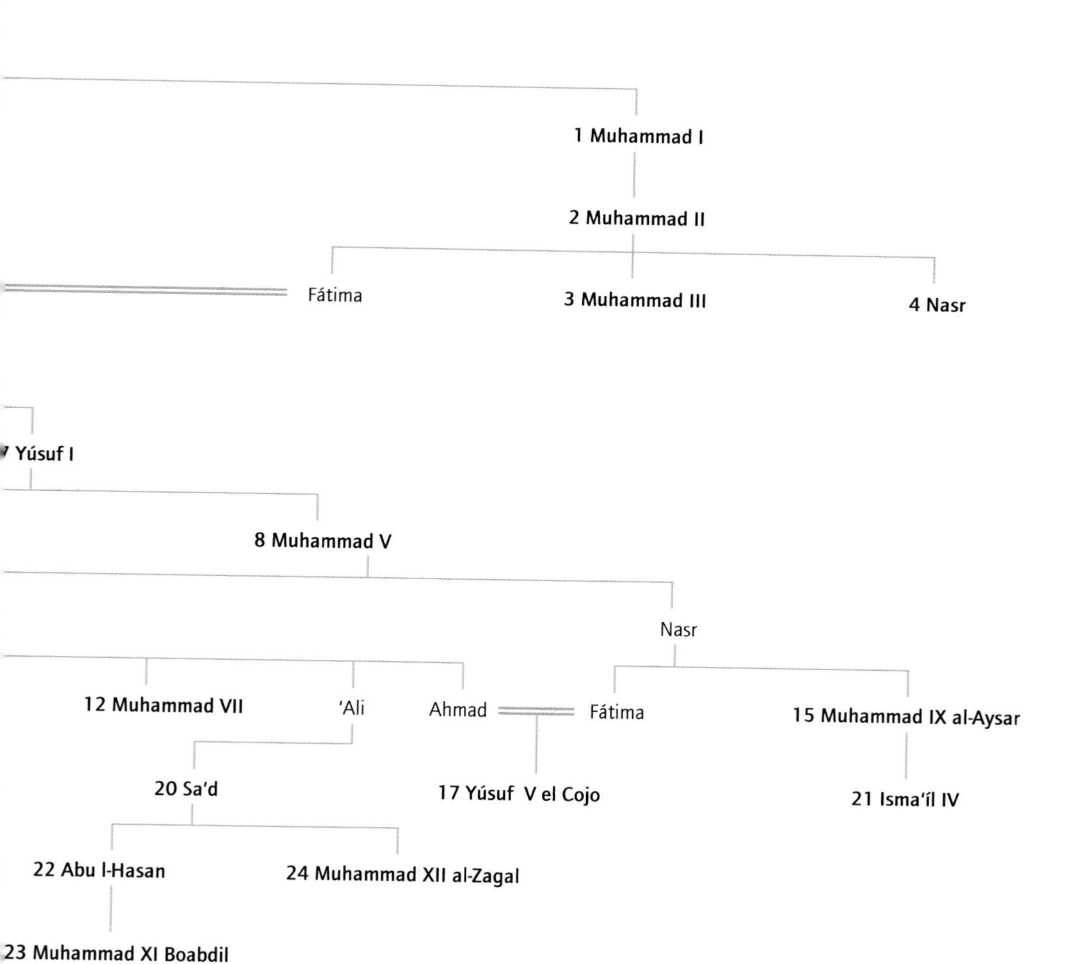

1 Muhammad I
2 Muhammad II
Fátima
3 Muhammad III
4 Nasr
7 Yúsuf I
8 Muhammad V
Nasr
12 Muhammad VII
'Ali
Ahmad
Fátima
15 Muhammad IX al-Aysar
20 Sa'd
17 Yúsuf V el Cojo
21 Isma'íl IV
22 Abu l-Hasan
24 Muhammad XII al-Zagal
23 Muhammad XI Boabdil

Cuadro comparativo de los soberanos de Granada, Castilla, Aragón y el Magreb Al-Aqsà (Marrakech y Fez)*

Granada	Castilla
Muhammad I (1232-1273)	Fernando III el Santo (1217-1252)
	Alfonso X el Sabio (1252-1284)
Muhammad II (1273-1302)	Sancho IV el Bravo (1284-1295)
Muhammad III (1302-1309)	Fernando IV el Emplazado (1295-1312)
Nasr (1309-1314)	
Isma'íl I (1314-1325)	Alfonso XI el Justiciero (1312-1350)
Muhammad IV (1325-1333)	
Yúsuf I (1333-1354)	
Muhammad V (1354-1359) (1º)	Pedro I el Cruel (1350-1369)
Isma'íl II (1359-1360)	
Muhammad VI (1360-1362)	
Muhammad V (1362-1391) (2º)	
	Enrique II Trastámara (1369-1379)
	Juan I (1379-1390)
Yúsuf II (1391-1392)	Enrique III el Doliente (1390-1406)
Muhammad VII (1392-1408)	
Yúsuf III (1408-1417)	Juan II (1406-1454)
Muhammad VIII el Pequeño (1417-1419) (1º)	
Muhammad IX al-Aysar (1419-1427) (1º)	
Muhammad VIII el Pequeño (1427-1430) (2º)	
Muhammad IX al-Aysar (1430-1431) (2º)	
Yúsuf IV Ibn al-Mawl (1432)	
Muhammad IX al-Aysar (1432-1445) (3º)	
Yúsuf V el Cojo (1445-1446)	
Isma'íl III (1446-1447)	
Muhammad IX al-Aysar (1447-1453) (4º)	
Muhammad X el Chiquito (1453-1454) (1º)	
Sa'd (1454-1455) (1º)	Enrique IV el Impotente (1454-1474)
Muhammad X el Chiquito (1455) (2º)	
Sa'd (1455-1462) (2º)	
Isma'íl IV (1462-1463)	
Sa'd (1463-1464) (3º)	
Abu l-Hasan 'Ali (Muley Hacén) (1464-1482) (1º)	
Muhammad XI (Boabdil) (1482-1483) (1º)	Isabel la Católica (1474-1504)
Abu l-Hasan 'Ali (Muley Hacén) (1483-1485) (2º)	
Muhammad XII al-Zagal (1485-1487)	
Muhammad XI (Boabdil) (1487-1492) (2º)	

* Fuente: María Jesús Viguera Molins.

Aragón	Magreb al-Aqsà
Jaime I (1213-1276)	ALMOHADES
	Al-Rasid (1232-1242)
	Al-Rasid (1242-1248)
	Al-Murtadà (1248-1266)
	MERINÍES
	Abu Sa'id I (1217-1240)
	Abu Mu'arraf (1240-1244)
	Abu Yahyà (1244-1258)
Pedro III el Grande (1276-1285)	Abu Yúsuf Ya'qub (1258-1286)
Alfonso III el Liberal (1285-1291)	Abu Ya'qub Yúsuf (1286-1307)
Jaime II el Justo (1291-1327)	Abu Tabit'Amir (1307-1308)
	Abu l-Rabi (1308-1310)
	Abu Sa'id II (1310-1331)
Alfonso IV el Benigno (1327-1336)	
Pedro IV el Ceremonioso (1336-1387)	Abu l-Hasan (1331-1351)
	Abu 'Inan (1348-1358)
	Al-Sa'id I (1358-1359)
	Abu Salim (1359-1361)
	Abu 'Umar (1361)
	Abu Zayyan (1361-1367)
Juan I de Aragón (1387-1395)	'Abd al-'Aziz (1367-1372)
	Al-Sa'id II (1372-1374)
	Abu l-'Abbas (1374-1384)
	Abu Faris Musà (1384-1386)
	Abu l-'Abbas (1387-1393)
	'Abd al-'Aziz (1393-1396)
Martín I el Humano (1395-1410)	'Abd Allah (1396-1397)
Fernando I el de Antequera (1412-1416)	Abu Sa'id III (1397-1420)
Alfonso V el Magnánimo (1416-1458)	
	Abd al-Haqq (1420-1465)
Juan II (1458-1479)	
Fernando II el Católico (1479-1516)	Muhammad b. 'Imran (1465-1472)
	Muhammad al-Sayj (Banú Wattás) (1472-1504)

Dinastías islámicas*

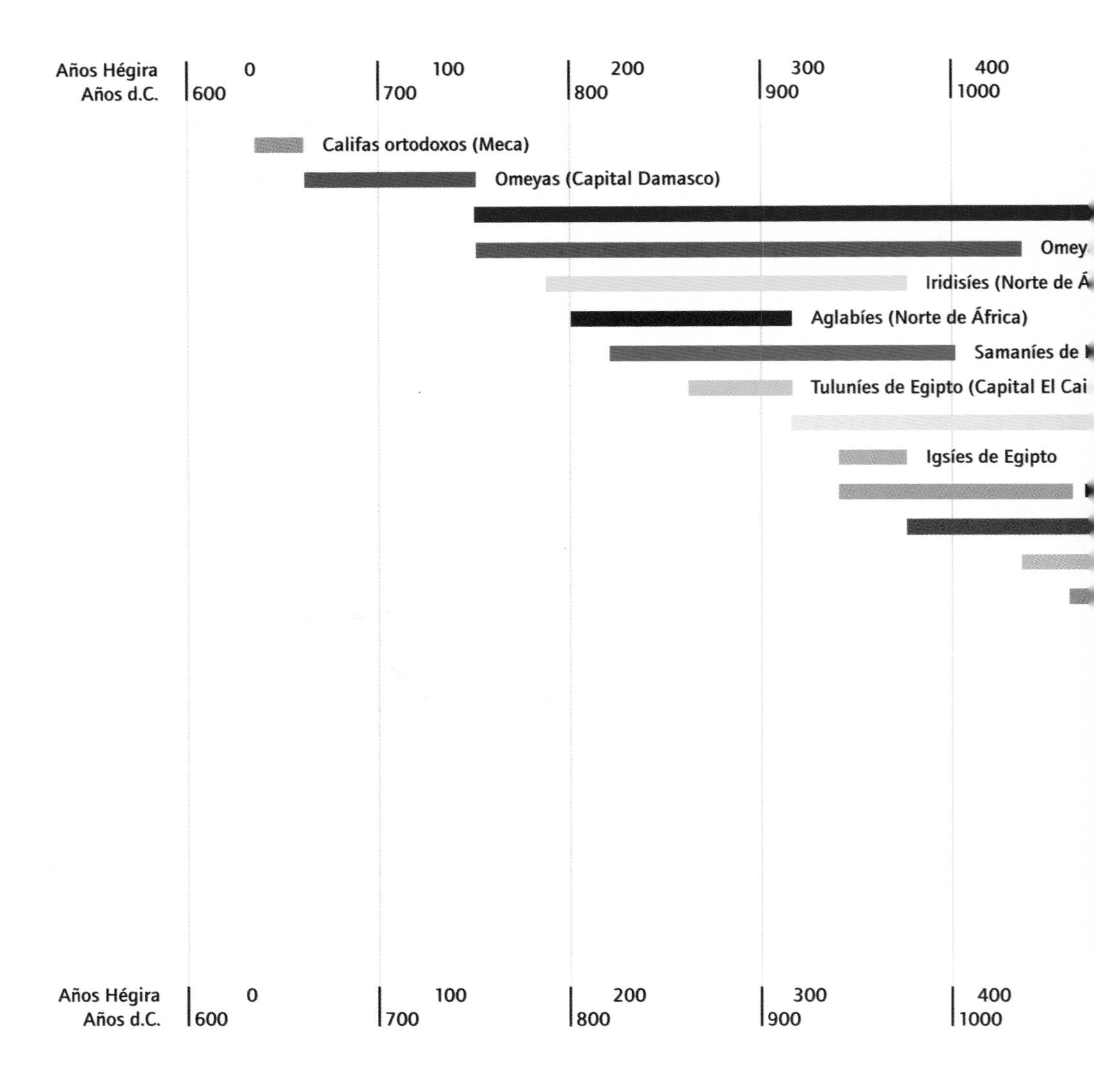

* Esquema basado en Alberto Canto y Tawfiq Ibrahim (comisarios). Catálogo Exposición *Un resplandor del Islam. Los dinares del Museo de la Casa de la Moneda*. Madrid, 2004.

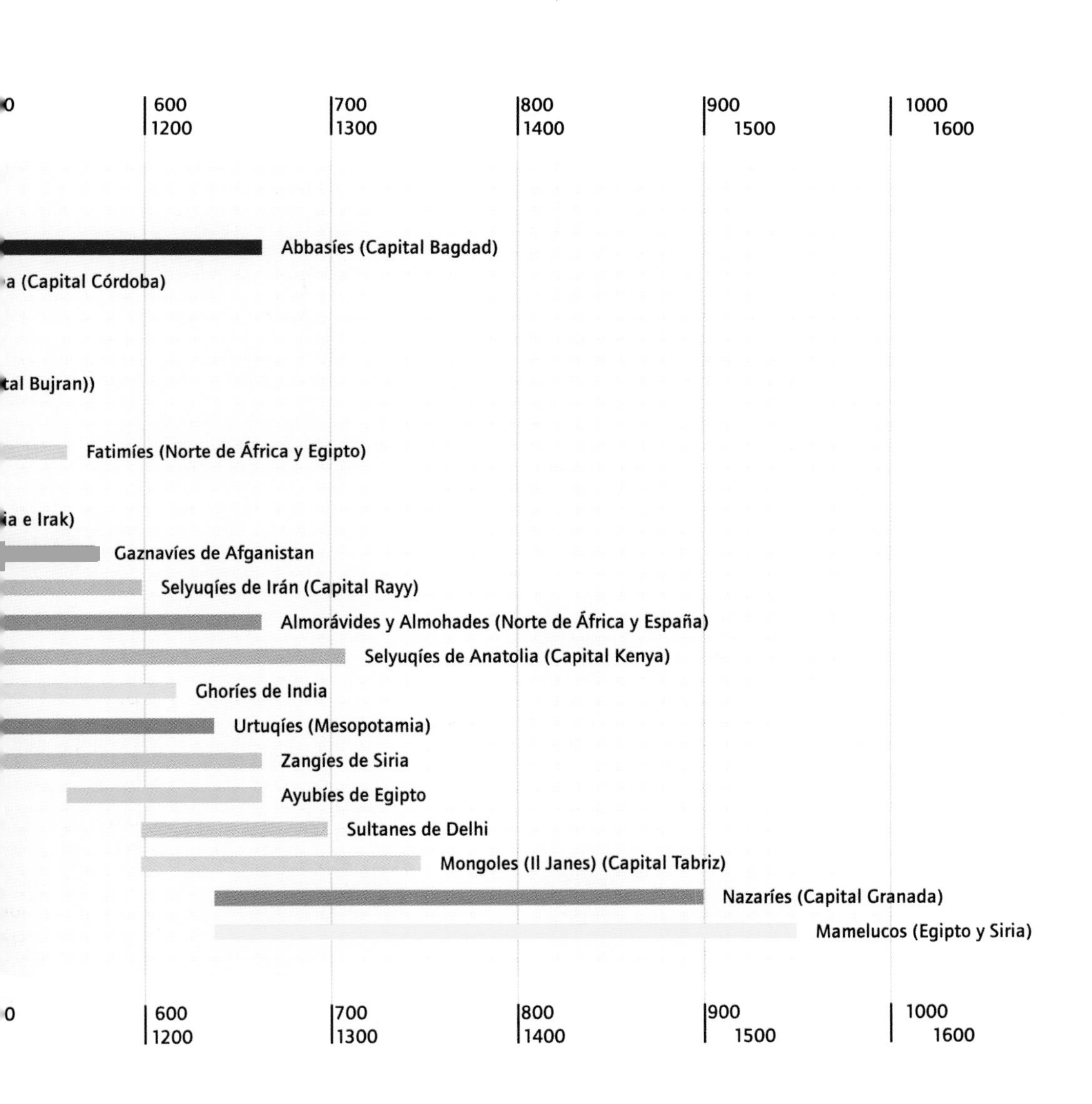
0
600
1200
700
1300
800
1400
900
1500
1000
1600
Abbasíes (Capital Bagdad)
a (Capital Córdoba)
tal Bujran))
Fatimíes (Norte de África y Egipto)
ia e Irak)
Gaznavíes de Afganistan
Selyuqíes de Irán (Capital Rayy)
Almorávides y Almohades (Norte de África y España)
Selyuqíes de Anatolia (Capital Kenya)
Ghoríes de India
Urtuqíes (Mesopotamia)
Zangíes de Siria
Ayubíes de Egipto
Sultanes de Delhi
Mongoles (Il Janes) (Capital Tabriz)
Nazaríes (Capital Granada)
Mamelucos (Egipto y Siria)
0
600
1200
700
1300
800
1400
900
1500
1000
1600

14 Anexos

Como complemento a la información contenida en esta guía, ofrecemos en las páginas siguientes una serie de datos adicionales que muestran la repercusión que este recinto monumental ha tenido a lo largo de la historia. En primer lugar se expone una serie de normas y consejos que conviene tener en cuenta para un mayor aprovechamiento de la visita. Siguen varios apartados con una selección de personajes históricos que han dejado su huella en la historia de la Alhambra y su conservación y viajeros ilustres que la han visitado, un índice onomástico con los nombres de personas que aparecen en la guía, un glosario para entender el significado de algunas palabras que se emplean y, por último, una selección de libros que pueden ayudar a conocer mejor la Alhambra.

Información práctica

La Alhambra y el Generalife constituyen un Sitio Patrimonial incluido dentro del Catálogo de Bienes del Patrimonio Mundial de la UNESCO, desde 1984. El Patronato de la Alhambra y Generalife, organismo autónomo adscrito a la Consejería de Cultura de la Junta de Andalucía, es el encargado de velar por su administración y cuidado y, en ese sentido, de adoptar las medidas necesarias para hacer compatible la protección y conservación del monumento y el acceso de los ciudadanos al mismo.

La realidad del lugar, su complejidad y riqueza, nos animan a ofrecer una serie de recomendaciones para el adecuado disfrute y comprensión de la visita. Por el mismo motivo se indican ciertas limitaciones establecidas para garantizar tanto la preservación del monumento, como la seguridad y deleite de los visitantes.

Consejos para planificar su visita

Se debe prestar atención a la información contenida en este apartado y a la que se ofrece a lo largo de los recorridos recomendados, mediante señalización estática, pantallas táctiles, bluetooth, puntos de información, puntos de lectura, portal web, etc.

Se recomienda una planificación adecuada de la visita teniendo en cuenta el tiempo disponible, priorizando los lugares a visitar en función de su interés y evitando el cansancio excesivo.

Existen cuatro espacios principales visitables: Alcazaba, Palacios Nazaríes, Partal y Generalife. El orden de visita de los mismos debe establecerse teniendo en cuenta que los Palacios Nazaríes tienen un horario fijo de acceso que se indica expresamente en cada entrada y que debe tenerse muy en cuenta para no perder la oportunidad de entrar a este espacio.

El tiempo medio total de duración de la visita oscila en torno a tres horas, por lo que recomendamos un descanso de quince minutos a la salida de los Palacios Nazaríes, en el área de descanso situado en los jardines del Partal.

Al concluir la visita al Generalife conviene hacer otra pausa en el lugar habilitado a la salida de este palacio, ya que esta zona se encuentra algo alejada tanto de la salida del recinto como de los accesos a los otros tres espacios visitables.

Es conveniente utilizar calzado adecuado y cómodo, así como, en verano, elementos que le protejan del sol.

La Alhambra cierra los días 25 de diciembre y 1 de enero. Si, por motivos de conservación u organización, debe permanecer cerrada a la visita en otras fechas, se informará de ello a través del portal web y en los puntos de información habilitados.

Adquisición de entradas

Por razones de conservación, el Patronato de la Alhambra y Generalife recuerda a los visitantes al recinto que existe limitación diaria del aforo.

Arco de entrada al salón de Comares

Turismo individual
Las entradas pueden adquirirse a través de los sistemas indicados en el portal web del Patronato de la Alhambra y Generalife, recomendándose la utilización del servicio de reserva y venta anticipada. También es posible su adquisición en las taquillas de la Alhambra.

Horario de taquilla:
- Visita diurna:
  - Del 15 de marzo al 14 de octubre: de 8:00 a 19:00 horas.
  - Del 15 de octubre al 14 de marzo: de 8:00 a 17:00 horas.
- Visita nocturna:
  - Del 15 de marzo al 14 de octubre: de 21:00 a 22:30 horas (de martes a sábado).
  - Del 15 de octubre al 14 de marzo: de 19:00 a 20:30 horas (viernes y sábado).

La Alhambra cierra los días 25 de diciembre y 1 de enero.

Turismo organizado en grupos
La adquisición de entradas para grupos organizados se podrá realizar a través del portal web del Patronato de la Alhambra y Generalife (www.alhambra-patronato.es) en "compra de entradas / turismo organizado (profesionales)".

Tipos de entrada
La visita general al Conjunto Monumental de la Alhambra se organiza en dos turnos, uno de mañana y otro de tarde. Además, existe la posibilidad de visitar en horario nocturno algunos espacios del Conjunto. El Patronato de la Alhambra y Generalife le ofrece la posibilidad de combinar su visita con otros eventos culturales que se celebren en colaboración con otras instituciones, cuya información actualizada aparecerá en el portal web y en los puntos de información habilitados.

Horarios de entrada

Visita general
- Entrada de mañana:
  - De lunes a domingo de 8:30 a 14:00 horas.
- Entrada de tarde:
  - De lunes a domingo de 14:00 a 18:00 horas (del 15 de octubre al 14 de marzo) y de 14:00 a 20:00 horas (del 15 de marzo al 14 de octubre).

Esta entrada permite acceder a todos los espacios visitables de la Alhambra y el Generalife.

Visita jardines, Alcazaba y Generalife
- Entrada de mañana:
  - De lunes a domingo de 8:30 a 14:00 horas.
- Entrada de tarde:
  - De lunes a domingo de 14:00 a 18:00 horas (del 15 de octubre al 14 de marzo) y de 14:00 a 20:00 horas (del 15 de marzo al 14 de octubre).

Esta entrada permite acceder a todos los espacios visitables, salvo a los Palacios Nazaríes.

Visita nocturna

PALACIOS NAZARÍES:
- Viernes y sábado de 20:00 a 21:30 horas (del 15 de octubre al 14 de marzo).
- De martes a sábado de 22:00 a 23:30 horas (del 15 de marzo al 14 de octubre).

GENERALIFE:
- Viernes y sábado de 20:00 a 21:30 horas (del 15 de octubre al 14 de noviembre).
- De martes a sábado de 22:00 a 23:30 horas (del 15 de marzo al 31 de mayo y del 1 de septiembre al 15 de octubre).

Para otras modalidades de visita se aconseja consultar el portal web (www.alhambra-patronato.es).

Programas especiales de visita

El Patronato de la Alhambra y Generalife organiza un conjunto de actividades de carácter educativo, divulgativo y cultural, distribuidas en una amplia oferta, desarrollada a lo largo del año.

Podrá consultar las programaciones de estas actividades en los puntos de información del monumento, en el portal web del Patronato de la Alhambra y Generalife (www.alhambra-patronato.es), así como en el centro de la ciudad, tanto en la oficina que el Patronato tiene instalada en el Corral del Carbón, calle Mariana Pineda, n.º 12, 18009 Granada, como en la tienda sita en la calle Reyes Católicos, n.º 40, 18009 Granada.

Programa la Alhambra educa (Corral del Carbón)
Orientado a la población escolar.
- La Alhambra y los niños.
- La Alhambra para mayores.
- Verano en la Alhambra.
- Dibuja y conoce el museo (día internacional de los museos, 18 de mayo).

Programa la Alhambra más cerca (tienda de Granada)
Orientado al público en general. Información en la tienda de Granada.

- Visitas guiadas por especialistas.
- Programa para familias.
- Programa para residentes granadinos.

Itinerarios alternativos

Visitas guiadas por el entorno urbano y paisajístico y otros billetes combinados
La Alhambra ofrece también otros itinerarios que pretenden dar a conocer las claves determinantes de la relación entre el monumento, la ciudad y su entorno paisajístico y urbano, a través de la memoria histórica.

Sus programas están en constante renovación, por lo que aquellas personas interesadas podrán informarse en los puntos de información establecidos a lo largo del recinto o en el portal web del Patronato de la Alhambra.

Normas obligatorias para la visita

La adquisición de cualquiera de los tipos de entrada mencionados significa la aceptación de las siguientes normas de uso del monumento:

- Retirar las reservas con una hora de antelación como mínimo a la asignada para el acceso a los Palacios Nazaríes.
- Portar una entrada con código de barras por persona, incluidos los niños menores de doce años, cuyo acceso es gratuito al monumento.
- Acceder a los Palacios Nazaríes en el horario indicado en el billete.
- Llevar a los niños menores de ocho años cogidos de la mano por motivos de seguridad.
- Depositar en las consignas mochilas, bolsos grandes y carritos de bebé (ver plano).
- Fumar, comer y beber únicamente en los espacios habilitados para ello (ver plano), quedando prohibido en el resto del recorrido monumental. A lo largo del recinto existen fuentes con agua potable.
- Fotografiar sin la utilización de trípode y flash, salvo expresa autorización.

Por razones de conservación del monumento, no deben tocarse elementos decorativos, muros, columnas, yeserías, celosías y plantas, pues todo el monumento integra elementos de diferentes épocas que son extremadamente frágiles y se dañan fácilmente.

Para contribuir al mantenimiento del recinto no debe arrojarse basura ni residuos, salvo en las papeleras instaladas en el mismo.

Mientras permanezca en el recinto monumental no podrá desvestirse, descalzarse o tumbarse en bancos, pretiles ni jardines, así como tampoco acceder acompañado de animales, salvo aquellos perros guía que ayudan a personas con deficiencia visual a realizar la visita de una forma más cómoda.

El Patronato de la Alhambra y Generalife, por motivos de seguridad, conservación o celebración de otros eventos, podrá realizar las modificaciones oportunas en los itinerarios, así como limitar el acceso a determinados espacios o pases horarios, incluso suspender temporalmente la visita pública.

Con el fin de preservar el legado histórico y cultural, así como la seguridad de ciudadanos y visitantes, el recinto monumental se encuentra sometido a videovigilancia, conforme a la legislación vigente.

Servicios generales

Dirección
Patronato de la Alhambra y Generalife
Calle Real de la Alhambra, s/n, 18009, Granada.
España
http://www.alhambra-patronato.es

Servicio de información
Existen puntos donde se facilita información, en varios idiomas, sobre horarios, itinerarios, accesos y todos los servicios del monumento. Estos puntos de información están situados en lugares estratégicos del Conjunto Monumental (ver plano en páginas 24-25).
Teléfono de información: 902 441 221

Puntos de atención al visitante
En ellos se atiende, en diferentes idiomas, cualquier incidencia o problema que pueda surgirle al visitante durante su estancia en el monumento (ver plano en páginas 24-25).

Consigna
En el atrio o pabellón de acceso y en el pabellón de servicios junto a la puerta del Vino se ofrece un servicio de consigna para depositar los paquetes, bolsas y bolsos de tamaño mayor a 35 cm.

Asociación de guías
El Patronato de la Alhambra no ofrece servicio guiado al monumento. No obstante, este servicio es prestado por la Asociación Provincial de Informadores Turísticos, organismo privado e independiente del Patronato de la Alhambra y Generalife.

Máquinas expendedoras de comida y bebida
El recinto dispone de máquinas expendedoras de comida y bebida, situadas en las siguientes áreas:

- Aparcamiento de la Alhambra.
- Pabellón de acceso.
- Pabellón de servicios junto a la puerta del Vino.

Áreas de descanso
El recinto dispone de las siguientes áreas de descanso:

- Jardines del Partal (junto al pórtico de la torre de las Damas).
- Mirador de la Casa de los Amigos (junto al paseo de las Adelfas).

Asimismo, existen otras áreas de descanso en las que está permitido comer, beber o fumar:

- Plaza de los Aljibes.
- Paseo de los Nogales.
- Jardines de las Placetas, frente a los cañones y en la plaza del palacio de Carlos V en el sector acotado para ello.
- Plaza de la Alhambra (frente al atrio o pabellón de acceso).

Tiendas-librería de la Alhambra
Existen tres tiendas-librería oficiales de la Alhambra, distribuidas por el recinto, entre ellas, una en el atrio o pabellón de entrada y otra en el palacio de Carlos V, y una cuarta en el centro de la ciudad, en la calle Reyes Católicos, nº 40. También existe una tienda virtual con acceso desde el portal web de la Alhambra. En ellas puede encontrar publicaciones especializadas, así como CD's y DVD's, objetos de papelería y otros artículos relacionados con la Alhambra y el Generalife.

Aparcamiento de vehículos
El monumento dispone de un aparcamiento público, vigilado y abierto las 24 horas del día, con capacidad para 630 vehículos. Dispone de plazas reservadas para personas con discapacidad, autocares y caravanas.

Audioguía
Disponemos de un servicio de audioguías en varios idiomas para facilitar la visita. Su alquiler puede realizarse en el atrio o pabellón de acceso, junto a las taquillas, y en la tienda situada en el palacio de Carlos V.

Aseos
Están situados en:

- Atrio o pabellón de acceso (aseos adaptados para personas con discapacidad).
- Pabellón de servicios, junto a la puerta del Vino (aseos adaptados para personas con discapacidad).
- Jardines Nuevos del Generalife (aseos adaptados para personas con discapacidad).
- Patio del Ciprés de la Sultana, en el Generalife.

Atención sanitaria
Se ha habilitado un puesto de primeros auxilios en el pabellón de servicios junto a la puerta del Vino, atendido por personal sanitario de la organización Cruz Roja Española.

Buzones de correos
Se encuentran situados en la antigua estafeta de la calle Real de la Alhambra, y en el atrio o pabellón de acceso.

Teléfonos públicos
Existen teléfonos públicos distribuidos por todo el recinto.

Objetos perdidos
En caso de extravío de objetos personales, los visitantes pueden solicitar información en el Centro de Atención al Visitante.
(Ver ubicación de servicios en plano páginas 24-25).

Oferta cultural

Museos
El Conjunto Monumental de la Alhambra presenta una variada oferta museográfica de carácter permanente, complementaria a la propia visita. En los museos de la Alhambra se puede percibir el amplio abanico patrimonial del monumento que va desde la arqueología medieval islámica a las bellas artes, desde la perspectiva de su entorno histórico y cultural.

Museo de la Alhambra
Se encuentra ubicado en el interior del palacio de Carlos V, en la planta baja (ver páginas 76-78).

Museo de Bellas Artes de Granada
Ubicado en la planta primera del palacio de Carlos V (ver página 79).

Museo Ángel Barrios
Situado en la calle Real de la Alhambra, junto a la iglesia de Santa María de la Alhambra (ver páginas 214-215).

La información sobre sus horarios de visita, no totalmente coincidentes con los del resto del recinto, se ofrece actualizada en el portal web y en los puntos de información habilitados. En el Museo de la Alhambra se realizan visitas guiadas por voluntarios de la tercera edad.

Programa: la pieza del mes
El Museo de la Alhambra ofrece los sábados (excepto festivos) por la mañana un programa gratuito de visitas temáticas guiadas realizadas por especialistas. Consultar en el portal web y en los puntos de información habilitados.

Programa: espacio del mes
Cada mes se puede visitar un espacio del monumento que habitualmente se encuentra cerrado por motivos de conservación o de seguridad, ya que su estructura y características no admiten un elevado número de visitantes. Se ofrece información en el atrio o pabellón de acceso y en diversos puntos del monumento. Consultar el programa en la página web y en los puntos de información habilitados.

Exposiciones temporales
El Patronato de la Alhambra promueve también exposiciones temporales, instaladas habitualmente en la capilla y cripta del palacio de Carlos V, en colaboración con museos y otros centros patrimoniales, nacionales e internacionales. Su finalidad es mostrar y difundir parte de los bienes museísticos, bibliográficos y documentales conservados en el monumento.

Biblioteca de la Alhambra
La Biblioteca del Patronato de la Alhambra y Generalife es un centro especializado en arte y arquitectura del Islam, arqueología, jardinería y paisaje, conservación y técnica arquitectónica, restauración, administración y gestión del Patrimonio, archivística, biblioteconomía y museología, historia, literatura y pensamiento oriental, orientalismo, arte del Renacimiento y artes decorativas del Islam.

Se encuentra instalada en el edificio llamado de los Nuevos Museos, situado junto al paseo del Generalife. Su acceso está limitado a días laborables y en horario matutino, adaptado a los ajustes horarios oficiales.

Para acceder a la sala de consulta se necesita estar en posesión de la tarjeta de investigador emitida por el Patronato de la Alhambra y Generalife, o solicitar una autorización temporal.

Debido a las características de sus fondos y colecciones, existe una normativa de acceso, disponible en el propio local y en el portal web del Patronato.

La Biblioteca de la Alhambra pone a disposición de sus usuarios, entre otros, los siguientes servicios:

- Sala de investigadores, dotada de medios informáticos, con acceso al catálogo de la propia Biblioteca así como a internet.
- Publicaciones periódicas. Es una de las colecciones más importantes de la Biblioteca, existiendo un catálogo informatizado de consulta.
- Préstamo interno.
- Préstamo interbibliotecario.
- Petición de adquisiciones.
- Petición de información.
- Reproducción de documentos. De las consultas que se realicen es posible obtener reproducción, tanto en formato de papel como digital, sujeto a precios públicos estipulados.

La institución cuenta con un amplio fondo complementado por varias colecciones de monografías, legados especiales y un variado e importante conjunto de publicaciones periódicas, folletos, separatas y audiovisuales.

Archivo de la Alhambra
El Archivo del Patronato de la Alhambra y Generalife, integrado en el Sistema Andaluz de Archivos, recoge, conserva y pone a disposición del personal del Patronato, investigadores y ciudadanos la documentación producida en el ámbito del Conjunto Monumental a lo largo de su historia.

Sus instalaciones están situadas junto al paseo del Generalife, en el edificio llamado de los Nuevos Museos, con acceso limitado en días laborables y en horario matutino, adaptado a los ajustes horarios oficiales.

Para acceder a su sala de consulta es necesario solicitar una autorización temporal o estar en posesión de la tarjeta de investigador emitida por el Patronato de la Alhambra. Dadas las características de sus fondos y colecciones, existe una normativa de acceso, disponible en el propio local y en el portal web del Patronato.

El Archivo presta, entre otros, los siguientes servicios a sus usuarios:

- Información sobre el propio Archivo, sus fondos y colecciones, así como documentación relacionada existente en otros archivos.
- Solicitud sobre sus fondos documentales.
- Reproducción de documentos.
- Realizar sugerencias y reclamaciones.

El Archivo de la Alhambra elabora periódicamente un boletín con el que pretende difundir el trabajo que realiza y por ende el extenso y rico patrimonio documental que conserva.

Publicaciones

Las publicaciones editadas por el Patronato de la Alhambra siguen fundamentalmente dos líneas, una de ellas, la consolidación de la línea editorial clásica del Patronato, de carácter eminentemente científico, representada por la revista *Cuadernos de la Alhambra*, que es un referente en el campo de la investigación y difusión patrimonial; la otra se centra en la publicación anual de colecciones temáticas, como la «Colección Plural de la Biblioteca de la Alhambra», la «Colección de Monografías de la Alhambra» o la «Colección Fuentes de Investigación», entre otras.

Sala de conferencias

En el palacio de Carlos V existe una sala dedicada a las actividades culturales y científicas que a lo largo del año se desarrollan en el recinto del monumento: seminarios, cursos, conferencias, presentaciones de libros y otros actos directamente relacionados con la difusión del legado histórico y cultural de la Alhambra y el Generalife.
Aforo: 90 personas.

Actos culturales

El Patronato de la Alhambra colabora con otras entidades públicas y privadas para la realización, en el recinto y fuera de él, de actos culturales y de difusión histórica y artística. Su objetivo es favorecer el conocimiento de la imagen y los valores del monumento y de las culturas a él ligadas. Igualmente, el Patronato ofrece, de forma directa y regular, un conjunto de programas y actividades de carácter educativo, divulgativo y cultural.

Podrá consultar el programa de todas las actividades en los puntos de información del monumento o a través del portal web del Patronato de la Alhambra y Generalife:
www.alhambra-patronato.es.

Festival Internacional de Música y Danza de Granada

La ciudad ofrece variadas actividades culturales a lo largo del año. La más arraigada es el Festival Internacional de Música y Danza de Granada, que se celebra en varios escenarios repartidos por toda la ciudad, entre ellos la Alhambra y el Generalife. Anualmente, entre los meses de junio y julio, el teatro al aire libre del Generalife, el palacio de Carlos V, el patio de los Arrayanes y la plaza de los Aljibes se convierten en escenarios que acogen representaciones escénicas de primerísimo nivel con las mejores orquestas y compañías nacionales e internacionales.
(www.granada-festival.org)

Lorca y Granada en los jardines del Generalife

Este programa nació en 2001 con el objetivo de crear un gran espectáculo cultural para las noches del verano granadino. La figura de Federico García Lorca y el conocimiento universal de su obra constituye un poderoso atractivo para todos los públicos. Su capacidad de evocación nos proporciona la fórmula perfecta que parte de nuestros autores y de nuestras más antiguas raíces culturales, como el flamenco, en simbiosis con un lenguaje creativo multicultural, reflejo del potencial cultural de Andalucía. Tiene lugar en verano.

La Alhambra, con la Alcazaba en primer plano, el palacio de Carlos V y Santa María al fond

Personalidades relacionadas con la Alhambra

Muhammad I. Al-Ahmar
(Arjona, 1194-Granada, 1273)
Fundador de la dinastía nazarí, reinó entre 1237 y 1273. En 1238 se instaló en la antigua alcazaba del Albaicín, pero se fijó en las ruinas de la colina de la Alhambra y decidió iniciar su reconstrucción e instalar en ella la sede de la corte. Comenzó la edificación de la Alhambra que hoy conocemos.

Yúsuf I
(Granada, 1318-Granada, 1354)
Séptimo soberano de la dinastía nazarí (1333-1354). Bajo su reinado se construyó el palacio de Comares, una de las joyas de la arquitectura nazarí, y se inauguró la Madraza de Granada. Firmó acuerdos con Alfonso XI de Castilla y Alfonso IV de Aragón para mantener la paz, pero el control del estrecho de Gibraltar originó la reanudación de la guerra.

Muhammad V
(Granada, 1338-Granada, 1391)
Protagonizó la etapa de mayor apogeo del sultanato nazarí (1354-1359/1362-1391), de cuyo desarrollo artístico destaca la construcción del palacio de los Leones y la fachada de Comares, construida con motivo de la conquista de Algeciras en 1370.

Muhammad XI-Boabdil
(Granada, 1452-Fez, 1528)
Fue el último rey de la Alhambra con el nombre Muhammad XI, llamado por los cristianos Boabdil o Boabdil el Chico y conocido popularmente por «el desdichado» (1482-1483/1487-1492). Hijo de Muley Hacén y la sultana Aixa, se sublevó en Guadix contra su padre en 1482 y accedió al trono gracias al apoyo de los Abencerrajes y de su propia madre. El 2 de enero de 1492 finalizó el periodo del sultanato nazarí con la toma de Granada por los Reyes Católicos.

Aixa bin Muhammad Ibn al-Ahmar
Esposa de Muley Hacén y madre de Boabdil el Chico, a quien ayudó, con el apoyo de los Abencerrajes, a acceder al trono de Granada. Fue el alma de la resistencia contra los Reyes Católicos y acompañó en 1493 a su hijo a Fez, al exilio, donde murió al poco tiempo.

Ibn al-Yayyab
(Granada, 1274-Granada, 1349)
Poeta y político durante la dinastía nazarí del reino de Granada, a la que sirvió durante más de cincuenta años, algo insólito en una corte acostumbrada a las intrigas del poder. Comenzó su andadura bajo Muhammad II, creador del *Diwán al-Insa'* u oficina de redacción, que rigió como Wazir-Primer Ministro. Escribió *qasidas* neoclásicas, series de versos monorrimos en metro uniforme. Algunos de sus poemas se encuentran en palacios como en el pórtico del Generalife.

Ibn al-Jatib
(Loja, 1313-Fez, 1374)
Fue el más grande polígrafo nazarí: poeta, escritor, historiador, filósofo y político, sus mejores textos decoran las paredes de la Alhambra. Pasó gran parte de su vida en la corte del sultán Muhammad V, a quien sirvió como historiador y ministro y con quien llegó a establecer lazos de amistad. Ejerció altas funciones políticas, siendo nombrando doble visir, que le valió el apodo de *Dhûl-wizaratayn* o «el hombre de los dos visiratos». Autor de numerosos libros sobre historia y cronologías, llegó a escribir su autobiografía en 1369. Obligado en dos ocasiones a exiliarse al norte de África sirvió también al gobierno de los meriníes, siendo detenido y juzgado en Granada; enfrentado al cargo de traición, fue condenado a prisión y a la destrucción de todos sus libros; pero el gobierno contrató asesinos profesionales que lo estrangularon en su celda de la prisión de Fez, en 1374.

Ibn Zamrak
(Granada, 1333-Granada, 1394)
Político y, tal vez, el mejor de los poetas de la Alhambra, cuyos poemas decoran sus más destacadas fuentes y palacios, como la taza de la fuente de los Leones. De origen humilde, gracias a su maestro Ibn al-Jatib fue introducido en la corte. Acompañó al Magrib al sultán Muhammad V quien, al ser restituido en el trono de Granada, lo nombró su secretario privado y lo designó poeta de la corte. Cuando Ibn al-Jatib fue destituido del cargo de visir, en 1371, Ibn Zamrak lo remplazó. Posteriormente, Ibn Zamrak mismo fue encarcelado durante cerca de dos años, y fue asesinado por orden del sultán Muhammad VII.

Reyes Católicos
(1492-1516)
Isabel I de Castilla (Madrigal de las Altas Torres, Ávila, 1451-Medina del Campo, Valladolid, 1504) y Fernando II de Aragón (Sos, Zaragoza, 1452-Madrigalejo, Cáceres, 1516). El reinado de los Reyes Católicos significó el tránsito del mundo medieval a la época moderna en España. Con su enlace se consiguió la unión, en la dinastía de los Trastámara, de las coronas de Castilla y de Aragón. Con la conquista de Granada, en 1492, la Alhambra pasó a ser palacio real. Los reyes nombraron a Íñigo López de Mendoza, conde de Tendilla, alcaide de la Alhambra.

Íñigo López de Mendoza y Quiñones
(¿Guadalajara?, 1440-Granada, 1515)
Segundo conde de Tendilla y primer marqués de Mondéjar, llamado el Gran Tendilla, fue el primer gobernador de la Alhambra, al ser nombrado alcaide de la Alhambra y capitán general de Granada por los Reyes Católicos. Tras la conquista cristiana mandó construir, bajo la plaza de los Aljibes, un enorme depósito de agua, espléndida obra de abovedamiento.

Jerónimo Münzer
(Feldkirch, 1437 o 1447-Núremberg, 1508)
Humanista, médico, geógrafo y cartógrafo alemán. Llegó a Granada en 1494, dos años después de la conquista por los Reyes Católicos, y fue recibido en el desaparecido palacio de Yúsuf III, del que dejó testimonios escritos útiles para conocer cómo era.

Andrea Navaggero
(Venecia, 1483-Blois, 1529)
Escritor y político, fue embajador de Venecia ante la corte de Carlos V, y permaneció en España entre 1525 y 1528. Dejó como testimonio su *Viaje por España*, en el que describe el jardín bajo el palacio del Generalife de la siguiente manera: «con hiedras que cubrían sus paredes y con una fuente que arrojaba agua a una altura de diez brazas».

Pedro Machuca
(Toledo, 1485-1550)
Pintor y arquitecto español del siglo XVI, considerado uno de los primeros representantes del manierismo en España. Fue el arquitecto que proyectó y edificó el palacio de Carlos V, edificio renacentista encargado por el emperador como residencia de Granada en el recinto de la Alhambra junto a los Palacios Nazaríes.

Luis Hurtado de Mendoza y Pacheco
(Guadalajara, 1489-Mondéjar, Guadalajara, 1566)
Tercer conde de Tendilla y segundo marqués de Mondéjar. Fue el segundo alcaide de la Alhambra y capitán general de Granada, pues a la muerte de su padre le sucedió en todos sus cargos. Fue amigo personal de Carlos V, desde que este y su esposa, Isabel de Portugal, se alojaron en la Alhambra durante su viaje de bodas (1526). Además supervisó la construcción de la catedral de Granada y del palacio de Carlos V en la Alhambra (Pedro Machuca, el arquitecto, era escudero suyo), así como el llamado pilar de Carlos V.

Pedro de Granada Venegas
Tercer señor de Campotéjar y Jayena. Tras la conquista cristiana de la Alhambra en 1492, los Reyes Católicos concedieron al Generalife un alcaide para su custodia y aprovechamiento. Dicha alcaldía pasó a perpetuidad, a partir de 1631, a la familia Granada-Venegas, hasta que después de un largo pleito iniciado en el siglo XIX, se incorporó al Estado en 1921.

Garcilaso de la Vega
(Toledo, 1498?-Niza, 1536)
Fue educado en la corte, donde en 1519 conoció al que sería gran amigo y compañero de letras, Juan Boscán. En 1520 entró a servir a Carlos I, y en 1525 casó con Elena de Zúñiga, dama de la hermana de Carlos V, entrando a formar parte de su séquito. Acompaña a la corte a Roma en 1529 para la investidura en Bolonia como emperador de Carlos I de España. Granada en 1526 concentró la diplomacia de Europa, donde coincidieron, el nuncio Baldassare Castiglione; los embajadores de Inglaterra, de Polonia y de Venecia. El encuentro con Boscán y Navaggero en los jardines del Generalife a propósito sobre la moda de escribir «...en lengua castellana sonetos y otras artes de trovas usadas por los buenos autores de Italia...» marcó el punto de inflexión en la lírica de Garcilaso.

Juan Boscán Almogaver
(Barcelona, 1493-Perpiñán, 1542)
Poeta y traductor del Renacimiento. De familia noble, sirvió en la corte de los Reyes Católicos y después en la del rey Carlos I de España. Fue el introductor del verso endecasílabo y las estrofas italianas, así como el poema en endecasílabos blancos y los motivos y estructuras del petrarquismo en la poesía castellana. Se persuadió de ello en una conversación con su amigo, el embajador veneciano y humanista Andrea Navaggero, en los jardines del Generalife, como contó él mismo, ya que este le animó a intentar esa experiencia poética.

Carlos V
(Gante, 1500-Yuste, Cáceres, 1558)
Carlos I (1516-1556), primer rey que unió en su persona las coronas de Castilla y Aragón, fue nombrado emperador del Sacro Imperio Romano Germánico como Carlos V (1519-1558). El mismo año que mandó construir el palacio renacentista en la Alhambra (1526), se instala en ella tras su boda en Sevilla con Isabel de Portugal. Ésta elegiría como aposento el Cuarto Dorado, habitaciones anteriormente renovadas por los Reyes Católicos, que eran las más cómodas que disponían los palacios nazaríes. La adecuación de nuevos espacios para alojar al Emperador mientras se hacía el palacio nuevo, respondían a los nuevos gustos del monarca por los adornos italianos. La sensibilidad por el paisaje de Granada, donde pasaría «las más felices horas de su existencia» y la necesidad de modificar estructuras medievales propició la intervención en una torre con destino a la Emperatriz que tomaría el nombre de Mirador y luego Tocador o Peinador de la Reina, hoy uno de los tesoros de la Alhambra.

Fray Luis de Granada
(Granada, 1504-Lisboa, 1551)
Escritor español y fraile dominico. Huérfano desde muy pequeño, fue acogido por la familia de los Mendoza, condes de Tendilla, gobernadores de la Alhambra, donde pasó su infancia como paje de los hijos de Tendilla, hasta los diecinueve años, cuando decidió entrar en el convento dominico de Santa Cruz la Real.

Julio Aquiles y Alejandro Mayner
Pintores del siglo XVI, discípulos de Rafael Sanzio y de Giovanni de Udine. En 1537 decoran las Habitaciones del Emperador, conocidas como salas de las Frutas. Entre 1539 y 1546 decoran los frescos del Peinador de la Reina, donde representan en ocho cuadros la conquista de Túnez por Carlos V.

Íñigo López de Mendoza y Mendoza
(?-1512-Mondéjar, Guadalajara, 1580)
Tercer marqués de Mondéjar y cuarto conde de Tendilla. En 1543 su padre le cedió el cargo de alcaide de la Alhambra, y durante su mandato tuvo lugar la guerra contra los moriscos, que fueron expulsados de Granada en 1570, tras lo cual el Albaicín quedó despoblado.

Felipe V
(Versalles, 1683-Madrid, 1746)
Duque de Anjou, primer rey Borbón de España, desde 1700, su abuelo fue el rey francés Luis XIV y sus padres, el Gran Delfín de Francia, Luis, y María Ana Victoria de Baviera. Felipe V desposeyó de la alcaldía de la Alhambra al marqués de Mondéjar, heredero del conde de Tendilla. Comenzó entonces para esta una etapa de abandono prácticamente hasta el reinado de Carlos IV. Fue el último rey que habitó en la Alhambra.

François-René de Chateaubriand
(Saint-Malo, Bretaña, 1768-París, 1848)
Diplomático, político y escritor francés, autor de *El último Abencerraje*, considerado fundador del romanticismo en la literatura francesa. En 1807 llegó a Granada, donde tomó apuntes para ilustrar el *Viaje pintoresco* de su hermano Alejandro, publicado en 1812. «Debería ver usted la Alhambra. Es como una obra de hadas; es magia, gloria y amor; no se parece a nada conocido».

Alexandre Laborde
(París, 1773-París, 1842)
Arqueólogo y político francés. Gran amante de las artes, viajó por Europa, dedicándose en España a la edición de grandes libros. Con la colaboración de Chateaubriand, publicó *Itinerario descriptivo de España* y *Viaje pintoresco e histórico en España*, cuyo contenido destaca por sus más de novecientos grabados, entre ellos, el baño de Comares o los jardines del Generalife.

James Cavanah Murphy
(Cork,?-Londres, 1814)
Autor irlandés con cierta formación arqueológica y aficionado a las antigüedades, representa a ese grupo de viajeros británicos de finales del XVIII que centran su interés en la arquitectura islámica de España, para los que su protagonista indudable es la Alhambra. Murphy llegó a Andalucía en 1802, según él mismo indica en la breve introducción a su obra *The Arabian Antiquities of Spain* (Londres, 1813-1815) con el propósito de corregir «las interesantes pero imperfectas descripciones de los restos de arte árabe, exhibidos en los volúmenes de algún viajero moderno, como existentes en las famosas ciudades mahometanas de Granada, Córdoba y Sevilla». Dice haber pasado siete años en Andalucía, centrándose en Córdoba y Granada, a pesar de lo cual no obtuvo el favor de la exigente crítica de su tiempo.

Washington Irving
(Tarrytown, Wetschester, Nueva York, 1783-Tarrytown, Wetschester, Nueva York, 1859)
Escritor estadounidense del romanticismo y diplomático, que desempeñó algunos de sus cargos en España. En 1828 permaneció algunos días en Granada y regresó en la primavera del año siguiente para una larga estancia. Aquí se inspiró para escribir *Cuentos de la Alhambra*. Durante su estancia en el monumento se alojó en las Habitaciones del Emperador Carlos V.

Richard Ford
(Londres, 1796-Londres, 1858)
Escritor y dibujante. Vino a España con su mujer y sus hijos en 1830, a causa de la precaria salud de su esposa, y permaneció en Granada durante dos veranos alojado en la misma Alhambra. Viajó por la Península y estudió las costumbres del pueblo y realizó más de quinientos dibujos. A su vuelta a Inglaterra en 1833 se instaló en Exeter, construyendo una residencia en estilo neomudéjar que recordaba el Generalife y sus jardines y en donde tenía una gran biblioteca de libros en español.

David Roberts
(Stockbridge, Edimburgo, 1796-Londres, 1864)
Pintor romántico escocés, conocido por sus acuarelas de monumentos orientales. A los dieciséis años ya se ganaba la vida como pintor escenográfico de un circo. Desde 1824 recorrió buena parte de Europa pintando monasterios y catedrales góticas, paisajes y todo lo que formaba parte del inventario artístico del momento. Llegó a España en octubre de 1832, con el objetivo de recorrer Andalucía para realizar dibujos sobre lo más llamativo e interesante de al-Andalus, que dieron como resultado una España contemplada bajo el influjo musulmán y la típica estilización romántica del siglo XIX. Sus grabados de la Alhambra son una prueba de ello.

Alejandro Dumas
(Villers-Cotterêts, Aisne, 1802-Puys, 1870)
Novelista y dramaturgo francés, autor de *Los tres mosqueteros* y *El conde de Montecristo*. Tras viajar a Granada dijo: «Hizo Dios a la Alhambra y a Granada, por si le cansa algún día su morada».

Victor Hugo
(Besançon, 1802-París, 1885)
Escritor francés, considerado el más importante representante del romanticismo. Fue uno de los primeros viajeros ilustrados que en el siglo XIX visitó la Alhambra y dejó su firma estampada en algún lugar. La Alhambra inspiró su obra *Los orientales*.

Prosper Mérimée
(París, 1803-Cannes, 1870)
Escritor francés, autor de *Carmen*, novela en la que está basada la ópera del mismo nombre del compositor Georges Bizet. Viajó a España en numerosas ocasiones, encantado por sus costumbres, paisajes y arte, dejando testimonio de ello en artículos y cartas: «No le diré nada sobre la Alhambra, la tiene usted en su biblioteca, pero créame que no está dispensada de hacer el viaje a Granada y que ningún libro en cuarto, ni siquiera en folio,

podrá darle una idea del patio de los Leones y del salón de Embajadores». Su nombre aparece en el libro de firmas de la Alhambra.

Philibert Joseph Girault de Prangey
(Langres, Haute-Marne, 1804-Courcelles, París, 1893)
Pintor y dibujante francés, reconocido como experto riguroso en la visión y el estudio de la arquitectura hispanomusulmana, estuvo en Granada a finales de 1832. Aunque su objetivo era toda la cuenca del Mediterráneo, al parecer, en una primera etapa iniciada ese año visitó su zona occidental, Túnez, Argelia, Sicilia y Andalucía. La Alhambra y el Generalife despertaron su mayor entusiasmo, como subrayó en sus *Monuments Arabes et Moresques de Cordoue, Séville et Grenade y Choix d'ornaments Moresques de l'Alhambra*: «...estos monumentos impregnados del genio de una nación que no ha dejado en ninguna parte restos tan brillantes de su elevada civilización...». Los dibujos de esta importante obra fueron realizados entre 1832 y 1833, aunque no verían la luz hasta 1837 en París, acompañados de un texto descriptivo. Entre 1846 y 1855, publicaría otra de sus obras cardinales, *Monuments Arabes d'Egypte, de Syrie et d'Asie Mineure.*

Benjamín Disraeli
(Londres, 1804-1881)
Político y literato, procede de una familia de judíos españoles que huyeron a Venecia a fines del siglo XV por la Inquisición. Visitó España en 1830 de paso hacia Jerusalén, y dijo de ella: «Oh wonderful Spain! Think of this romantic land covered with Moorish ruins and full of Murillo! Ah that I could describe to you the wonders of the painted temples of Seville! ah that I could wander with you amid the fantastic and imaginative halls of the delicate Alhambra!».

John Frederick Lewis
(Londres, 1805-1876)
Pintor inglés que se especializó en representar escenas del Oriente y el Mediterráneo. Lewis vivió en España entre 1832 y 1834. En Madrid, se dedicó a copiar las grandes pinturas del Prado en acuarela. Después vivió en Toledo y luego en Granada, donde pasaba gran parte de su tiempo en la Alhambra, dibujando su arquitectura. En 1835 se publicó en Londres *Sketches and Drawings of the Alhambra.*

Owen Jones
(Londres, 1809-Londres, 1874)
Arquitecto, dibujante, decorador. Viajó durante cuatro años por Italia, Grecia, Turquía, Egipto y España, donde hizo un estudio especial, con el francés Jules Goury, de la Alhambra en 1842. Además fue diseñador y profesor de la School of Design, donde experimentó renovó y transmitió paradigmas de las nuevas aplicaciones estilísticas y decorativas, para las que su obra *The Grammar of Ornament* (1856) es una referencia universal.

Théophile Gautier
(Tarber, 1811-París, 1872)
Poeta, crítico y novelista francés. Del 5 de mayo al 7 de octubre de 1840, Gautier descubrió España con su amigo Eugène Piot. Esta estancia de seis meses le proporcionó la materia de su *Viaje a España*, que dio como resultado vigorosas impresiones en sus cuadernos, caracterizadas por la frescura de su mirada, el asombro de la visión y el deseo siempre exacerbado de la exactitud en la declaración. Se conserva una carta a su madre de la que destacamos la siguiente frase: «¡Si mantiene esta actitud, alquilo la Alhambra, la amueblo con un colchón de trenza de paja y un par de cojines, y no vuelvo!»

Jean Laurent
(Garchizy, Nevers, 1816-España, 1892)
Fotógrafo francés que desarrolló su carrera profesional en España, donde recorrió con su cámara todos los rincones y paisajes. Laurent fue un gran innovador de la técnica fotográfica, inventó e introdujo varias técnicas, como el papel leptográfico, más sensible que el existente hasta el momento, y un nuevo sistema de coloreado. Las imágenes tomadas en los diferentes viajes que realizó a Granada, entre 1856 y 1892, dieron como resultado el álbum *L'Alhambra.*

José Zorrilla
(Valladolid, 1817-Madrid, 1893)
Máximo representante del romanticismo español. El 22 de junio de 1889 fue coronado en Granada como Poeta Nacional. Zorrilla se lamentó de que fueran los escritores extranjeros quienes descubrieran las bellezas de la Alhambra.

Charles Clifford
(Gales, 1819-Madrid, 1863)
Fotógrafo británico que, al igual que Jean Laurent, desarrolló su carrera en España, donde realizó colecciones fotográficas de casi todas sus ciudades y monumentos. Acompañó a la reina Isabel II en su recorrido por Andalucía en 1862. El viaje quedó recogido en un exquisito álbum con un centenar de fotografías, entre ellas, varias de la Alhambra.

Los Contreras
La familia de los Contreras se dedicó durante tres generaciones a la restauración del Monumento. El más conocido, Rafael (Granada, 1824 o 1826-1890), fue nombrado «restaurador adornista» de la Alhambra en 1847 y director y conservador, en 1869. Sus intervenciones más destacadas son las siguientes: restitución de los colores de la sala de las Camas del baño de Comares y construcción de una cúpula de tejas de colores, que no había existido originalmente, en el patio de los Leones.

Isabel II
(Madrid, 1830-París, 1904)
Reina de España entre 1833 y 1868. En 1843 concedió a la ciudad de Granada, por la fidelidad en las revueltas que tuvieron lugar el mismo año, el derecho a añadir la representación de la torre de la Vela en el escudo de Granada. En 1862 visitó la Alhambra, motivo por el que se creó el paseo de los Cipreses.

Paul Gustave Doré
(Estrasburgo, 1832-París, 1883)
Artista francés, grabador e ilustrador. Publicó su primera ilustración a los quince años. En 1862 viajó por España con el barón Duvillier, de tal modo que al año siguiente publicaron conjuntamente una serie de crónicas sobre Valencia, Galicia, etc., que se incluyó en la colección «Le Tour du Monde». Residió por unos meses en Barcelona. Doré. Fue un artista tan prolífico que es complicada la recopilación de su obra.

Edgar Degas
(París, 1834-1917)
Pintor y escultor francés. Es conocido por su visión particular sobre el mundo del ballet, capturando escenas sutiles y bellas, en obras al pastel. En 1889 hizo un viaje a Marruecos y España en compañía de Boldini. De su estancia en Granada queda el testimonio de su firma en el Álbum de la Alhambra, el día 21 de septiembre de 1889.

Manuel Gómez Moreno González
(Granada, 1834-1918)
Historiador, arqueólogo y pintor, obtuvo una pensión de la Diputación granadina para ir a Roma, donde realizaría sus mejores cuadros historicistas, entre ellos *La despedida de Boabdil* de tema alhambreño. Fue miembro del Instituto Arqueológico Alemán, decano de la Real Academia de Bellas Artes y catedrático de la Escuela de Artes y Oficios. Autor de una imprescindible *Guía de Granada* (1892) y de otros muchos trabajos de investigación, entre los que destacó el informe sobre Sierra Elvira, cerca de Atarfe, donde se encontraron sepulturas y multitud de restos, acompañado con litografías y fotografías de sus propios dibujos. Fue conservador del Museo de Bellas Artes de Granada entre 1876 y 1878. Creada la Comisión Especial de la Alhambra Gómez Moreno sería nombrado rector del monumento, declarando que en los trabajos del monumento «debe atenderse en primer término las partes ruinosas y después a la restauración», en un momento en que algunos sectores artísticos consideraban la Alhambra no como un monumento nazarí sino como una idea orientalista.

Mariano Fortuny
(Reus, 1838-Roma, 1874)
Pintor. Llegó a Granada en 1870, motivado por el ideario romántico, acompañado de su mujer Cecilia Madrazo (hija de uno de los pintores de más prestigio de la corte), permaneciendo en la ciudad hasta 1871. La presencia de la familia de Fortuny en la Alhambra queda reflejada en el álbum de visitantes ilustres en junio de 1870. Se ha conservado un importante legado de dibujos de Granada y la Alhambra, de gran valor pictórico e histórico, destacando los conservados del palacio de Carlos V.

Ricardo Velázquez Bosco
(Burgos, 1843-Madrid, 1923)
Arquitecto y restaurador español. Entre su extensa obra destacan el pabellón para la Exposición de Minería de 1883, conocido como palacio de Velázquez en el parque del Retiro de Madrid (1883), junto al ingeniero Alberto del Palacio y el ceramista Daniel Zuloaga o el edificio del Ministerio de Agricultura (1893-1897) cuya fachada sigue el estilo característico de Velázquez Bosco, con un pórtico de ocho columnas pareadas con friso culminado por un grupo escultórico. Como restaurador, trabajó en la Mezquita de Córdoba, la catedral de León y el monasterio de La Rábida, aunque su proyecto más importante fue el Plan General de Conservación de la Alhambra de 1917.

Isaac Albéniz
(Camprodón, Gerona, 1860-Cambo-les-Bains, 1909)
Compositor de piano. Con tan solo doce años, en 1872, tuvo su primer contacto musical con Granada. Volvió a la ciudad en julio de 1881 para dar varios recitales de piano. Regresó de nuevo y años más tarde, en 1886, compuso su célebre pieza para piano «Granada (Serenata)». Entre sus obras inspiradas en Granada destacan «Torre Bermeja (Serenata)», «Zambra granadina» y «El Albaicín».

Santiago Rusiñol i Prats
(Barcelona, 1861-Aranjuez, 1931)
Pintor, escritor y dramaturgo. Entre 1887 y 1922 visitó Granada en varias ocasiones y se alojó en el desaparecido hotel Siete Suelos, el palacio del Generalife y en el Polinario y dijo de ella: «La primera impresión que se recibe es deslumbrante. Parece que el alma entra en un gran baño de luz, dentro de una atmósfera de purísima belleza, donde los ojos disfrutan la calma de una sensación suave».

Claude Debussy
(Saint-Germain, 1862-París, 1918)
Compositor francés. Una postal enviada por Manuel de Falla, inspiró a Debussy, que nunca conoció España, en la composición de su obra *La puerta del Vino.*

Joaquín Sorolla
(Valencia, 1863-Cercedilla, Madrid, 1923)
Pintor español, uno de los más prolíficos. En 1907 inició sus estudios de jardines, fundamentalmente en Andalucía. En Granada pintó los patios y fuentes de la Alhambra y el Generalife entre 1909, 1910, y 1917: *Habitaciones de los Reyes Católicos en la Alhambra, El Patio de Comares, de la Alhambra de Granada.*

Ángel Ganivet
(Granada, 1865-Riga, 1898)
Escritor y diplomático español. Uno de los intelectuales granadinos con más influencia en la denominada Generación del 98. Ganivet se mantuvo siempre ligado a su ciudad de Granada, donde fundó la Cofradía del Avellano, una fecunda tertulia cultural, definida como «especie de academia helénica de amigos granadinos», con los que ideó, entre otros, *El libro de Granada*, una referencia de la época, de gran influencia en la intelectualidad. El 3 de octubre de 1921 tuvo lugar la inauguración del monumento a Ángel Ganivet, en el bosque de la Alhambra.

Henri Matisse
(Cateau-Cambrésis, 1869-Niza, 1954)
Pintor francés vanguardista, uno de los grandes artistas del siglo XX, dentro del fauvismo. Durante los días 9 y 10 de diciembre de 1910, Matisse visitó la Alhambra. Su firma fue registrada en el libro de visitas del monumento nazarí.

Hace algunos años el descubrimiento de esta firma permitió realizar una investigación que ha sacado a la luz los propósitos del viaje de Matisse a España, donde visitó Madrid, Sevilla, Córdoba y Granada, y la influencia de esta visita en su obra. Por sus cartas sabemos que la Alhambra fue uno de los lugares españoles que más emoción le causó: «La Alhambra es una maravilla, he sentido el mayor de los placeres allí».

Manuel Gómez-Moreno Martínez
(Granada, 1870-Madrid, 1960)
A los dieciséis años publica su primer trabajo, dedicado a la Capilla Real de Granada, iniciando así la larga lista de libros, folletos y artículos que forman su bibliografía. En 1889 se gradúa en Filosofía y Letras y pocos años más tarde ejerce como profesor en la Universidad del Sacromonte y en la Escuela de Artes Industriales. En 1913 se traslada a Madrid al obtener la cátedra de Arqueología Árabe Medieval en la Universidad Central, integrándose en las más destacadas instituciones de la capital: la Real Academia de la Historia, la de Bellas Artes de San Fernando y, en 1941, la Academia Española. En ese mismo año, recibía el doctorado «Honoris Causa» por la Universidad de Oxford. En 1930 aceptaba la Dirección General de Bellas Artes. Especialista en gran número de parcelas de conocimiento general, con predominio de la arqueología, la historia y el arte.

Manuel Machado
(Sevilla, 1874- Madrid, 1947)
Poeta español, hermano de Antonio Machado. Fue uno de los más destacados representantes del modernismo en España. Cuando Manuel Machado, en su itinerario poético de Andalucía, canta a Granada, le cuelga, como un clavel en el pelo, una sonora metáfora: «agua oculta que llora...».

Manuel de Falla
(Cádiz, 1876-Alta Gracia, Argentina, 1946)
Compositor español, fue, junto con Isaac Albéniz y Enrique Granados, uno de los músicos más importantes de la primera mitad del siglo XX en España. Vivió veinte años en Granada (1920-1939), pero ya antes de conocer la ciudad la imaginó musicalmente en la *Vida breve* y *En el Generalife,* compuesta en París, y que forma la primera parte de sus «Noches en los jardines de España», inspirada en lecturas poéticas y reproducciones de cuadros de jardines de Santiago Rusiñol.

Francisco Villaespesa
(Almería, 1877-Madrid, 1936)
Poeta, dramaturgo y narrador español del modernismo. Publicó numerosos libros de versos dedicados a la Alhambra, como *El Patio de los Arrayanes, El mirador de Lindaraxa, Los nocturnos del Generalife* o *El encanto de la Alhambra.* Actualmente, junto a la puerta de las Granadas, hay una placa con un poema de Villaespesa.

Juan Ramón Jiménez
(Moguer, Huelva, 1881-San Juan, Puerto Rico, 1958)
Poeta español, ganador del Premio Nobel de Literatura en 1956. Escribió, tras visitar Granada en 1924, la colección de textos poéticos *Olvidos de Granada*, donde fue con Zenobia y acompañado por Federico y Francisco García Lorca, como un viajero excepcional, en busca de esencias. Aquella visita singular convocó en torno al poeta un grupo de ilustres personajes de la vida cultural de entonces, entre los que se encontraban Leopoldo Torres Balbás, Manuel de Falla, Miguel Cerón y Fernando de los Ríos, con su mujer Gloria y su hija Laurita, que poco después se casaría con Francisco García Lorca.

Ángel Barrios Fernández
(Granada, 1882-Madrid, 1964)
Hijo de Antonio Barrios Tamayo y de Eloísa Fernández, integra un núcleo familiar de gran peso e influencia en el recinto de la Alhambra durante las últimas décadas del siglo XIX y primeras del XX. La casa de don Antonio Barrios, junto al baño de la mezquita, fue en su época mesón, taberna, ateneo o lugar de descanso, para posteriormente convertirse en el centro más universal de Granada. En ella recalan los viajeros cultos y artistas más importantes, como Palmer, Doré, Roberts y Sargent, o los españoles Regoyos, Rusiñol, Sorolla, Zuloaga, Baroja, Pérez Galdós, Azorín, Albéniz, Juan Ramón o Eugenio d'Ors.

Leopoldo Torres Balbás
(Madrid, 1888-Madrid, 1960)
Precursor de la restauración científica. Arquitecto conservador de la Alhambra y el Generalife entre 1923 y 1936. A él debemos en gran medida la Alhambra que hoy conocemos. Restauró el palacio de los Leones, el Mexuar, el patio de los Leones y el de la Alberca, y reestructuró el Partal, entre otras intervenciones.
Desde siempre se ha dicho que la Alhambra mantiene con él una deuda que difícilmente podrá ser saldada.
Frente a la estéril polémica sobre su condición de arquitecto y no de arqueólogo, de si era más un teórico que profesional de campo, o de si mantuvo criterios contradictorios (intervención en el palacio de Carlos V), dirigió la *Crónica arqueológica de la España musulmana,* magistral *vademecum,* durante décadas insertada en la revista *Al-Andalus.*
De su paso por la Alhambra ha dejado probablemente las páginas más hermosas y valiosas que sobre ella se han escrito, hoy indispensables manuales de formación y consulta.
Nadie como Leopoldo ha sabido articular sobre ella un discurso politécnico y científico, integral e integrador, probablemente porque es uno de los más genuinos representantes de lo que ya se considera una nueva *edad de oro* de la cultura española en torno al primer tercio del siglo XX, una generación surgida de las cenizas del 98.

Antonio Gallego Burín
(Granada, 1895-Madrid, 1961)
Alcalde de Granada (1938-1951), catedrático de Historia del Arte en la Universidad de Granada. Su inquietud por la cultura le llevó a iniciativas importantes para la ciudad, como la recuperación de los Autos Sacramentales o la rehabilitación de la Casa de los Tiros, convertida en museo de la ciudad. Fue nombrado en 1951 Director General de Bellas Artes, y creó el Festival Internacional de Música y Danza de Granada. Fue responsable del Patronato de la Alhambra entre 1945 y 1951, institución a la que estuvo vinculado hasta su muerte.

Federico García Lorca
(Fuente Vaqueros, 1898- entre Víznar y Alfacar, 1936)

Poeta, dramaturgo y prosista español, también conocido por su destreza en otras muchas artes. Formó parte de la conocida Generación del 27. Es uno de los poetas de mayor influencia y popularidad de la literatura española del siglo xx. Murió ejecutado tras el levantamiento militar de la Guerra Civil española. Recorrió Andalucía y Castilla recopilando viejas canciones populares que transcribió, y en 1922, organizó con el compositor Manuel de Falla el Primer Concurso de Cante Jondo, celebrado en la plaza de los Aljibes de la Alhambra, acontecimiento al cual concurrieron los mejores cantaores y guitarristas de toda España. Federico, como buen granadino, ejerció de anfitrión con sus amigos y colegas literarios por la ciudad y por la Alhambra, de donde nos dejó páginas como:

Las manolas en la Alhambra

Granada, calle de Elvira, donde viven las manolas,
las que se van a la Alhambra, las tres y las cuatro solas. Una vestida de verde,
otra de malva, y la otra, un corselete escocés
con cintas hasta la cola.
Las que van delante, garzas; la que va detrás, paloma;
abren por las alamedas muselinas misteriosas.
¡Ay, qué oscura está la Alhambra! ¿Adónde irán las manolas mientras sufren en la umbría el surtidor y la rosa?
¿Qué galanes las esperan? ¿Bajo qué mirto reposan?
¿Qué manos roban perfumes
a sus dos ffores redondas? Nadie va con ellas, nadie; dos garzas y una paloma.
Pero en el mundo hay galanes que se tapan con las hojas. La catedral ha dejado
bronces que la brisa toma.
El Genil duerme a sus bueyes yel Dauro a sus mariposas. La noche viene cargada
con sus colinas de sombra; una enseña los zapatos
entre volantes de blonda; la mayor abre sus ojos y la menor los entorna.
¿Quién serán aquellas tres
de alto pecho y larga cola?
¿Por qué agitan los pañuelos? ¿Adónde irán a estas horas? Granada, calle de Elvira, donde viven las manolas,
las que se van a la Alhambra, las tres y las cuatro solas.

De *Doña Rosita la soltera o el lenguaje de las flores*, 1935.

Maurits Cornelis Escher
(1898-1972)

Artista holandés, conocido por sus grabados en madera, xilografías y litografías que tratan sobre figuras imposibles, teselaciones y mundos imaginarios. Su obra experimenta con diversos métodos de representar (en dibujos de 2 ó 3 dimensiones) espacios paradójicos que desafían a los modos habituales de representación. Aún sin ser matemático, sus obras muestran un interés y una profunda comprensión de los conceptos geométricos, desde la perspectiva a los espacios curvos, pasando por la división del plano en figuras iguales. Escher viajó a España, y en particular a Granada, donde visita dos veces la Alhambra, la segunda vez de forma más detenida, copiando numerosos motivos ornamentales. Lo que aprendió en la Alhambra tendrá fuertes influencias en muchos de sus trabajos, especialmente en los relacionados con la partición regular del plano y el uso de patrones que rellenan el espacio sin dejar ningún hueco.

José Val del Omar
(Granada, 1904-Madrid, 1982)

Director de cine, fue contemporáneo y amigo de Lorca, Cernuda, Renau, Zambrano y otros importantes personajes de una Edad de Plata truncada con la Guerra Civil. En 1928 anticipó ya varias de sus técnicas más características, como el «desbordamiento apanorámico de la imagen» fuera de los límites de la pantalla y el concepto de «visión táctil». Entre sus obras destaca *Aguaespejo granadino* (1953).

Francisco Prieto Moreno
(Granada, 1907-Granada, 1985)

Arquitecto conservador de la Alhambra durante la etapa histórica del franquismo. Arquitecto conservador de la Séptima Zona desde agosto de 1936, fue nombrado posteriormente Director General de Arquitectura. Autor de destacados proyectos en toda la provincia de Granada. A él se deben importantes obras de adaptación del monumento a la visita pública y adecuación de los Jardines Nuevos del Generalife.

Jesús Bermúdez Pareja
(Granada 1908-Granada 1986)

Profesor de Historia del Arte, de la Universidad de Granada, facultativo del Cuerpo de Archiveros, Bibliotecarios y Arqueólogos, primer director del Museo Arqueológico de Mérida y, desde 1943, del Museo Arqueológico de la Alhambra, que después sería Nacional de Arte Hispano-Musulmán (1962). Vinculado durante toda su vida profesional a la Alhambra, contribuyó a la creación (1965) de la revista Cuadernos de la Alhambra, promoviendo la sección «Crónica de la Alhambra», en la que publicó sus mejores investigaciones.

Emilio García Gómez
(Madrid, 1905-1995)

Estudió Filosofía y Letras y a los veintiún años era profesor auxiliar de cátedra y en 1927 obtuvo una beca para estudiar unos manuscritos arábigo-españoles en Egipto, Siria y Mesopotamia. En 1935 consiguió por oposición la cátedra de Lengua Árabe de la Universidad de Granada, cargo que desempeñó hasta el 4 de junio de 1970, en que fue recibido como doctor «Honoris Causa» de dicha Universidad. En Granada fundó la Escuela de Estudios Árabes, junto con Miguel Asín y Juan Ribera, y la correspondiente de Madrid desde donde ideó la prestigiosa revista *Al-Andalus*. Entre su amplia producción destacan los trabajos dedicados a la Alhambra. García Gómez recibió el Premio Nacional de Historia de España (1990), el Príncipe de Asturias de Humanidades y fue director de la Real Academia de la Historia.

Detalle de la *Plataforma* de Ambrosio Vico (1614) en la que se ve el conjunto de la Alhambra y el Generalife

Cerra de
DARRO
Ginalariph
Darro
44
ALHAMBRA.
Casa Real del Alhambra
4
Mazmorras.
LA ANTEQUERUELA
15
Campo del Principe

Índice onomástico

Glosario

abencerraje individuo de una familia del sultanato granadino del siglo xv, rival de la de los zegríes
abocelado referido a un parapeto, es el remate con forma de moldura convexa lisa, de sección semicircular o elíptica
acequia zanja o canal por donde se conducen las aguas para regar y para otros fines
acrópolis sitio más alto y fortificado de las ciudades griegas. Parte más alta de una ciudad
adaraja cada uno de los dentellones que se forman en la interrupción lateral de un muro para su trabazón al proseguirlo. Una de las figuras que compone un decorado geométrico
adarve camino situado detrás del parapeto en lo alto de una muralla o fortificación
ajimez balcón saliente de madera con celosías
alacena armario, hueco en la pared con puertas o postigos
alambor 1: falseo de una piedra o madero; 2: escarpa o declive áspero
alarife arquitecto o maestro de obras
albanega espacio triangular comprendido entre el alfiz y el arco
albarrada pared de piedra seca
alcazaba recinto fortificado, dentro de una población murada, para refugio de la guarnición
alcázar 1: fortaleza; 2: casa real o habitación del príncipe, esté o no fortificada
aleya versículo del Corán
alfardón azulejo alargado, hexagonal, cuya parte central es un rectángulo
alfarje techo plano de madera decorada y tallada
alfiz recuadro del arco árabe, que envuelve las albanegas y arranca, bien desde las impostas, bien desde el suelo
aljez mineral de yeso
algorfa sobrado o cámara en planta alta
alhamí poyo o banco de piedra bajo revestido comúnmente de azulejos
alicatado revestimiento de azulejos
alicer cada una de las piezas que forman una cinta o un friso de azulejos de diferentes labores. Por extensión, el conjunto de ellas
alifato serie de las consonantes árabes, conforme a un orden tradicional
aljibe depósito subterráneo de agua
aljófar perla de forma irregular y comúnmente pequeña
almatraya tradicional solería de piezas de barro vidriadas, generalmente con composiciones geométricas y encintado, que se sitúa tras el umbral de las principales habitaciones y estancias de casas y palacios
almendrilla especie de labor que imita almendras pequeñas
alminar torre de las mezquitas, por lo común, elevada y poco gruesa, desde cuya altura convoca el almuédano a los musulmanes en las horas de oración
almohade se dice del seguidor de Ibn Tumart, jefe musulmán que en el siglo xii unificó a las tribus occidentales de África y dio ocasión a que se fundase un nuevo imperio con ruina del de los almorávides
almohadillado en arquitectura, muro realizado con sillares que sobresalen de la obra, con las aristas achaflanadas o redondeadas
almorávide se dice del individuo de una tribu guerrera del Atlas que fundó un vasto imperio en el occidente de África y llegó a dominar toda la España musulmana desde 1093 hasta 1148
almunia finca de carácter rural, huerto, granja
alpañata tierra gredosa de color muy rojo
alquería casa de labor con finca agrícola
anastilosis reensamblado de un monumento u otra estructura a partir de sus partes rotas
andalusí perteneciente o relativo a al-Andalus o España musulmana
apoditerio vestíbulo o guardarropa de un baño
arco mixtilíneo el formado por la combinación de secciones rectas y curvas
arrayán arbusto de la familia de las mirtáceas
arriate era estrecha y dispuesta para tener plantas de adorno junto a las paredes de los jardines y patios
arrocabe maderamen colocado en lo alto de los muros de un edificio para ligar a estos entre sí y con la armadura que han de sostener
artesón elemento constructivo poligonal, cóncavo, moldurado y con adornos, que dispuesto en serie constituye el artesonado
artesonado techo, armadura o bóveda formado por artesones de madera, piedra u otro material
atalaya torre hecha comúnmente en lugar alto, para vigilar el entorno
atanor cañería de barro cocido para conducir el agua
atarjea caja de ladrillo con que se cubren las cañerías para su protección
ataujía labor primorosa o de difícil combinación o engarce
ataurique ornamentación islámica de tipo vegetal
baluarte obra de fortificación que sobresale en el encuentro de dos lienzos de muralla y se compone de dos caras que forman ángulo saliente, dos flancos que las unen al muro y una gola de entrada
barbacana obra avanzada y aislada para defender puertas, plazas o puentes
basa pieza inferior de la columna en todos los órdenes arquitectónicos excepto en el dórico
basamento cuerpo que se pone debajo de la caña de la columna, y que comprende la basa y el pedestal
bocel moldura convexa lisa, de sección semicircular y a veces elíptica
bóveda de cañón la de superficie generalmente semicilíndrica que cubre el espacio comprendido entre dos muros paralelos
bóveda de gallones la formada por segmentos cóncavos, rematados en redondo por su extremo más ancho
bóveda esquifada bóveda en forma cilíndrica
buhedera tronera, agujero
calahorra castillo; lugar cercado de fortificación
califa título de los príncipes árabes que, como sucesores de Mahoma, ejercieron la suprema potestad religiosa y civil en algunos territorios musulmanes
califato territorio gobernado por el califa
cancillería alto centro diplomático en el cual se dirige la política exterior

candilejo neguilla (planta). Una de las figuras que compone un decorado geométrico
canecillo cabeza de viga o pieza voladiza que asoma al exterior para soportar un alero, cubierta o dintel
cangilón vasija de barro o metal que sirve para sacar agua de los pozos y ríos, atada con otras sobre la rueda de una noria
carmen casa con huerto o jardín. Viña
cartela pedazo de cartón, madera u otra materia, a modo de tarjeta, destinado para poner o escribir en él algo
cauchil arca distribuidora de agua
ceca casa donde se labra moneda
celosía enrejado de listoncillos de madera, de yeso o de metal, que se ponen en las ventanas de los edificios, para tamizar la luz y ver sin ser visto
cimbra armazón que sostiene el peso de un arco o de otra construcción, destinada a salvar un vano, en tanto que no está en condiciones de sostenerse por sí misma
clave piedra con que se cierra el arco o bóveda
conglomerado masa formada por fragmentos de diversos minerales unidos por un cemento
corintio estilo arquitectónico que tiene la columna de unos diez módulos o diámetros de altura, el capitel adornado con hojas de acanto y caulículos, y la cornisa con modillones
cornija cornisa; parte superior del cornisamento
críptico oscuro, enigmático
crujía espacio comprendido entre dos muros de carga
cuartel porción de un terreno acotado para objeto determinado
cuerda seca técnica de decoración de azulejos que consiste en transcribir el dibujo a la baldosa, perfilar todos los contornos con una grasa especial, y rellenar cada zona de color con esmalte (una especie de vidrio en polvo diluido); las diferentes partes del dibujo quedan en relieve con una especie de cordón fino entre un color y otro a modo de incisión
cúfico tipo de escritura árabe caracterizada por sus rasgos geométricos y básicamente rectilíneos, cuyos desarrollos favorecen ingeniosas composiciones decorativas
cureña armazón compuesta de dos gualderas fuertemente unidas por medio de teleras y pasadores, colocadas sobre ruedas o sobre correderas, y en la cual se monta el cañón de artillería
cursiva escritura árabe de rasgos redondeados, semejante en su desarrollo a la escritura habitual manuscrita
diacrítico dicho de un signo ortográfico que sirve para dar a una letra o a una palabra algún valor distintivo
dintel parte superior de las puertas, ventanas y otros huecos que carga sobre las jambas
ditirambo alabanza exagerada, encomio excesivo
diwán colección de poesías de uno o de varios autores
dórico estilo arquitectónico que tiene la columna de ocho módulos o diámetros a lo más de altura, el capitel sencillo y el friso adornado con metopas y triglifos
dovela piedra labrada en forma de cuña, para formar arcos o bóvedas, el borde del suelo del alfarje, etc.
emir príncipe o caudillo árabe
emirato territorio gobernado por un emir
empíreo se dice del cielo o de las esferas concéntricas en que los antiguos suponían que se movían los astros
entablamento conjunto de molduras que coronan un edificio o marcan la división de sus pisos
epigrafía ciencia cuyo objeto es conocer e interpretar las inscripciones
escarpa plano inclinado que forma la muralla del cuerpo principal de una plaza, desde el cordón hasta el foso y contraescarpa
escatología conjunto de creencias y doctrinas referentes a la vida de ultratumba
espada jineta espada recta de doble filo con canal hasta la mitad, de empuñadura huesiforme y con pomo redondo típica de la cultura nazarí
fatimí descendiente de Fátima, hija de Mahoma
fitna guerra civil
foro en la antigua Roma, plaza donde se trataban los negocios públicos y donde el pretor celebraba los juicios
friso parte del cornisamento que media entre el arquitrabe y la cornisa, donde suelen ponerse follajes y otros adornos
frontón remate triangular de una fachada o de un pórtico. Se coloca también encima de puertas y ventanas
galeote hombre que remaba forzado en las galeras
gallón cada uno de los segmentos cóncavos de ciertas bóvedas u otros elementos con ese tipo de acabado (fuentes, pilas, etc.) rematados en redondo por su extremo más ancho
gárgola parte final, por lo común vistosamente adornada, del caño o canal por donde se vierte el agua de los tejados o de las fuentes
geópono persona versada en agricultura
grutesco adorno caprichoso de bichos, sabandijas, quimeras y follajes
harén departamento de las casas de los musulmanes en que viven las mujeres
hipocausto sección de la terma o baño clásico que se calentaba por medio de hornillos y conductos situados debajo del pavimento
hisba término que designa el conjunto de normas de ordenación social que velaban por la moralidad pública
imposta superficie de apoyo de los puntos de arranque de un arco o una bóveda
intradós superficie inferior de un arco o bóveda
iwán pabellón cerrado por tres lados y abierto a una sala o patio
jaima tienda de campaña de los pueblos nómadas del desierto
jamba cada una de las dos piezas labradas que, puestas verticalmente en los dos lados de las puertas o ventanas, sostienen el dintel o el arco de ellas
jamuga silla de tijera con patas curvas y correones para apoyar espalda y brazos
jónico estilo arquitectónico que tiene la columna de unos nueve módulos o diámetros de altura, el capitel, adornado con grandes volutas, y dentículos en la cornisa
lacería adorno formado por bandas entrelazadas que siguen un esquema decorativo
linterna torre pequeña y con ventanas, que remata algunas bóvedas o cúpulas
madraza escuela musulmana de estudios superiores
maqabriyya lápida alargada, de sección triangular, sobre el eje longitudinal de la tumba
maqbarat cementerio
mascarón cara disforme o fantástica que se usa como adorno en ciertas obras de arquitectura
mastaba bancada en el interior de los edificios islámicos

matacán obra voladiza en lo alto de un muro, de una torre o de una puerta fortificada, con parapeto y con suelo aspillerado, para observar y hostilizar al enemigo
mawlid celebración del nacimiento del profeta Mahoma
medina ciudad. Barrio antiguo de una ciudad islámica
metopa en el friso dórico, espacio que media entre triglifo y triglifo
mihrab nicho u hornacina situada en el muro de la qibla en las mezquitas y oratorios musulmanes que señala el lugar adonde dirigir la oración
mocárabe labor formada por la combinación geométrica de prismas agrupados, cuyo extremo inferior se corta en forma de superficie cóncava, que se usa como adorno de bóvedas, cornisas, etc.
mocheta rebajo en el marco de las puertas y ventanas, donde encaja el renvalso
mudéjar 1: se dice del musulmán a quien se permitía seguir viviendo entre los vencedores cristianos sin mudar de religión, a cambio de un tributo; 2: se dice del estilo arquitectónico que floreció en España desde el siglo XIII hasta el XVI, caracterizado por la conservación de elementos del arte cristiano y el empleo de la ornamentación árabe
muqarna mocárabe
mufla hornillo semicilíndrico o en forma de copa, que se coloca dentro de un horno para reconcentrar el calor y conseguir la fusión de diversos cuerpos
nasjí variante de la escritura árabe
nazarí o nasrí se dice de los descendientes de Yúsuf Ibn Nasr, fundador de la dinastía que reinó en Granada desde el siglo XIII al XV
nudillo zoquete o pedazo corto y grueso de madera, que se empotra en la fábrica para clavar en él algo, como las vigas del techo o los marcos de ventana
omeya se dice de los descendientes del jefe árabe de este nombre, fundadores del califato de Damasco, sustituido en el siglo VIII por la dinastía abbasí
par cada uno de los dos maderos que en un cuchillo de armadura tienen la inclinación del tejado
paramento cada una de las dos caras de una pared
parata bancal formado en un terreno pendiente, que se allana, generalmente, para sembrar o hacer plantaciones
parhilera madero en que se afirman los pares y que forma el lomo de la armadura
parteluz columna delgada que divide en dos un hueco de puerta o ventana
pechina cada uno de los cuatro triángulos curvilíneos que forman el anillo de la cúpula con los arcos torales sobre que estriba
pilar receptáculo de piedra en las fuentes que sirve de abrevadero, lavadero u otros usos. Pie derecho
plinto parte cuadrada inferior de la basa
poliorcética arte de atacar y defender las plazas fuertes
poterna en las fortificaciones, puerta menor que cualquiera de las principales, y mayor que un portillo, que da al foso o al extremo de una rampa
qanat estructura para la captación y conducción de aguas subterráneas
qasba alcazaba
qasida género poético extenso que versa sobre reyes o nobles
qibla muro, generalmente en la cabecera de las mezquitas, que orienta la oración hacia La Meca
qubba sala de planta cuadrada cubierta con cúpula o techo de madera no plano
quicialera quicial; madero que asegura y afirma las puertas y ventanas por medio de pernios y bisagras, para que girando se abran y cierren
rauda cementerio y jardín islámico
rigattino técnica de restauración pictórica consistente en rayas de colores muy delgadas y muy próximas entre sí
roleo voluta de capitel
salmer piedra de machón o muro, cortada en plano inclinado, de donde arranca un arco adintelado o escarzano
sardinel obra hecha de ladrillos sentados de canto
sebka elemento decorativo en forma de rombo, lobulado o mixtilíneo, que habitualmente se presenta agrupado en una retícula
secano lugar muy seco, erial
serliana figura arquitectónica llamada así por Serlio, arquitecto y teórico italiano del Renacimiento
sillar cada una de las piedras labradas, por lo común en forma de paralelepípedo rectángulo, que forma parte de una construcción de sillería
silo lugar subterráneo para el almacenamiento de semillas, trigo y otros granos
sino pieza central, generalmente estrellada, de una composición decorativa geométrica
sultán príncipe o gobernador musulmán
sura cada una de las lecciones o capítulo en que se divide el Corán
tabica tablilla con que se cubre un hueco como el de una socarrena o el del frente de un escalón
tahona casa o lugar donde se hace o vende el pan
taifa cada uno de los reinos o sultanatos en que se dividió la España islámica al disolverse el califato cordobés
tapial muro construido con tierra arcillosa, compactada a golpes, empleando un encofrado para contenerla
taqa pequeño nicho que se abre en las jambas de los arcos o de las puertas de acceso, característico de la arquitectura nazarí
taujel listón de madera, reglón
tenería industria para el curtido de pieles
topiario arte de decorar con plantas
trampantojo técnica pictórica que intenta engañar a la vista jugando con la perspectiva y otros efectos ópticos
trasdós superficie exterior convexa de un arco o bóveda, contrapuesta al intradós
triglifo adorno del friso dórico que tiene forma de rectángulo saliente y está surcado por tres canales
trompa bóveda voladiza fuera del paramento de un muro
visir ministro de un soberano musulmán
walí gobernador
wazír primer ministro
zabacequia repartidor de agua
zafa plato de servicio de tipología muy variada, sin vidriar o vidriado o bellamente decorado
zafariche estanque, fuente, pila o pequeña alberca dotada de surtidores
zirí dinastía bereber originaria de Argelia, que pasó a al-Andalus y en 1013 fundó la taifa de Granada

Personaje pintado en uno de los techos de la sala de los Reyes del palacio de los Leones

Selección bibliográfica

Obras generales

ARIÉ, Rachel. *El Reino nasrí de Granada: (1232-1492)*. Madrid: Mapfre, 1992.

CABANELAS RODRÍGUEZ, Darío. *Literatura, arte y religión en los palacios de la Alhambra*. Granada: Universidad de Granada, 1984.

CUADERNOS de la Alhambra. Granada: Patronato de la Alhambra y Generalife. Vols. 1-42 (1965-2007). ISSN 0590-1987.

FERNÁNDEZ PUERTAS, Antonio. «El Arte». En: JOVER ZAMORA, J.M. *Historia de España Menéndez Pidal*. Madrid: Espasa-Calpe, 2000, t. VIII-III.

FERNÁNDEZ PUERTAS, Antonio. *The Alhambra*. Londres: Saqi Books, 1997.

GALLEGO Y BURÍN, Antonio. *La Alhambra*. Granada: Patronato de la Alhambra y Generalife, 1963.

GRABAR, Oleg. *La Alhambra: iconografía, formas y valores*. Madrid: Alianza Editorial, 1980.

MALPICA CUELLO, Antonio. *La Alhambra de Granada, un estudio arqueológico*. Granada: Universidad de Granada, 2002.

PAVÓN MALDONADO, Basilio. *Estudios sobre la Alhambra*. Granada: Patronato de la Alhambra y Generalife, 1975-1977.

PLAN especial de protección y reforma interior de la Alhambra y Alijares. Granada: Patronato de la Alhambra y Generalife, 1986.

PUERTA VÍLCHEZ, José Miguel. *Los códigos de utopía de la Alhambra de Granada*. Granada: Diputación Provincial de Granada, 1990.

ROSENTHAL, Earl E. *El Palacio de Carlos Ven Granada*. Madrid: Alianza Editorial, 1988.

SALMERÓN ESCOBAR, Pedro. *La Alhambra: estructura y paisaje*. Granada: Patronato de la Alhambra y Generalife; Jaén: Tinta Blanca; Córdoba: Almuzara, 2006.

STIERLIN, Henri. *Alhambra*. París: Imprimerie Nationale, 1991.

TORRES BALBÁS, Leopoldo. *La Alhambra y el Generalife*. Madrid: Plus Ultra, 1953.

VIGUERA MOLINS, María Jesús (coord.). «El reino nazarí de Granada (1232-1492): política, instituciones, espacio y economía». En: JOVER ZAMORA, J. M. *Historia de España Menéndez Pidal*. Madrid: Espasa-Calpe, 2000. Tomo VIII-III.

VIÑES MILLET, Cristina. *La Alhambra de Granada. Tres siglos de Historia*. Córdoba: Publicaciones del Monte de Piedad y Caja de Ahorros de Córdoba, 1982.

Obras específicas

ÁLVAREZ LÓPEZ, José. *La Alhambra entre la conservación y la restauración (1905-1915)*, Cuadernos de Arte de la Universidad de Granada, 1977, vol. XV.

BARGEBUHR, Frederick P. *The Alhambra: a cycle of studies on the eleventh century in moorish Spain*. Berlin: Walter de Gruyter & Co, 1968.

BERMÚDEZ PAREJA, Jesús. *Pinturas sobre piel en la Alhambra de Granada*. Granada: Patronato de la Alhambra y Generalife, 1987.

CABANELAS RODRÍGUEZ, Darío. *El techo del Salón de Comares en la Alhambra*. Granada: Patronato de la Alhambra y Generalife, 1988.

CASTILLO BRAZALES, Juan. *Palacio de Comares. Corpus epigráfico de la Alhambra*. Granada: Patronato de la Alhambra y Generalife, 2007.

CHAMORRO MARTÍNEZ, Victoria E. *La Alhambra: el lugar y el visitante*. Granada: Patronato de la Alhambra y Generalife y Tinta Blanca Editor, 2006.

DÍEZ JORGE, Elena. *El Palacio islámico de La Alhambra: propuesta para una lectura multicultural*. Granada: Universidad de Granada, 1998.

DIWAN Ibn Zamrak al-Andalusi: Muhammad b. Yusuf al-Sarihi. Texto editado y anotado por Muhammad Tawfiq al-Nayfar. Bayrut: Dar al-Garbí al-Islamí, 1997.

FERNÁNDEZ PUERTAS, Antonio. *La Fachada del Palacio de Comares*. Granada: Patronato de la Alhambra y Generalife, 1980.

GALERA ANDREU, Pedro. *La imagen romántica de la Alhambra*. Granada: Patronato de la Alhambra y Generalife, Madrid: El Viso, 1992.

GÁMIZ GORDO, Antonio. *Alhambra: imágenes de ciudad y paisaje (hasta 1800)*. Granada: Fundación El Legado Andalusí: Patronato de la Alhambra y Generalife, 2008.

GARCÍA GÓMEZ, Emilio. *Foco de antigua luz sobre la Alhambra: desde un texto de Ibn al-Jatib en 1362*. Madrid: Instituto Egipcio de Estudios Islámicos, 1988.

GARCÍA GÓMEZ, Emilio. *Ibn Zamrak, el poeta de la Alhambra*. Granada: Patronato de la Alhambra y Generalife, 2006.

GARCÍA GÓMEZ, Emilio. *Poemas árabes en los muros y fuentes de la Alhambra*. Madrid: Instituto Egipcio de Estudios Islámicos, 1985.

MANIFIESTO de la Alhambra. Madrid: Dirección General de Arquitectura, 1954.

ORIHUELA UZAL, Antonio. *Casas y Palacios nazaríes. Siglos XIII-XV*. Barcelona: Lunwerg, Granada: El Legado Andalusí, 1996.

RAQUEJO, Tonia. *El palacio encantado: la Alhambra en el arte británico*. Madrid: Taurus Humanidades, 1990.

RUBIERA MATA, Mª Jesús. *Ibn al-Yayyab: el otro poeta de la Alhambra*. Granada: Patronato de la Alhambra y Generalife, 1994.

SANTIAGO SIMÓN, Emilio. *La voz de la Alhambra*, Granada: Patronato de la Alhambra y Generalife y Tinta Blanca Editor, 2009.

TORRE, M.ª José de la. *Estudio de los materiales de construcción de la Alhambra*, Universidad de Granada, 1995.

VILAR SÁNCHEZ, J. A. *Los Reyes Católicos en la Alhambra: readaptaciones hechas por los Reyes Católicos en los palacios y murallas de la Alhambra y en las fortalezas de Granada desde enero de 1492 hasta agosto de 1500 con algunos datos hasta 1505*. Granada: Patronato de la Alhambra y Generalife, 2007.

VÍLCHEZ VÍLCHEZ, Carlos. *La Alhambra de Leopoldo Torres Balbás (obras de restauración y conservación 1923-1936)*. Granada: Comares, 1988.

VIÑES MILLET, Cristina. *La Alhambra que fascinó a los románticos*. Córdoba: Tinta Blanca Editor, Patronato de la Alhambra y Generalife, 2007.

Obras de referencia

ARIÉ, Rachel. *España Musulmana (siglos VIII-XV)*. Barcelona: Labor, 1983.

BURCKHARDT, Titus. *El Arte del Islam. Lenguaje y significado*. Palma de Mallorca: José J. de Olañeta, 1999.

CRESWELL, K. Archibald Cameron. *Compendio de Arquitectura Paleoislámica*. Sevilla: Universidad de Sevilla, 1979.

EGUARAS, Joaquina. *Ibn Luyún: tratado de Agricultura*. Granada: Patronato de la Alhambra y Generalife, 1988.

GÓMEZ MORENO, Manuel. *Guía de Granada*. Granada: Imprenta de Indalecio Ventura, 1892.

GRABAR, Oleg. *La formación del Arte islámico*. Madrid: Cátedra, 1984

IBN AL-JATIB. *Historia de los reyes de la Alhambra el resplandor de la luna llena (Al-Lamha al-badriyya)*. Molina López, Emilio (est. prel.); Casciaro Ramírez, José (trad. y prol.). Granada: Universidad de Granada, 1998.

INSOLL, Timothy. *The Archeology of Islam*. Oxford: Blackwell Publishers, 1999.

Les Jardins de L'Islam: 2ème Colloque International sur la Protection et la Restauration des Jardins Historiques, Grenade, du 29 octobre au 4 novembre 1973 = Islamic gardens: 2nd International Symposium on Protection and Restoration of Historical Gardens, Granada, October 29th to November 4th, 1973. París: ICOMOS, 1976.

LEVY-PROVENÇAL, E.; GARCÍA GÓMEZ, Emilio. *El siglo XI en 1ª persona. Las memorias de Abd Allah, último rey zirí de Granada, destronado por los almorávides (1090)*. Madrid: Alianza Editorial, 1980.

MARÇAIS, Georges. *El arte musulmán*. Madrid: Cátedra, 1983.

PAREJA, Félix M.ª. *Islamología*. 2 vols. Madrid, 1952-1954.

PUERTA VÍLCHEZ, José Miguel. *La aventura del cálamo: historia, formas y artistas de la caligrafía árabe*. Ganada: Edilux, 2007.

ROSELLÓ BORDOY, Guillermo. *El nombre de las casas en al-Andalus: una propuesta de terminología coránica*. Palma de Mallorca, 1991.

RUBIERA MATA, Mª Jesús. *La arquitectura en la literatura árabe. Datos para una estética del placer*. Madrid: Editora Nacional, 1981.

SANTIAGO SIMÓN, Emilio. *Las claves del mundo islámico 622-1945*. Barcelona: Planeta, 1991.

TORRES BALBÁS, Leopoldo. *Arte Almohade, Arte Nazarí, Arte Mudéjar*. Madrid: Plus Ultra, 1949.

Lecturas literarias

CHATEAUBRIAND, François-René. *El último abencerraje*. Madrid: Espasa Calpe, 1979.

ESPADAFOR CABA, Manuel. *Un siciliano en la Alhambra*. Granada: Ediciones Miguel Sánchez, 2006.

GALA, Antonio. *El Manuscrito Carmesí*. Barcelona: Planeta, 1990.

GARCÍA FRESNEDA, Ángeles. *La fórmula*. Granada: Ediciones Miguel Sánchez 2009

GARCÍA GÓMEZ, Emilio. *Silla del moro y Nuevas escenas andaluzas*. Granada: Ed. Fundación Rodríguez-Acosta, 1978.

HAZM, Ibn. *El Collar de la Paloma: tratado sobre el amor y los amantes*. Traducido del árabe por Emilio García Gómez. Madrid: Alianza Editorial, 1971.

IRVING, Washington. *Cuentos de la Alhambra*. Edición y prólogo de Antonio Gallego Morell. Madrid: Espasa Calpe, 1991.

JIMÉNEZ, Juan Ramón. *Olvidos de Granada*. Edición, introducción y notas de Manuel Ángel Vázquez Medel. Granada: Diputación de Granada, 2002.

MAALOUF, Amin. *León el Africano*. Madrid: Alianza Editorial, 2003.

RODRÍGUEZ ALMODÓVAR, Antonio. *El palacio de los cuatro tesoros: un cuento sobre la Alhambra*. Madrid: S.M., 2008.

ROMERO, Felipe. *El segundo hijo del mercader de sedas*. Granada: Editorial Comares, 2003.

SECO DE LUCENA PAREDES, Luis. *Los Abencerrajes. Leyenda e historia*. Granada: Imp F. Román, 1960.

TARIQ, Alí. *A la sombra del granado*. Madrid: Alianza Editorial, 2003.

15 Cuaderno de notas

PATRONATO DE LA ALHAMBRA Y GENERALIFE

DIRECCIÓN GENERAL
María del Mar Villafranca Jiménez

COORDINACIÓN
Carmen Yusty Pérez

AUTOR
Jesús Bermúdez López

COLABORADORES
Jorge Calancha de Passos
Victoria E. Chamorro Martínez
Rafael de la Cruz Márquez
Lorena Fernández Payán
Eliseo Patrón-Costas
Ramón Rubio Domene
Jesús Salvador García
María del Mar Villafranca Jiménez

PLANIMETRÍA
Servicio de Conservación y Protección del Patronato de la Alhambra y Generalife
Francisco Lamolda Álvarez, Abelardo Alfonso Gallardo

DOCUMENTACIÓN
Archivo y Biblioteca de la Alhambra
Bárbara Jiménez Serrano, María del Mar Gil Serna, Antonio Ropero Padilla, Luisa Rodado Montes

AGRADECIMIENTOS
Miguel A. Martín Céspedes, Carmen Tienza, Pedro Salmerón, Ricardo Tenorio, José Ag. Becerril, Luis García Pulido, José Tito Rojo, Juan A. Vilar

Por su puntual colaboración, a Gonzalo Alonso, Gaspar Aranda, Julio Baca, Francisco Bonachera, Irene Bonal, Mariano Boza, Eva Carreño, Mª Dolores de la Casa, Elena Correa, Ana Fernández, Stefano Ferrario, Isabel G. Garzón, Caridad García-Alix, Isabel Jiménez, Alfonso Jódar, Francisco Leiva, Mª José López, Purificación Marinetto, Mª José Martín, Pedro Martín, Fernando Martínez, Mª del Mar Melgarejo, Antonio Molina, Matilde Morales, Eva Moreno, José Luis Navarro, Sara Navarro, Lucía Pérez, Manuel Pérez, Belén Prados, Nieves Rodríguez, Raúl Rodríguez, Paula Sánchez, José Mª Visedo

Y, en general, a todo el personal del Patronato de la Alhambra y Generalife

Esta guía oficial de la Alhambra ha sido coeditada por el Patronato de la Alhambra y Generalife y Tf Editores

Patronato de la Alhambra y Generalife
CONSEJERÍA DE CULTURA

TF EDITORES

PRESIDENTE
Titto Ferreira

DIRECCIÓN GENERAL
Alfredo Carrilero

COORDINACIÓN DE LA EDICIÓN
Paloma Nogués
Ignacio Fernández del Amo

PRODUCCIÓN
Alfredo Magro
Ángel Corral
Miguel Ángel Fernández

DISEÑO
Eduardo Szmulevitch
Adrian Tyler
Tf Media

MAQUETACIÓN
Tf Editores

IMPRESIÓN
Tf Artes Gráficas

Contribuimos a un desarrollo medioambiental equilibrado e inteligente. Este es nuestro legado a futuras generaciones.

Fuentes mixtas
Grupo de producto de bosques bien gestionados y otras fuentes controladas
www.fsc.org Cert no. SGS-COC-007252
©1996 Forest Stewardship Council

ENCUADERNACIÓN
Ramos

ISBN (ALHAMBRA): 978-84-86827-28-1
ISBN (TF EDITORES): 978-84-92441-72-3
DEPÓSITO LEGAL: M-25144-2010

CRÉDITOS FOTOGRÁFICOS

Vicente del Amo, cubierta y pp. 4, 8, 28 (bd), 32, 34 (a), 36, 41, 48, 53 (d), 55 (i), 63, 68-69, 72-73, 78, 80, 87, 89, 103 (a), 107, 109, 112-113, 114 (a), 115 (d), 119 (ad), 121, 127 (b), 128, 137, 138 (b), 142-143, 145, 146 (b), 147, 148, 152 (bi), 164, 165 (a), 170 (a), 171, 175, 192 (b), 194, 201, 222, 225, 229, 236 (a), 242 (bi), 243, 249 (i), 253 (b), 263, 278

Archivo de la Alhambra y Generalife, pp. 19, 20, 26 (b), 27, 30, 31 (a y b), 37 (i y d), 38, 45, 57, 60 (bi), 61, 76 (a, bi y bd), 85 (b), 92 (i), 97 (ai), 102 (i), 104 (ad y ai), 106, 114 (b), 119 (ai), 123, 132, 134 (a y b), 135, 136, 139 (b), 140, 152 (a), 156, 166, 170 (b), 179, 185 (d), 198 (i y d), 207 (b), 214 (b), 234 (a), 236 (b), 237 (b), 238, 239, 240, 242 (ai y ad), 244, 245, 248 (i y d), 249 (d), 256 (a y b), 257, 258, 260, 265 (a), 268, 277, 280, 285, 287, 288, 294, 300, 302, 303, 305 (i y d), 306, 331, 337, 340

Alberto Caballero, pp. 26 (a), 28 (bi), 39, 47 (a), 53 (i), 55 (d), 60 (bd), 71 (b), 86, 91, 92 (d), 93, 103 (bi y bd), 104 (b), 105 (i y d), 118 (b), 120 (d), 127 (ai, c y d), 159, 160, 180, 186-187, 205 (i), 206 (d), 210 (a), 215, 223, 251 (d), 266, 295, 297

Luis García Pulido, p. 251 (i)

Cristina García Zarza, pp. 14, 60 (a), 75, 77, 79, 85, 94, 115 (i), 133 (i), 158 (a), 214 (ai y ad), 228, 241, 250, 253 (a), 274, 307

Instituto Valencia de Don Juan, Madrid, p. 185 (i)

Miguel Ángel Molina Bueno, pp. 2, 16-17, 21, 65, 81, 102 (d), 161, 189, 204, 323

Museo de Bellas Artes, Granada, p. 276

Museo Sorolla, Madrid, p. 157

Oronoz archivo fotográfico, p. 141 (a, c y b)

Österreichische Nationalbibliothek, Viena, pp. 15, 235 (d)

Patrimonio Nacional, pp. 252, 296

Adrian Tyler, pp. 10, 12, 22, 29, 33, 34 (b), 35, 44, 46, 47 (bi y bd), 49, 50-51, 52, 56, 62, 64, 70, 71 (ad y ai), 74, 84, 88, 98, 108, 116-117, 118 (a), 120 (i y c), 122 (b), 124-125, 133 (d), 138 (a), 139 (a), 144, 146 (a), 149, 152 (bd), 153, 154, 155 (a y b), 158 (b), 165 (bi y bd), 167, 168, 169, 172, 173, 174, 178, 181, 182, 183, 188, 192 (a), 193, 195 (i y d), 196 (i y d), 197, 199, 200, 205 (d), 207 (a), 208, 210 (b), 211 (i), 212, 218, 224, 227 (i y d), 230, 231 (a y b), 232, 233 (i y d), 234 (b), 235 (i), 237 (a), 246, 254, 261, 264, 265 (b), 269, 270, 272, 283, 284, 290-291, 292, 316

Abreviaturas: (a) arriba), (b) abajo, (c) centro, (d) derecha, (i) izquierda